ALLWEDD
MATHEMATEG

▶ **David Baker**
Ysgol Anthony Gell, Wirksworth

▶ **Paul Hogan**
Ysgol Uwchradd Fulwood, Preston

▶ **Barbara Job**
Ysgol Uwchradd Christleton, Caer

▶ **Renie Verity**
Ysgol Uwchradd Pensby i Ferched, Heswall

© Y fersiwn Saesneg: David Baker, Paul Hogan, Barbara Job, Renie Verity 1997, 2001

Ⓟ Y fersiwn Cymraeg: Awdurdod Cymwysterau, Cwricwlwm ac Asesu Cymru 2002

Dynodwyd hawliau David Baker, Paul Hogan, Barbara Job, Renie Verity, fel awduron y gwaith hwn yn unol â'r Ddeddf Hawlfraint 1988.

Cyhoeddwyd gyntaf yn 1997 gan
Stanley Thornes (Publishers) Ltd
Ail argraffiad yn 2001 gan
Nelson Thornes Limited
Delta Place
27 Bath Road
CHELTENHAM GL53 7TH

Cyhoeddwyd y fersiwn Cymraeg gan
Y Ganolfan Astudiaethau Addysg, Prifysgol Cymru,
Aberystwyth, Ceredigion SY23 2AX
Gwefan: www.caa.aber.ac.uk

ISBN 1 85644 687 5

Cydnabyddiaethau

Mae'r cyhoeddwyr yn ddiolchgar i'r canlynol am ganiatâd i atgynhyrchu deunyddiau:
Adams Picture Library: 316 (B Hodgson);
Allsport: 59 (Mike Cooper), 63 (Mike Powell), 59, 60, 63 (Mike Hewitt), 66 (Steven Dunn), 66 (Simon Brut);
Barnaby's Picture Library: 101 (David Kirby);
Coloursport: 104 (Andrew Cowie); Empics: 51;
Esther Cordon Art: 257;
J Allan Cash Photo Library: 22, 116;
Janine Weidel: 86;
Leslie Garland Picture Library: 123;
Martyn Chillmaid: 16, 23, 25, 26, 42, 45, 46, 50, 55, 82, 83, 93, 108, 110, 111, 112, 113, 123, 142, 144, 147, 151, 198, 199, 200, 201, 233, 306, 318, 326, 327, 332;
Palais de la decouverte: 41;
Photostage: 54 (Donald Cooper);
Robert Harding: 107 (D Furlong);
Science Photo Library: 252 (Dick Luria);
Sylvia Cordaiy 251 (Patrick Partingdon);
Tony Stone Imaging: 109;
Telegraph Colour Library: 104 (S Hutchings);
Topham Picturepoint: 47;
Zefa Pictures: 219 (P Menzel);
Y ffotograffau eraill gan STP Archives.

Mae'r cyhoeddwyr wedi gwneud pob ymgais i gysylltu â'r deiliaid hawlfraint ond ymddiheurwn os oes unrhyw un wedi'i adael allan.

Cyfieithwyd gan Ffion E. Kervegant
Golygwyd a pharatowyd ar gyfer y wasg gan Eirian Jones
Dyluniwyd gan Ceri Jones
Ar ran ACCAC: John Lloyd
Aelodau'r Grŵp Monitro: Rhiannon Bill, Gordon Owen ac Arwyn Jones
Dylunio gwreiddiol: Stiwdio Dorel
Cynllun y clawr: John Christopher, Design Works
Lluniau'r clawr: Tony Stone Images (blaen a cefn), Pictor International (meingefn)
Gwaith celf: Partneriaeth Maltings, Hugh Neill, David Oliver, Angela Lumley, Jean de Lemos
Cartwnau: Clinton Banbury
Argraffwyd gan Argraffwyr Cambria, Aberystwyth

Cynnwys

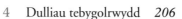

iii

1 Pythagoras

CWESTIYNAU

ESTYNIAD

CRYNODEB

PROFWCH
EICH HUN

Athronydd a mathemategydd Groegaidd oedd Pythagoras oedd yn byw yn y chweched ganrif CC.

Yn ogystal â'i theorem enwog, Pythagoras fu'n gyfrifol am ddarganfod sylfaen fathemategol i gerddoriaeth. Er enghraifft, y posibilrwydd o fynegi wythfed fel cymhareb 1 : 2. (Bydd llinyn sy'n cael ei stopio yng nghanol ei hyd yn swnio wythfed yn uwch na'r hyd cyfan.)

1 Triawdau Pythagoras

Roedd yr hen Eifftwyr yn defnyddio rhaffau i sicrhau fod conglau eu hadeiladau yn sgwâr.

Ymarfer 1:1

1 Edrychwch ar y dilyniant yma o sgwariau:

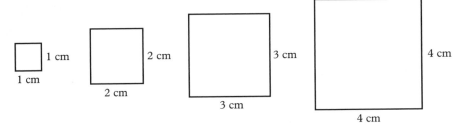

Mae arwynebeddau'r sgwariau yn 1×1, 2×2, 3×3, 4×4
Mae arwynebeddau'r sgwariau yma yn rhoi'r pedwar rhif sgwâr cyntaf i chi: 1, 4, 9, 16
Ysgrifennwch yr 16 rhif sgwâr cyntaf.

2 Edrychwch ar y rhifau sgwâr yma:
9   16   25
Mae'r tri rhif sgwâr yma yn arbennig oherwydd
$9 + 16 = 25$
Mae setiau eraill o rifau sgwâr sy'n gweithio fel hyn.
 a Faint ohonynt allwch chi eu darganfod?
 b Gallwch ysgrifennu
     $9 + 16 = 25$
  fel $3^2 + 4^2 = 5^2$
  Pan fyddwch yn gwneud hyn gelwir y rhifau 3, 4 a 5 **yn Driawd Pythagoras.**
  Defnyddiwch eich atebion i **a** i ysgrifennu eich triawdau Pythagoras eich hun.

3 Edrychwch ar y triawd Pythagoras 3, 4 a 5.

Dyma driongl ag ochrau sy'n
3 cm, 4 cm a 5 cm o hyd:

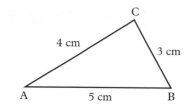

Rydych yn mynd i lunio'r triongl yma.

a Tynnwch linell AB sy'n 5 cm o hyd.

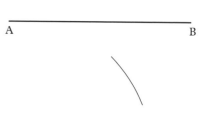

Agorwch eich cwmpas i 4 cm.
Gosodwch y pwynt ar A.
Lluniwch arc.

b Agorwch eich cwmpas i 3 cm.
Gosodwch y pwynt ar B.
Lluniwch arc.

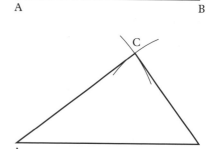

c Mae'r ddwy arc yn croesi mewn pwynt.
Marciwch y pwynt yn C.
Lluniwch AC a BC.

ch Mesurwch ongl fwyaf eich triongl.
Marciwch faint yr ongl yma ar eich triongl.

4 Lluniwch ddau driongl arall gan ddefnyddio eich triawdau yng nghwestiwn **2**.
Mesurwch ongl fwyaf pob triongl.
Marciwch faint yr ongl yma ar y triongl.

5 Beth sy'n gyffredin yn y tri thriongl?

6 Lluniwch dri thriongl ongl sgwâr arall.
Dewiswch unrhyw hydoedd a fynnwch.
Ar gyfer pob triongl:
a Mesurwch hydoedd yr ochrau.
b Sgwariwch y rhifau yma.
c A yw sgwâr y rhif mwyaf yn hafal i swm sgwariau'r ddau rif arall?

2 Darganfod yr hypotenws

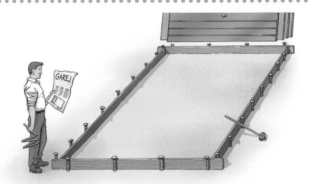

Mae hi'n bwysig iawn cael onglau sgwâr y sylfaen yn gywir cyn adeiladu'r garej neu fydd pethau ddim yn ffitio'n iawn. Mae Mr Ifans yn mynd i fesur ochrau a chroeslin sylfaen y garej yma. Bydd yn defnyddio'r hydoedd i sicrhau fod ganddo ongl sgwâr ym mhob cornel.

Hypotenws

Gelwir ochr hwyaf triongl ongl sgwâr yn **hypotenws.**

Theorem Pythagoras

Yn y triongl ongl sgwâr yma:
$$c^2 = a^2 + b^2$$

$$\frac{\text{Mae sgwâr yr}}{\text{hypotenws}} = \frac{\text{swm sgwariau'r}}{\text{ddwy ochr arall}}$$

Gelwir hyn yn **Theorem Pythagoras** ar ôl y mathemategydd Groegaidd, Pythagoras.

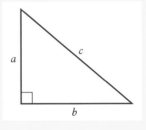

Enghraifft

a Ysgrifennwch lythyren yr hypotenws yn y triongl yma.
b Ysgrifennwch theorem Pythagoras ar gyfer y triongl yma.

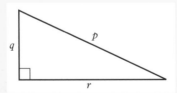

a p yw'r hypotenws
b $p^2 = q^2 + r^2$

Ymarfer 1:2

a Ysgrifennwch lythyren yr hypotenws ym mhob un o'r trionglau yma.
b Ysgrifennwch theorem Pythagoras ar gyfer pob triongl.

1

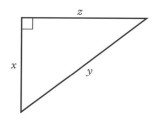

5

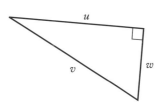

2

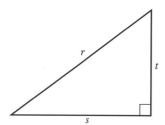

6

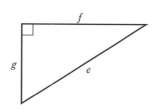

3

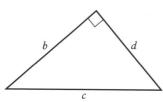

7

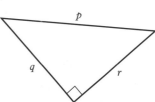

4

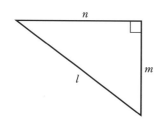

8

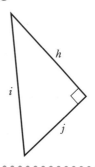

◄◄AILCHWARAE►

Enghraifft

Defnyddiwch x^2 ar eich cyfrifiannell i ddarganfod 3.7^2

Pwyswch y botymau: **3** **.** **7** **x^2** **=**

Ateb: 13.69

Ymarfer 1:3

1 Defnyddiwch x^2 ar eich cyfrifiannell i ddarganfod pob un o'r canlynol:

a 7^2 **c** 45^2 **d** 7.3^2 **e** 32.8^2

b 27^2 **ch** 2.6^2 **dd** 5.36^2 **f** 1.67^2

Enghraifft

Datryswch yr hafaliad yma: $x^2 = 54$
Rhowch x yn gywir i 1 lle degol.

Rydych yn defnyddio i ddarganfod gwerth x: $x = \sqrt{54}$

Pwyswch y botymau: **5** **4** **=**

Mae hyn yn rhoi: 7.3484692

Ateb: 7.3 yn gywir i 1 lle degol.

Cofiwch y rheol wrth dalgrynnu i 1 lle degol:
Edrychwch ar yr *ail* ffigur ar ôl y pwynt degol.
Os yw'r ail ffigur yn 0, 1, 2, 3 neu 4, dilëwch y rhifau nad oes
eu hangen.
Os yw'r ail ffigur yn 5, 6, 7, 8 neu 9, adiwch un at y rhif sydd
yn y lle degol cyntaf.

2 Datryswch yr hafaliadau yma.

a $x^2 = 81$ **b** $v^2 = 196$ **c** $p^2 = 361$ **ch** $r^2 = 184.96$

3 Datryswch yr hafaliadau yma.
Rhowch eich atebion yn gywir i 1 lle degol.

a $n^2 = 35$ **c** $m^2 = 75$ **d** $q^2 = 80$ **e** $s^2 = 146$

b $y^2 = 56.8$ **ch** $x^2 = 45.1$ **dd** $w^2 = 9.07$ **f** $k^2 = 166.3$

Gallwch ddefnyddio theorem Pythagoras i ddarganfod hyd yr hypotenws os ydych yn gwybod hydoedd y ddwy ochr arall.

Enghraifft

Darganfyddwch hyd hypotenws y triongl yma.
Rhowch eich ateb yn gywir i 1 lle degol.

Gan ddefnyddio theorem Pythagoras:
$p^2 = 7^2 + 10^2$
$p^2 = 49 + 100$
$p^2 = 149$
$p = \sqrt{149}$
$p = 12.2$ cm yn gywir i 1 lle degol.

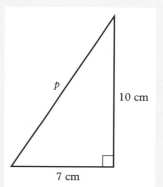

Gwiriwch. Edrychwch ar y triongl.
Mae 12.2 cm yn ymddangos yn hyd rhesymol ar gyfer yr ochr hwyaf.

Ymarfer 1:4

1 Darganfyddwch hyd yr hypotenws ym mhob un o'r trionglau yma.
Edrychwch ar y triongl bob amser i wirio fod eich ateb yn rhesymol.

a

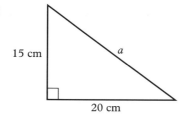

c

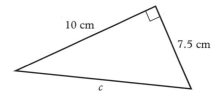

b

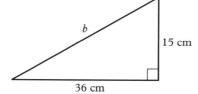

ch

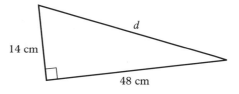

2 Darganfyddwch hyd yr hypotenws ym mhob un o'r trionglau yma.
Rhowch eich atebion yn gywir i 1 lle degol.

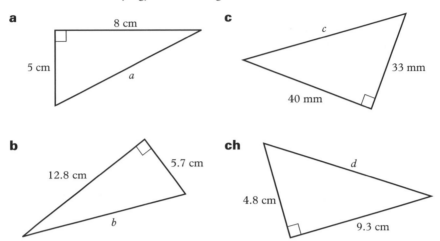

a
8 cm
5 cm
a

c
c
33 mm
40 mm

b
5.7 cm
12.8 cm
b

ch
d
4.8 cm
9.3 cm

Yng ngweddill yr ymarfer yma, rhowch eich atebion yn gywir i 1 lle degol pan
fydd angen talgrynnu.

3 Mae'r diagram yn dangos ramp ar gyfer
cadeiriau olwyn. Darganfyddwch hyd y ramp.

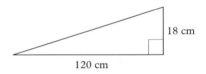

18 cm
120 cm

4 Dyma sgarff Sinita.
Mae'r sgarff ar ffurf triongl mawr.
Mae'r ddau ymyl byrraf yn 60 cm.
Darganfyddwch hyd yr ymyl hwyaf.

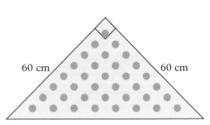

60 cm
60 cm

5 Mae Alan yn cyfeiriannu.
Mae'n mynd ar daith draws gwlad fel y
dengys y diagram.
Mae'n gorffen 145 m i'r gogledd a 50 m
i'r gorllewin o'i fan cychwyn.
Pa mor bell yw Alan o'i fan cychwyn?

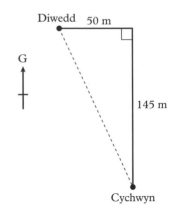

Diwedd 50 m
G
145 m
Cychwyn

6 Dyma driongl isosgeles.
Mae sail y triongl yn 8 cm.
Mae ei uchder yn 6 cm.
Defnyddiwch y triongl coch i ddarganfod hyd
un o'r ochrau hafal.

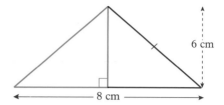

7 Mae mast yn cael ei gynnal gan ddwy
wifren fel y dengys y diagram.
Mae uchder y mast yn 70 m.
Beth yw hyd pob gwifren?

8 Dyma babell Gareth.
Mae hi'n 80 cm o uchder a 120 cm o led.
Darganfyddwch hyd un o ochrau goleddol
y babell.

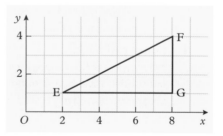

9 Mae'r diagram yn dangos
triongl EFG.
a EG = 6 uned
Ysgrifennwch hyd FG.
b Defnyddiwch theorem Pythagoras
i ddarganfod hyd EF.

• **10** Ni allwch lunio triongl ongl sgwâr ag ymylon 7 cm, 9 cm a 21 cm.
Defnyddiwch theorem Pythagoras i ddangos hyn.

• **11** Mae Mr Ifans yn gwneud sylfaen garej.
Mae ochrau'r sylfaen yn mesur 3.5 m a 5 m.

Dylai'r sylfaen fod ar ffurf petryal.
Mae Mr Ifans yn darganfod fod croeslin yn
mesur 6.5 m.

Defnyddiwch theorem Pythagoras i
benderfynu a yw'r sylfaen yn betryal.

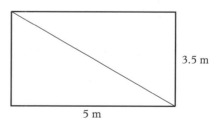

3 Darganfod unrhyw ochr

Mae'n rhaid i Marc lanhau'r landar ar ymyl y to.
Mae o eisiau gwybod a fydd ei ysgol yn cyrraedd y landar.

Gellir defnyddio theorem Pythagoras i ddarganfod un o ochrau byrraf triongl.

Enghraifft   Mae ysgol Marc yn pwyso'n erbyn wal.
Darganfyddwch pa mor uchel u mae'r ysgol yn cyrraedd i fyny'r wal.
Rhowch eich ateb yn gywir i 1 lle degol.

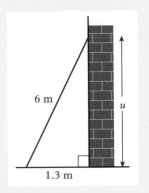

Gan ddefnyddio theorem Pythagoras.

$$6^2 = u^2 + 1.3^2$$ Ysgrifennwch yr hafaliad o chwith.

$$u^2 + 1.3^2 = 6^2$$ Nawr, mae'r anhysbysyn, u, ar yr ochr chwith.

$$u^2 + 1.69 = 36$$

$$u^2 + 1.69 - \mathbf{1.69} = 36 - \mathbf{1.69}$$ Tynnwch 1.69 o'r *ddwy* ochr.

$$u^2 = 34.31$$

$$u = \sqrt{34.31}$$

$$u = 5.9 \text{ m yn gywir i 1 lle degol}$$

Gwiriwch. Mae 5.9 m yn llai na'r hypotenws, 6 m. Mae'n edrych fel ateb rhesymol.

Ymarfer 1:5

Edrychwch ar y triongl ym mhob cwestiwn er mwyn gwirio a yw eich ateb yn synhwyrol.

1 Darganfyddwch yr hydoedd sydd ar goll ym mhob un o'r trionglau yma.

a
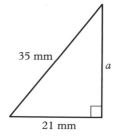
35 mm

a

21 mm

c
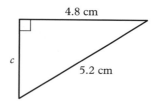
4.8 cm

c

5.2 cm

b
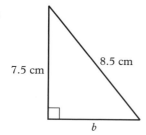
7.5 cm

8.5 cm

b

ch
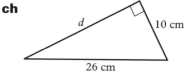
d

10 cm

26 cm

2 Darganfyddwch yr hydoedd sydd ar goll ym mhob un o'r trionglau yma. Rhowch eich atebion yn gywir i 1 lle degol pan fydd angen talgrynnu.

a
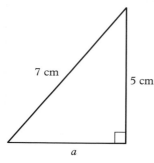
7 cm

5 cm

a

c
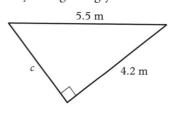
5.5 m

c

4.2 m

b
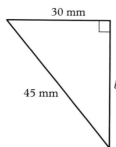
30 mm

45 mm

b

ch
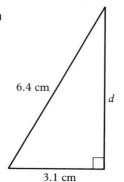
6.4 cm

d

3.1 cm

Yng ngweddill yr ymarfer yma, rhowch eich atebion yn gywir i 1 lle degol pan fydd angen talgrynnu.

3 Mae Sali wedi gosod ei hysgol i bwyso yn erbyn y wal.
Pa mor uchel mae'r ysgol yn cyrraedd i fyny'r wal?

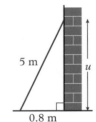

4 Mae'r llun yn dangos sleid mewn cae chwarae.
Mae'r sleid yn 6 m o hyd.
Mae'r pellter llorweddol yn 4 m.
Beth yw uchder y sleid?

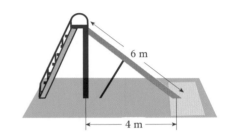

5 Dyma ddiagram o lithren ddŵr mewn parc thema.
Mae hyd y llithren yn 20 m.
Mae'r pellter sy'n cael ei deithio yn 15.4 m.
a Darganfyddwch y pellter fertigol sy'n cael ei deithio.
b Mae pob gris yn 18 cm o uchder.
Faint o risiau fydd eu hangen i gyrraedd brig y llithren ddŵr?

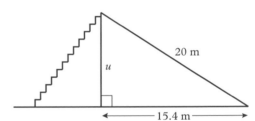

6 Mae dwy ochr triongl ongl sgwâr yn 14 cm ac 18 cm.
Beth fydd hyd y drydedd ochr os hon
a fydd yr ochr hwyaf? **b** fydd yr ochr fyrraf?

7 Mae cwch yn hwylio o'r harbwr at y bwi.
Mae'r bwi 5 km i'r de a 7 km i'r gorllewin o'r harbwr.
a Pa mor bell mae'r cwch wedi teithio?
b Nawr mae'r cwch 4.9 km o drwyn y penrhyn.
Mae'r trwyn 2 km i'r gorllewin o'r cwch.
Pa mor bell i'r gogledd o'r cwch yw trwyn y penrhyn?

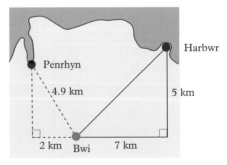

Ymarfer 1:6

Rhowch eich atebion yn gywir i 1 lle degol pan fydd angen i chi dalgrynnu.

1 Mae angen cryfhau giât drwy osod croeslath ar draws y groeslin.
Cyfrifwch hyd y groeslath.

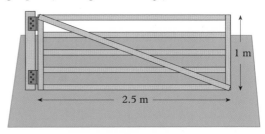

2.5 m

1 m

2 Yn y diagram dangosir pren cynnal silff. Beth yw uchder y pren?

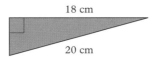

18 cm

20 cm

● **3** Mae lleoliadau tri o dai wedi eu marcio ar y diagram.
Mae tŷ A 7km o B a 7 km o C.
Mae'r pellter rhwng B ac C yn 10 km ar hyd ffordd syth.
Beth yw'r pellter byrraf o A at y ffordd?

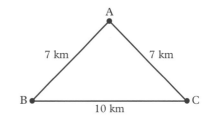

A

7 km 7 km

B 10 km C

4 Mae Sioned yn ymarfer ar gyfer cystadleuaeth bwysig. Mae hi'n gwella ei ffitrwydd drwy redeg yn y parc lleol.
Mae hi'n rhedeg ar hyd dau lwybr gwahanol.
  a Mae llwybr cyntaf Sioned yn golygu rhedeg perimedr y parc.
  Pa mor hir yw'r llwybr yma?
  b Mae'r saethau ar y diagram yn dangos ail lwybr Sioned.
  Pa mor hir yw'r llwybr yma?

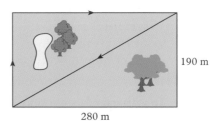

190 m

280 m

5 Mae Rhodri yn symud oergell i'w gegin.
Mae'n defnyddio troli i symud yr oergell.
Mae'r diagram yn dangos yr oergell wrth iddi gael ei symud gan y troli.
  a Darganfyddwch gyfanswm uchder yr oergell a'r troli.
  b Mae drws y gegin yn 2 m o uchder.
  A fydd hi'n bosibl i Rhodri fynd â'r oergell drwy'r drws?

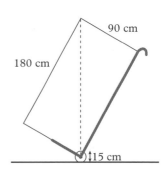

90 cm

180 cm

15 cm

1   Nid yw un o'r setiau tri rhif yma yn dilyn y rheol $c^2 = a^2 + b^2$
     Pa un ydyw?
     a   10, 24, 26   **b**   8, 15, 17   **c**   4, 5, 6   **ch** 6, 8, 10

2   Darganfyddwch hyd yr hypotenws ym mhob un o'r trionglau yma.
     Rhowch eich atebion yn gywir i 1 lle degol pan fydd angen talgrynnu.

   a   **b**   **c**

a 3.6 cm   7.8 cm   5.4 cm c 35 mm   30 mm

2.7 cm b

3   Mae hyd petryal yn 24 cm a'i led yn 15 cm.
     Darganfyddwch hyd croeslin.

4   Mae awyren yn hedfan 260 km yn union i'r
     gogledd, ac yna 340 km yn union i'r dwyrain.
     Pa mor bell yw'r awyren o'i man cychwyn?

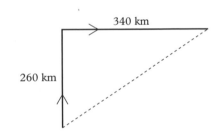

340 km

260 km

5   Yn y diagram dangosir sut y bydd ramp
     cadeiriau olwyn yn cael ei osod dros
     risiau.
     Pa mor hir y dylai'r ramp fod?
     Rhowch eich ateb yn gywir i'r centimetr
     agosaf.

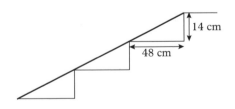

14 cm

48 cm

6   Defnyddiwch bapur sgwariau i lunio echelin x o 0 i 6 ac echelin y o 0 i 8.
     Plotiwch bwyntiau P (2,1), Q (5, 8) ac R (5,1).
     a   Darganfyddwch hyd PR.
     b   Darganfyddwch hyd RQ.
     c   Defnyddiwch theorem Pythagoras i ddarganfod hyd PQ.

7 Darganfyddwch hydoedd yr ochrau sydd wedi eu marcio â llythrennau yn y trionglau yma.

a

30 mm   37 mm

a

b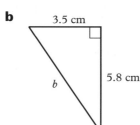

3.5 cm

5.8 cm

b

c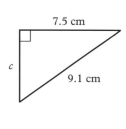

7.5 cm

c   9.1 cm

(1)   (2)

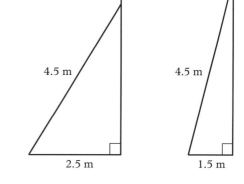

8 Yn ôl theori Huw, os y bydd yn symud ysgol 1 m yn nes at wal, bydd hi'n cyrraedd 1 m ymhellach i fyny'r wal. Mae'r diagramau yn dangos dau leoliad ysgol Huw.

  a Darganfyddwch y pellter mae'r ysgol yn cyrraedd i fyny'r wal yn y ddau leoliad yma.
Rhowch eich ateb yn gywir i 2 le degol.

  b Faint yn uwch i fyny'r wal mae'r ysgol yn cyrraedd yn lleoliad (2)? A yw theori Huw yn gywir?

4.5 m   4.5 m

2.5 m   1.5 m

9 Mae'r triongl a ddangosir yn isosgeles.

  a Cyfrifwch uchder y triongl yn gywir i 1 lle degol.

  b Cyfrifwch beth yw arwynebedd y triongl.

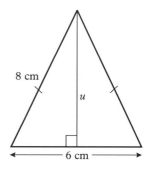

8 cm

u

6 cm

10 Mae Jên yn hedfan barcut.
Mae Guto yn sefyll yn union o dan y barcut.
Mae Guto 14 m oddi wrth Jên.
Mae llinyn y barcut yn 30 m o hyd.
Cyfrifwch uchder y barcut.
Rhowch eich ateb yn gywir i'r fetr agosaf.

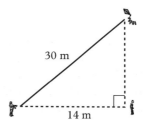

30 m

14 m

1 Mae Nerys yn defnyddio rhoden wydr
i gymysgu'r hylif yn y bicer yma.
Mae'r rhoden yn 25 cm o hyd.
Mae'r bicer yn 14 cm o uchder ac mae
ei ddiamedr yn 10 cm.
Beth yw hyd y rhan o'r rhoden wydr
sydd y tu allan i'r bicer?

2 Dyma lun o rwber.
Beth yw hyd ymyl goleddol
y rwber?

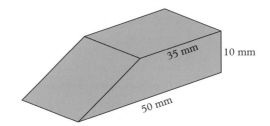

3 Dyma ddiagram o sied.
a Darganfyddwch hyd ymyl y to sydd
ar oledd.
b Darganfyddwch arwynebedd to'r sied.

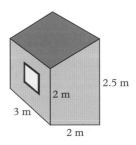

4 Edrychwch ar y sbiral yma.
a Defnyddiwch theorem Pythagoras i
ddarganfod p^2.
b Defnyddiwch theorem Pythagoras a'ch
gwerth ar gyfer p^2 i ddarganfod q^2.
c Defnyddiwch theorem Pythagoras a'ch
gwerth ar gyfer q^2 i ddarganfod r^2.
ch Defnyddiwch y patrwm i ddarganfod hyd s.

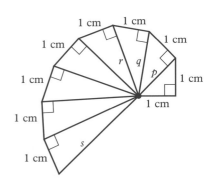

5 Mae pen y prism yma yn driongl hafalochrog
ag ochr 8 cm.
a Cyfrifwch uchder y triongl, u.
b Cyfrifwch arwynebedd y triongl.
c Cyfrifwch gyfaint y prism.

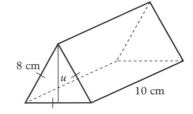

- **Hypotenws**   Gelwir ochr hwyaf triongl ongl sgwâr yn **hypotenws**.

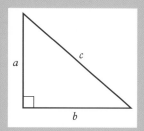

    Theorem   Yn y triongl ongl sgwâr yma:
    Pythagoras $c^2 = a^2 + b^2$

Mae sgwâr yr   swm sgwariau'r ddwy
hypotenws   =   ochr arall

- *Enghraifft*   Darganfyddwch hyd hypotenws y triongl yma.
Rhowch eich ateb yn gywir i 1 lle degol.

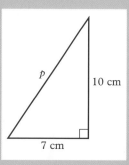

Gan ddefnyddio theorem Pythagoras:
$p^2 = 7^2 + 10^2$
$p^2 = 49 + 100$
$p^2 = 149$
$p = \sqrt{149}$
$p = 12.2$ cm yn gywir i 1 lle degol.

Gwiriwch.   Edrychwch ar y triongl.
         Mae 12.2 cm yn ymddangos yn hyd rhesymol
         ar gyfer yr ochr hwyaf.

- *Enghraifft*   Mae ysgol Marc yn pwyso'n erbyn wal.
Darganfyddwch pa mor uchel u mae'r
ysgol yn cyrraedd i fyny'r wal.
Rhowch eich ateb yn gywir i 1 lle degol.

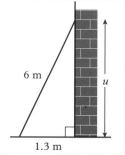

Gan ddefnyddio theorem Pythagoras.

           $6^2 = u^2 + 1.3^2$ Ysgrifennwch yr hafaliad o chwith.

     $u^2 + 1.3^2 = 6^2$ Nawr, mae'r anhysbysyn, u, ar yr ochr chwith.
     $u^2 + 1.69 = 36$
$u^2 + 1.69 - \mathbf{1.69} = 36 - \mathbf{1.69}$ Tynnwch 1.69 o'r *ddwy* ochr.
          $u^2 = 34.31$
          $u = \sqrt{34.31}$
          $u = 5.9$ m yn gywir i 1 lle degol

Gwiriwch. Mae 5.9 m yn llai na'r hypotenws, 6 m. Mae hyn yn edrych fel ateb rhesymol.

1 Cyfrifwch hydoedd yr ochrau sydd wedi eu marcio â llythrennau yn y trionglau yma. Rhowch eich atebion yn gywir i 1 lle degol pan fydd angen talgrynnu.

a
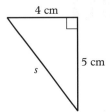
4 cm
5 cm
s

c
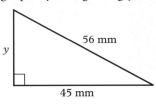
56 mm
y
45 mm

b
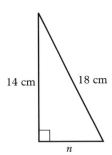
14 cm
18 cm
n

ch
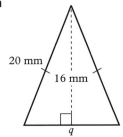
20 mm
16 mm
q

2 Defnyddiwch theorem Pythagoras i brofi a oes gan y triongl yma ongl sgwâr.

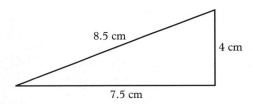
8.5 cm
4 cm
7.5 cm

3 Mae ysgol sy'n 3.5 m o hyd yn pwyso yn erbyn wal tŷ.
Mae troed yr ysgol 1.2 m oddi wrth y wal.
Cyfrifwch pa mor uchel mae'r ysgol yn cyrraedd i fyny'r wal.
Rhowch eich ateb yn gywir i 1 lle degol.

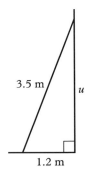
3.5 m
u
1.2 m

2 Fformiwlâu

Ar gyfer gwrthrych symudol

$$E = mc^2$$

lle mae E = egni, c yw cyflymder golau ac m yw màs

Yn syml, mae'n dweud fod pob egni â màs. Albert Einstein, gwyddonydd a aned yn yr Almaen, a ddyfeisiodd hyn.

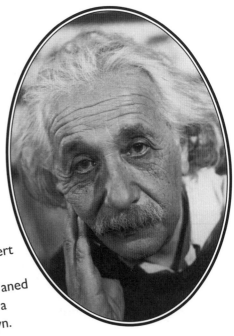

1 ◀◀AILCHWARAE▶

Mae Colin yn mynd i bapuro'i ystafell wely.
Mae angen iddo wybod sawl rholyn o bapur wal i'w brynu.
Mae Colin wedi darganfod fformiwla i amcangyfrif nifer y rholiau:

$$R = \frac{U \times P}{5}$$

$U = U$chder yr ystafell mewn metrau
$P = P$erimedr yr ystafell mewn metrau

Mae ystafell Colin tua 2 m o uchder ac mae'r perimedr yn 16 m.

Mae ar Colin angen $\dfrac{2 \times 16}{5} = 6.4$ rholyn

Mae Colin yn penderfynu prynu 7 rholyn o bapur wal.

Ymarfer 2:1

Dyma rai fformiwlâu a ddefnyddir mewn mathemateg i ddarganfod perimedrau ac arwynebeddau.

1 Mae P = 4h yn rhoi perimedr sgwâr.
   a Darganfyddwch P pan yw h = 5 cm.
   b Darganfyddwch P pan yw h = 7 cm.

2 Mae A = h^2 yn rhoi arwynebedd sgwâr.
   Cofiwch: $h^2 = h \times h$
   a Darganfyddwch A pan yw h=4 cm. **b** Darganfyddwch A pan yw h=9 cm.

3 Mae $P = 2h + 2l$ yn rhoi perimedr petryal.
   a Darganfyddwch P pan yw h = 6 cm ac l = 4 cm.
   b Darganfyddwch P pan yw h = 8 m ac l = 5 m.

4 Mae A = hl yn rhoi arwynebedd petryal.
   Darganfyddwch A pan yw h = 7 cm ac l = 5 cm.

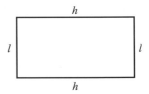

5   Mae $P = 2 \times (h + l)$ yn ffordd arall o ysgrifennu perimedr petryal.
Darganfyddwch P pan yw $h = 4.5$ cm ac $l = 2.5$ cm.

6   Mae $A = 6h^2$ yn fformiwla i ddarganfod
arwynebedd arwyneb ciwb ag ochr h.
Cofiwch: $A = 6 \times h^2$
   a   Darganfyddwch A pan yw $h = 3$ cm.
   b   Darganfyddwch A pan yw $h = 5$ cm.

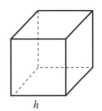

h

7   Mae $A = \frac{1}{2}su$ yn rhoi arwynebedd triongl.
Darganfyddwch A pan yw $s = 30$ mm ac
$u = 20$ mm.

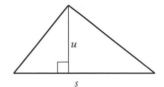

8   Mae $A = su$ yn rhoi arwynebedd paralelogram.
Darganfyddwch A pan yw $s = 7$ cm ac $u = 4$ cm.

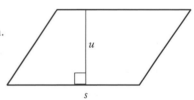

9   Mae $C = 3d$ yn fformiwla i amcangyfrif
cylchedd cylch.
   a   Rhowch amcangyfrif ar gyfer C os
yw $d = 15$ mm.
   b   Rhowch amcangyfrif ar gyfer C os
yw $d = 8$ cm.

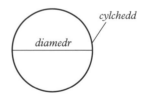

cylchedd

diamedr

10   Mae $A = \dfrac{a + b}{2} \times u$ yn fformiwla i
ddarganfod arwynebedd trapesiwm.

Darganfyddwch A pan yw $a = 5$ cm,
$b = 7$ cm ac $u = 4$ cm.

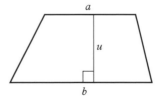

Gallwch ysgrifennu fformiwlâu i gyfrifo pethau mewn bywyd bob dydd.

Enghreifftiau **1** Mae Mr Elis yn defnyddio'i fodur i dynnu cwch.
Cyfanswm yr *h*yd yw hyd y *m*odur a hyd y *c*wch.
Mewn algebra mae hyn yn cael ei ysgrifennu $h = m + c$

Gallwch ddefnyddio'r fformiwla i ddarganfod cyfanswm yr hyd os yw hyd y modur yn 4 m a hyd y cwch yn 5 m.
$h = 4 + 5 = 9$
Mae cyfanswm yr hyd yn 9 m.

2 Mae gwobr o £50 yn cael ei rhannu rhwng *p*lant.
Mae pob un ohonynt yn cael swm cyfartal o *a*rian.

Mewn algebra mae hyn yn cael ei ysgrifennu $a = \dfrac{50}{p}$

Gallwch ddefnyddio'r fformiwla i ddarganfod y swm os yw pedwar o blant yn rhannu'r wobr.

$a = \dfrac{50}{4} = 12.5$

Mae'r plant yn cael £12.50 yr un.

Ymarfer 2:2

Defnyddiwch y llythrennau coch a'r rhifau i ysgrifennu pob un o'ch fformiwlâu yn y cwestiynau yma.

1 **a** Ysgrifennwch fformiwla i ddarganfod cyfanswm *h*yd *f*an sy'n tynnu *c*wch.
  b Defnyddiwch eich fformiwla i ddarganfod *h* pan yw *f* = 3 m ac *c* = 4 m.

2 **a** Ysgrifennwch fformiwla i ddarganfod faint o *a*rian fydd *p*obl yn ei dderbyn pan fydd gwobr o £100 yn cael ei rhannu rhyngddynt.
  b Defnyddiwch y fformiwla i ddarganfod *a* pan fydd 5 o bobl yn rhannu'r wobr.

3 **a** Ysgrifennwch fformiwla i ddarganfod
cyfanswm hyd darn o *l*inyn ar ôl i
ddarn 5 m gael ei dorri i ffwrdd.

  b Defnyddiwch y fformiwla i
ddarganfod *c* pan yw *l* = 20 m.

4 **a** Ysgrifennwch fformiwla i ddarganfod nifer y seddau *g* wag sydd ar ôl mewn
theatr lle ceir 450 o seddau, ar ôl i rai *s* eddau gael eu gwerthu.

  b Defnyddiwch y fformiwla i ddarganfod *g* pan yw *s* = 390.

5 **a** Ysgrifennwch fformiwla i ddarganfod cyfanswm *c* ost 9 *t* ocyn disgo.

  b Defnyddiwch eich fformiwla i ddarganfod *c* pan yw *t* = £5.50.

6 **a** Ysgrifennwch fformiwla i ddarganfod *p* wysau pob darn o daffi pan fydd
b locyn yn cael ei dorri yn 15 o ddarnau.

  b Defnyddiwch eich fformiwla i ddarganfod *p* pan yw *b* = 240 g.

7 **a** Ysgrifennwch fformiwla i ddarganfod
cyfanswm *c* ost *d* iod a *b* isged.

  b Defnyddiwch eich fformiwla i ddarganfod
c pan yw *d* = 60c a *b* = 35c.

8 **a** Ysgrifennwch fformiwla i ddarganfod y *s* wm y pen pan fydd pris *t* acsi yn
cael ei rannu rhwng 3 o bobl.

  b Defnyddiwch eich fformiwla i ddarganfod *s* pan fydd *t* = £6.

9 **a** Ysgrifennwch fformiwla i ddarganfod *c* yflog rhywun sy'n ennill £5 yr *a* wr.

  b Defnyddiwch eich fformiwla i ddarganfod *c* pan yw *a* = 3 awr.

10 **a** Ysgrifennwch fformiwla i ddarganfod *p* wysau bag 5 kg o datws pan fydd
rhai o'r *t* atws wedi eu defnyddio.

  b Defnyddiwch eich fformiwla i ddarganfod *p* pan yw *t* = 1.75 kg.

Mae rhai fformiwlâu yn cynnwys dwy ran.
Mae un rhan yn swm sy'n amrywio, ac mae'r rhan arall yn aros yr un fath.

Enghraifft   Mae teulu'r Morusiaid yn llogi car i fynd ar eu gwyliau.
Ar gyfer pob diwrnod o'r gwyliau maen nhw'n talu £50. Maen nhw hefyd yn talu swm sefydlog o £40 am yswiriant.

a Ysgrifennwch fformiwla ar gyfer cyfanswm y gost (C = cyfanswm, d = dyddiau).
b Defnyddiwch eich fformiwla i ddarganfod C pan yw d = 12 o ddyddiau.

a

Nifer y dyddiau d	Cost llogi	Yswiriant	Cyfanswm C
1	$50 \times 1 = 50$	40	$50 + 40 = 90$
2	$50 \times 2 = 100$	40	$100 + 40 = 140$
3	$50 \times 3 = 150$	40	$150 + 40 = 190$
4	$50 \times 4 = 200$	40	$200 + 40 = 240$

$$C = 50 \times d + 40 \quad \text{neu} \quad C = 50d + 40$$

b Pan yw d = 12, $C = 50 \times 12 + 40 = 640$ Ateb: £640

Ymarfer 2:3

1 Mae un papur newydd yn cael ei ddosbarthu i gartref y Jonesiaid bob dydd.
Mae'r papur newydd yn costio 40c. Codir hefyd gost ddosbarthu sefydlog o 50c yr wythnos.
a Copïwch y tabl a'i gwblhau.

Nifer y dyddiau d	Cost y papurau	Cost ddosbarthu	Cyfanswm C
1	$40 \times 1 = 40$	50	$40 + 50 = 90$
2	$40 \times 2 = 80$	50	$80 + 50 = ...$
3			
4			

b Darganfyddwch fformiwla ar gyfer cyfanswm cost y papurau.
(C = cyfanswm cost mewn ceiniogau, d = nifer y dyddiau)
Defnyddiwch y tabl i'ch helpu.
c Defnyddiwch eich fformiwla i ddarganfod C pan yw (1) d = 6 diwrnod
(2) d = 4 diwrnod.

2 Am bob diwrnod o waith mewn siop mae'r rheolwr yn cael cyflog o £60 a phob un o'i weithwyr yn cael £35.
a Copïwch y tabl a'i lenwi.
Ewch cyn belled â 4 yn y golofn gyntaf.

Nifer y gweithwyr n	Cyflog y gweithwyr	Cyflog y Rheolwr	Cyfanswm C
1	$35 \times 1 = 35$	60	$35 + 60 = 95$

b Darganfyddwch fformiwla ar gyfer y cyfanswm a delir i'r staff am ddiwrnod o waith yn y siop (C = cyfanswm, n = nifer y gweithwyr).
c Defnyddiwch eich fformiwla i ddarganfod C pan yw (1) n = 7 (2) n = 10

Ym mhob un o'r cwestiynau yma rhaid i chi ddarganfod fformiwla.
Gallwch wneud tabl i'ch helpu i ddarganfod y fformiwla.
Efallai y byddwch yn gallu ysgrifennu'r fformiwla heb ddefnyddio tabl.

3 Mae Blwyddyn 9 yn cael parti. Codir swm sefydlog o £90 am logi disgo a £3 y pen am fwyd.
   a Darganfyddwch fformiwla ar gyfer cyfanswm cost y parti.
      (C = cyfanswm y gost, n = nifer y disgyblion)
   b Defnyddiwch eich fformiwla i ddarganfod C os oes 120 o ddisgyblion Blwyddyn 9 yn mynd i'r parti.

4

Mae injan trên nwyddau yn 6 m o hyd. Mae pob wagen yn 8 m o hyd.
   a Ysgrifennwch fformiwla ar gyfer cyfanswm hyd y trên nwyddau.
      (C = cyfanswm yr hyd, n = nifer y wagenni)
   b Defnyddiwch eich fformiwla i ddarganfod cyfanswm hyd trên sy'n tynnu 20 o wagenni.

5 Mae 9W yn mynd i'r theatr.
   Mae cost llogi'r bws yn £55 ac mae'r tocynnau theatr yn £4 yr un.
   a Ysgrifennwch fformiwla ar gyfer cyfanswm cost y trip.
      (C = cyfanswm y gost mewn £, n = nifer y disgyblion sy'n mynd ar y trip)
   b Defnyddiwch eich fformiwla i ddarganfod cyfanswm y gost os bydd 30 o ddisgyblion yn mynd ar y trip.

6 Mae Carys wedi ymuno â chlwb nofio. Roedd hi'n gorfod talu £25 i ymuno â'r clwb.
   Mae hi hefyd yn talu £1.50 bob tro y bydd hi'n mynd i nofio.
   a Ysgrifennwch fformiwla ar gyfer cyfanswm cost sesiynau nofio Carys.
      (C = cyfanswm y gost mewn £, n = nifer o weithiau mae Carys yn mynd i nofio)
   b Defnyddiwch eich fformiwla i ddarganfod cyfanswm y gost os yw Carys yn mynd i nofio 30 o weithiau.

7 Mae'r Bwrdd Trydan Northern Electricity yn codi 8c ar gwsmeriaid am bob uned o drydan a ddefnyddir, yn ogystal â thâl sefydlog o £12.
   a Ysgrifennwch fformiwla ar gyfer cyfanswm cost y trydan a ddefnyddir.
      (C = cyfanswm y gost mewn £, n = nifer yr unedau o drydan a ddefnyddir)
   b Mae teulu'r Wyniaid wedi defnyddio 1200 uned o drydan.
      Defnyddiwch eich fformiwla i gyfrifo cyfanswm cost eu bil trydan.

2 Patrymau

Mae Gavin yn defnyddio teils gwyrdd a melyn i wneud patrymau.

Ymarfer 2:4

1

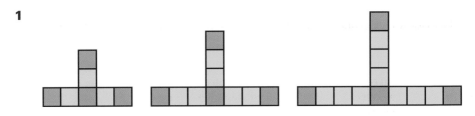

    a Defnyddiwch bapur sgwariau i gopïo'r patrymau yma.
    b Lluniwch batrwm rhif 4.

2 Faint o deils fydd i gyd ym mhatrwm rhif 5?

3 Y rheol sydd gan Gavin i gyfrifo cyfanswm nifer y teils yw $3n + 4$, lle mae n yn cynrychioli rhif y patrwm.
    a Beth mae'r 4 yn ei gynrychioli yn y rheol $3n + 4$?
    b Beth mae'r $3n$ yn ei gynrychioli yn y rheol $3n + 4$?

4   **a** Mae Gavin eisiau gwneud patrwm rhif 11.
       Faint o deils melyn fydd eu hangen arno?
    b Faint o deils fydd eu hangen i gyd ar Gavin i wneud patrwm rhif 11?

5 Mae Gavin yn defnyddio 34 o deils i gyd i wneud patrwm.
Faint o deils melyn mae o'n eu defnyddio?

6 Mae gan Gavin 8 o deils gwyrdd a 36 o deils melyn.
Beth yw rhif y patrwm mwyaf fydd Gavin yn gallu ei wneud?

Ymarfer 2:5

Mae Llio yn defnyddio mwclis a matsys i wneud patrymau.

1   Lluniwch batrwm rhif 4.

2   **a**   Faint o fwclis fydd angen i Llio eu hychwanegu bob tro y bydd hi'n gwneud patrwm newydd?
     b   Faint o fwclis fydd ym mhatrwm rhif 5?
     c   Faint o fwclis fydd ym mhatrwm rhif 10?

3   Y rheol sydd gan Llio ar gyfer nifer y mwclis yw '2 waith rhif y patrwm adio 2'. Defnyddiwch algebra i ysgrifennu rheol Llio. Defnyddiwch n ar gyfer rhif y patrwm.

4   Mae Llio yn defnyddio 22 o fwclis i wneud patrwm.
     Ysgrifennwch rif y patrwm.

5   **a**   Sawl matsen fydd Llio yn ychwanegu bob tro y bydd hi'n gwneud patrwm newydd?
     b   Sawl matsen fydd ym mhatrwm rhif 5?

6   **a**   Copïwch y canlynol a llenwi'r bylchau:
         Y rheol i gael cyfanswm nifer y matsys yw ... gwaith rhif y patrwm adio ...
     b   Defnyddiwch algebra i ysgrifennu'r rheol. Defnyddiwch n ar gyfer rhif y patrwm.

7   Mae Llio yn defnyddio 31 o fatsys i wneud patrwm.
     Ysgrifennwch rif y patrwm.

◄◄AILCHWARAE►

Ymarfer 2:6

1 Mae'r patrymau hyn wedi eu gwneud â mwclis a matsys.

Patrwm rhif 1   Patrwm rhif 2   Patrwm rhif 3

a Lluniwch y ddau batrwm nesaf.

b Copïwch y tabl yma a'i gwblhau:

Nifer y matsys	1	2	3	4	5
Nifer y mwclis	2	4			

       2   ?   ?   ?

c Sawl mwclen ydych chi'n ychwanegu bob tro?

ch Copïwch y canlynol a llenwi'r bwlch:

nifer y mwclis = ... × nifer y matsys

2 Mae'r patrymau yma wedi eu gwneud â chownteri melyn a glas.

Patrwm rhif 1   Patrwm rhif 2   Patrwm rhif 3

a Lluniwch y ddau batrwm nesaf.

b Copïwch y tabl yma a'i gwblhau:

Nifer y cownteri glas	1	2	3	4	5
Nifer y cownteri melyn	4	6			

       2   ?   ?   ?

c Sawl cownter melyn ydych chi'n ei ychwanegu bob tro?

Dyma ran gyntaf y fformiwla:

    nifer y cownteri melyn = 2 × nifer y cownteri glas + ...

ch Copïwch y tabl yma. Bydd yn eich helpu i ddarganfod gweddill y fformiwla.

Nifer y cownteri glas	1	2	3	4	5
	2 + ?	4 + ?	+ ?	+ ?	+ ?
Nifer y cownteri melyn	4	6			

Defnyddiwch ran gyntaf y fformiwla i orffen y rhes o rifau gwyrdd.
Yna gorffennwch lenwi'r tabl.

d Beth sydd angen i chi ei ychwanegu at y rhifau gwyrdd i gael nifer y cownteri melyn?

dd Copïwch y canlynol a llenwch y fformiwla ar gyfer nifer y cownteri melyn.

nifer y cownteri melyn = ... × nifer y cownteri glas + ...

e Defnyddiwch algebra i ysgrifennu'r fformiwla. Defnyddiwch *m* ar gyfer nifer y cownteri melyn a *g* ar gyfer nifer y cownteri glas.

3 Mae'r patrymau hecsagon yma wedi eu gwneud â matsys.

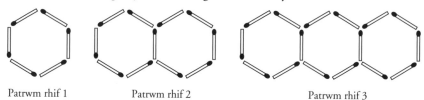

Patrwm rhif 1   Patrwm rhif 2   Patrwm rhif 3

a Lluniwch y ddau batrwm hecsagon nesaf.

b Copïwch y tabl yma a llenwi'r bylchau.

Nifer yr hecsagonau	1	2	3	4	5
Nifer y matsys	6	11			

? ? ? ?

c Sawl matsen ydych chi'n ychwanegu bob tro?

Dyma ran gyntaf y fformiwla:

nifer y matsys = 5 × nifer yr hecsagonau + ...

ch Copïwch y tabl yma. Bydd yn eich helpu i ddarganfod gweddill y fformiwla.

Nifer yr hecsagonau	1	2	3	4	5
	5 + ?	10 + ?	+ ?	+ ?	+ ?
Nifer y matsys	6	11			

Defnyddiwch ran gyntaf y fformiwla i orffen y rhes o rifau gwyrdd.
Yna llenwch weddill y tabl.

d Beth sydd angen i chi ei ychwanegu at y rhifau gwyrdd i gael nifer y matsys?

dd Copïwch y canlynol a llenwch y rheol ar gyfer nifer y matsys.

nifer y matsys = ... × nifer yr hecsagonau + ...

e Defnyddiwch algebra i ysgrifennu'r fformiwla. Defnyddiwch *m* ar gyfer nifer y matsys a *h* ar gyfer nifer yr hecsagonau.

◀◀ **AILCHWARAE** ▶

Dilyniant rhif	Patrwm o rifau yw **dilyniant rhif**.
Term	Gelwir pob rhif sydd yn y dilyniant yn **derm**.

Enghraifft　Dyma ddilyniant rhif: 7, 9, 11, 13, 15, ...
a Disgrifiwch y dilyniant mewn geiriau.
b Darganfyddwch y fformiwla ar gyfer $n$fed term y dilyniant.

a Mae'r dilyniant yn cynyddu fesul 2 gan gychwyn o 7.

b 　7　　9　　11　　13　　15

　　+2　　+2　　+2　　+2

Rhif term	1	2	3	4	5	n
Tabl 2	2 + 5	4 + 5	6 + 5	8 + 5	10 + 5	$2n$ + 5
Dilyniant	7	9	11	13	15	$2n + 5$

Y fformiwla ar gyfer yr $n$fed term $= 2n + 5$

Ymarfer 2:7

1 Dyma ddilyniant rhif: 5, 8, 11, 14, 17, ...
a Disgrifiwch y dilyniant mewn geiriau.
b Copïwch y tabl yma ar gyfer y dilyniant rhif a'i gwblhau.

Rhif term	1	2	3	4	5	n
Tabl ...	... + ?	... + ?	... + ?	... + ?	... + ?	...n + ...
Dilyniant	5	8	11	14	17	...$n +$ ...

c Ysgrifennwch $n$fed term y dilyniant.

Mae'n bosibl hefyd cael dilyniannau lle bydd angen i chi dynnu rhif.

2 Dyma ddilyniant rhif: 1, 4, 7, 10, 13, ...
   a Disgrifiwch y dilyniant mewn geiriau.
   b Copïwch y tabl yma ar gyfer y dilyniant rhif a'i gwblhau.

Rhif term	1	2	3	4	5	n
Tabl ...	... − ?	••• − ?	••• − ?	••• − ?	••• − ?	...n − ...
Dilyniant	1	4	7	10	13	...n − ...

   c Ysgrifennwch y fformiwla ar gyfer $n$fed term y dilyniant.

Ar gyfer y dilyniannau yng nghwestiynau **3** i **10**:
   a Disgrifiwch y dilyniant mewn geiriau.
   b Darganfyddwch fformiwla ar gyfer $n$fed term y dilyniant.
   Efallai y byddwch yn gallu darganfod y fformiwla heb lunio
   tabl bob tro.

3   7, 11, 15, 19, 23, ...   **7**   4, 15, 26, 37, 48, ...

4   2, 9, 16, 23, 30, ...   **8**   1, 3, 5, 7, 9, ...

5   11, 14, 17, 20, 23, ...   **9**   10, 16, 22, 28, 34, ...

6   2, 7, 12, 17, 22, ...   **10** 2, 10, 18, 26, 34, ...

● **11**   Mae'r patrymau yma wedi eu gwneud â theils glas.

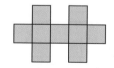
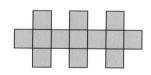

Patrwm rhif 1   Patrwm rhif 2   Patrwm rhif 3

   a Lluniwch y ddau batrwm nesaf.
   b Sawl teilsen las ydych chi'n ychwanegu bob tro?
   c Darganfyddwch fformiwla ar gyfer nifer y teils glas yn yr $n$fed patrwm.
   ch Defnyddiwch eich fformiwla i ddarganfod nifer y teils sydd yn y 25fed
      patrwm.
   d Mae patrwm yn defnyddio 49 o deils glas. Beth yw rhif y patrwm yma?

Ymarfer 2:8

1 Dyma ddilyniant o drionglau hafalochrog.
Gallwch ddarganfod perimedr pob un o'r trionglau.

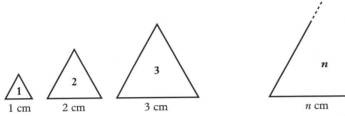

a Lluniwch a labelwch y diagramau ar gyfer trionglau 4 a 5 y dilyniant.
b Copïwch y tabl a'i lenwi ar gyfer y 5 triongl cyntaf.

Rhif y triongl	1	2	3	4	5	n
Perimedr mewn cm	3×1	3×2	3×3	$... \times ...$	$... \times ...$	?

c Disgrifiwch y patrwm rhif a ddangosir yn y tabl mewn geiriau.
ch Llenwch yr $n$fed term ar gyfer y patrwm gan ddefnyddio algebra.

2 Dyma ddilyniant o sgwariau.
Mae 1 cm yn cael ei ychwanegu at ochrau'r sgwariau bob tro.

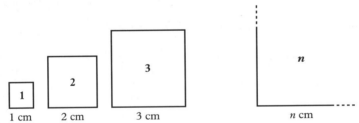

a Lluniwch a labelwch y diagramau ar gyfer sgwariau 4 a 5 y dilyniant.
b Copïwch y tabl yma.
Llenwch y tabl ar gyfer perimedrau'r 5 sgwâr cyntaf.

Rhif y sgwâr	1	2	3	4	5	n
Perimedr mewn cm	4×1	4×2	4×3	$... \times ...$	$... \times ...$	?

c Disgrifiwch y patrwm rhif a ddangosir yn y tabl mewn geiriau.
ch Defnyddiwch algebra i lenwi'r $n$fed term.
d Arwynebeddau'r sgwariau yw $1 \times 1 = 1^2$, $2 \times 2 = 2^2$, $3 \times 3 = 3^2$ etc.
Copïwch y tabl yma a'i lenwi ar gyfer arwynebeddau'r sgwariau.

Rhif y sgwâr	1	2	3	4	5	n
Arwynebedd mewn cm^2	1^2	2^2				?

3 Dyma ddilyniant o giwbiau.

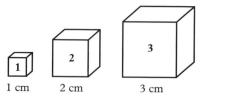

Cyfeintiau'r ciwbiau yw $1 \times 1 \times 1 = 1^3$ etc.

a Lluniwch a labelwch y diagramau ar gyfer ciwbiau 4 a 5 y dilyniant.

b Copïwch y tabl a'i lenwi ar gyfer y 5 ciwb cyntaf.

Rhif y ciwb	1	2	3	4	5
Cyfaint y ciwb mewn cm^3	1^3				

c Disgrifiwch y patrwm rhif a ddangosir yn y tabl mewn geiriau.

ch Llenwch yr $n$fed term gan ddefnyddio algebra.

Paneli haul

Mae'r orsaf ofod yma wedi ei gwneud â llawer o giwbiau bychain sydd wedi eu cysylltu â'i gilydd. Mae'n cynnwys $4 \times 4 \times 4 = 64$ o giwbiau bychain i gyd.

Mae paneli haul crwn ar y ciwbiau bychain sydd ar ochr allanol yr orsaf ofod. Mae un panel haul ar bob wyneb allanol.

1 **a** Ar sawl ciwb bychan y ceir 3 panel haul?
   b Ar sawl ciwb bychan y ceir union 2 banel haul?
   c Ar sawl ciwb bychan y ceir union 1 panel haul?
   ch Sawl ciwb bychan sydd heb banel haul?

2 Mae gorsaf ofod arall ar ffurf ciwb ag ymylon sy'n 3 chiwb bychan o hyd.
   a Gwnewch fraslun o'r orsaf ofod yma.
   b Ar sawl ciwb bychan y ceir 3 panel haul?
   c Ar sawl ciwb bychan y ceir union 2 banel haul?
   ch Ar sawl ciwb bychan y ceir union 1 panel haul?
   d Sawl ciwb bychan sydd heb banel haul?

3 Ymchwiliwch i nifer y paneli haul mewn gorsafoedd gofod o feintiau eraill.

Gallwch wneud dilyniannau rhif o bwerau uwch na 3.
Nid oes gan y rhain enwau arbennig fel sgwâr a chiwb.

Cofiwch, wrth i chi ysgrifennu 2^5, gelwir y 5 yn **bŵer**.
Mae'r pŵer yn dweud wrthych sawl 2 y dylid eu lluosi â'i gilydd.
Felly $2 \times 2 \times 2 \times 2 \times 2 = 2^5$.
Golyga hyn fod $2^5 = 32$.

Enghraifft   Cyfrifwch 4^3.
$4^3 = 4 \times 4 \times 4 = 64$

Ymarfer 2:9

1 Ysgrifennwch y rhifau yma gan ddefnyddio pŵer.
  a 3×3
  c $6 \times 6 \times 6 \times 6 \times 6$
  d $9 \times 9 \times 9 \times 9 \times 9 \times 9$
  b $5 \times 5 \times 5$
  ch $8 \times 8 \times 8 \times 8$
  dd $4 \times 4 \times 4 \times 4 \times 4 \times 4 \times 4$

Gallwch ddefnyddio'r botwm $\boxed{y^x}$ ar eich cyfrifiannell i gyfrifo pwerau.

Enghraifft   Cyfrifwch 5^6.

Pwyswch y botymau: $\boxed{5}$ $\boxed{y^x}$ $\boxed{6}$ $\boxed{=}$

Yr ateb yw **15625**.

2 Cyfrifwch y canlynol. Defnyddiwch y botwm $\boxed{y^x}$ ar eich cyfrifiannell.
  a 5^4
  ch 6^4
  e 8^3
  g 15^3
  b 3^6
  d 4^7
  f 6^5
  ng 4.1^3
  c 7^3
  dd 2^8
  ff 21^2
  h 3.7^5

3 **a** Cyfrifwch 0.5^3.
  b Cymharwch faint yr ateb â maint y rhif oedd gennych ar y dechrau.
      Ysgrifennwch ar beth y sylwch.

4 **a** Cyfrifwch 3^4
  b Cyfrifwch 3^7
  c Cyfrifwch 3^{11}
  ch Lluoswch eich atebion i **a** a **b** gyda'i gilydd.
      Ysgrifennwch ar beth y sylwch.

Edrychwch ar eich atebion i gwestiwn **4**.
Dylech fod wedi sylwi fod $3^4 \times 3^7 = 3^{11}$

Nawr edrychwch ar y pwerau. Sylwer fod $4 + 7 = 11$.
Nid yw hyn yn gyd-ddigwyddiad.
Y rheswm am hyn yw bod $3^4 = 3 \times 3 \times 3 \times 3$
$ a\ 3^7 = 3 \times 3 \times 3 \times 3 \times 3 \times 3 \times 3$

Os ydych yn lluosi'r rhain gyda'i gilydd rydych yn cael
$3 \times 3 \times 3 \times 3 \times 3 \times 3 \times 3 \times 3 \times 3 \times 3 \times 3$ sy'n 3^{11}

Felly pan ydych yn **lluosi** dau bŵer o'r un rhif gyda'i gilydd rydych yn **adio**'r pwerau.

Enghraifft   Cyfrifwch   **a** $5^6 \times 5^8$ **b** $17^3 \times 17^5$

a $5^6 \times 5^8 = 5^{6+8} = 5^{14}$

b $17^3 \times 17^5 = 17^{3+5} = 17^8$

5 Ysgrifennwch bob un o'r rhain fel un pŵer.
a $5^4 \times 5^3$ **ch** $6^4 \times 6^5$ **e** $8^3 \times 8^3 \times 8^2$
b $3^6 \times 3^4$ **d** $4^7 \times 4^{10}$ **f** $6^5 \times 6^2 \times 6$
c $7^3 \times 7^7$ **dd** $2^8 \times 2^3$ **ff** $21^2 \times 21 \times 21^4$

Mae'r rheol hon hefyd yn gweithio gydag algebra.

Enghraifft   Symleiddiwch y mynegiadau hyn gymaint ag sydd bosibl.
a $y^2 \times y^7$ **b** $a^2b^3 \times a^4b^4$

a $y^2 \times y^7 = y^{2+7} = y^9$.

b $a^2b^3 \times a^4b^4 = a^{2+4}b^{3+4} = a^6b^7$.

6 Symleiddiwch bob un o'r rhain gymaint ag sydd bosibl.
a $t^4 \times t^3$ **ch** $a^4b^2 \times a^5$ **e** $c^5 \times c^3 \times c^6$
b $y^8 \times y^6$ **d** $s^7t^3 \times s^6t^2$ **f** $n^5 \times n^2 \times n$
c $p^3 \times p^9$ **dd** $y^3 \times z^8$ • **ff** $a^2b^3 \times a^4b^4 \times a^4b^2$

1   Mae $P = 5h$ yn fformiwla ar gyfer perimedr
pentagon rheolaidd ag ochr h.
Defnyddiwch y fformiwla i ddarganfod P pan yw
   a $h = 9$ cm   **b** $h = 3.5$ cm

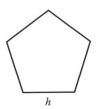

h

2   Mae Huw wedi llogi beic i fynd ar ei wyliau.
Mae'r beic yn costio £8 am yswiriant a £5 y diwrnod.
   a   Ysgrifennwch fformiwla ar gyfer cyfanswm cost llogi'r beic.
      (C = cyfanswm y gost, n = nifer y dyddiau)
   b   Defnyddiwch eich fformiwla i gyfrifo cyfanswm cost llogi'r beic am
      7 diwrnod.

3   Mae Rhian yn defnyddio teils coch a melyn i wneud y patrymau yma.

        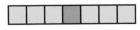

   Patrwm rhif 1   Patrwm rhif 2   Patrwm rhif 3

   a   Lluniwch batrwm rhif 4.
   b   Sawl teilsen felen y mae Rhian yn ei hychwanegu bob tro wrth wneud
      patrwm newydd?
   c   Faint o deils fydd ym mhatrwm rhif 5 i gyd?
   ch Rheol Rhian wrth gyfrifo cyfanswm y teils yw $2n + 1$ lle mae n yn rhif y
      patrwm.
      Beth mae'r 1 yn ei gynrychioli yn y rheol $2n + 1$?
   d   Beth mae'r $2n$ yn ei gynrychioli yn y rheol $2n + 1$?
   dd Mae Rhian eisiau gwneud patrwm rhif 9.
      Sawl teilsen felen fydd ei hangen arni?
   e   Mae Rhian yn gwneud patrwm sy'n defnyddio 23 o deils i gyd.
      Sawl teilsen goch mae hi'n ei ddefnyddio?
   f   Mae Rhian yn gwneud patrwm sy'n defnyddio 31 o deils i gyd.
      Sawl teilsen felen mae hi'n ei ddefnyddio?
   ff Mae gan Rhian 5 o deils coch a 38 o deils melyn.
      Beth yw rhif y patrwm mwyaf fydd Rhian yn gallu ei wneud?

4   Disgrifiwch bob un o'r dilyniannau hyn mewn geiriau.
Ysgrifennwch fformiwla ar gyfer $n$fed term pob dilyniant.
   a   8, 13, 18, 23, 28, …
   b   12, 14, 16, 18, 20,…
   c   1, 5, 9, 13, 17,…
   ch 3, 11, 19, 27, 35,…
   d   9, 15, 21, 27, 33,…
   dd 5, 16, 27, 38, 49,…

5 Mae'r patrymau triongl yma wedi eu gwneud â matsys.

Patrwm rhif 1   Patrwm rhif 2   Patrwm rhif 3

a Lluniwch y ddau batrwm nesaf.

b Copïwch y tabl yma a'i gwblhau.

Nifer y trionglau	1	2	3	4	5
Nifer y matsys	3	5			

c Sawl matsen ydych chi'n ychwanegu bob tro?

Rhan gyntaf y fformiwla yw:
nifer y matsys $= 2 \times$ nifer y trionglau $+ \ldots$

ch Copïwch y tabl yma. Bydd yn eich helpu i ysgrifennu gweddill y fformiwla.

Nifer y trionglau	1	2	3	4	5
	2 + ?	4 + ?	+ ?	+ ?	+ ?
Nifer y matsys	3	5			

Defnyddiwch ran gyntaf y fformiwla i orffen y rhes o rifau gwyrdd.
Llenwch weddill y tabl.

d Ysgrifennwch fformiwla mewn algebra ar gyfer nifer y matsys pan fydd
n o drionglau.

6 Dyma ddilyniant o drionglau.

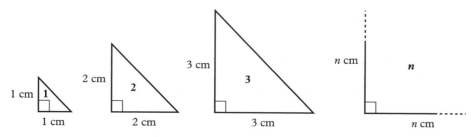

3 cm   3 n cm n

2 cm   2

1 cm 1

1 cm   2 cm   3 cm n cm

a Gwnewch fraslun o drionglau 4 a 5 y dilyniant.

b Arwynebeddau'r trionglau yn y dilyniant yw:
$\frac{1}{2} \times 1 \times 1 = \frac{1}{2} \times 1^2$, $\quad \frac{1}{2} \times 2^2$, $\quad \frac{1}{2} \times 3^2$, $\ldots$

Copïwch y tabl a'i lenwi.

Rhif y triongl	1	2	3	4	5	n
Arwynebedd y triongl mewn cm²	$\frac{1}{2} \times 1^2$					

1 Mae $6h^2$ yn fynegiad i ddarganfod arwynebedd arwyneb
ciwb, lle mae h yn hyd ymyl y ciwb.
Darganfyddwch yr arwynebedd arwyneb pan yw
   a $h = 2$ cm   **b** $h = 5$ cm

2 Mae Llion yn prynu cylchgrawn coginio bob wythnos am £1.50.
Mae bocs ar gyfer y set o gylchgronau yn costio £4.
   a Ysgrifennwch fformiwla ar gyfer cyfanswm cost y cylchgronau a'r bocs.
      (C= cyfanswm cost, n = nifer yr wythnosau)
   b Defnyddiwch eich fformiwla i ddarganfod cyfanswm cost y bocs a'r
      cylchgronau am 12 wythnos.

3 Mae'r patrymau pentagon yma wedi eu gwneud â matsys.

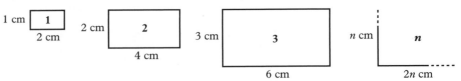

Patrwm rhif 1   Patrwm rhif 2   Patrwm rhif 3

   a Lluniwch y ddau batrwm pentagon nesaf.
   b Gwnewch dabl i ddangos nifer y matsys sydd eu hangen ar gyfer pob
      patrwm.
   c Faint o fatsys ydych chi'n eu hychwanegu bob tro?
 ch Faint o fatsys sydd yn yr 20fed patrwm pentagon?
   d Ysgrifennwch fformiwla mewn algebra ar gyfer nifer y matsys sydd yn yr
      $n$fed patrwm.

4 Dyma ddilyniant o betryalau:

   a Gwnewch fraslun o betryalau 4 a 5 a'u labelu.
   b Mae'r tabl yn dangos sut i ddarganfod arwynebedd pob petryal.
      Copïwch y tabl a'i gwblhau.
   c Darganfyddwch yr $n$fed term.

Rhif y petryal	1	2	3	4	5	n
Arwynebedd y petryal mewn cm²	1×2	2×4	3×6	$... \times ...$	$... \times ...$	$n \times ...$

- Gallwch ysgrifennu fformiwlâu i gyfrifo pethau mewn bywyd bob dydd.

  Enghraifft Mae gwobr o £50 yn cael ei rhannu rhwng plant.
  Mae pob un ohonynt yn cael swm cyfartal o arian.

  Mewn algebra mae hyn yn cael ei ysgrifennu $a = \dfrac{50}{p}$

  Gallwch ddefnyddio'r fformiwla i ddarganfod y swm os yw pedwar o blant yn rhannu'r wobr.

  $a = \dfrac{50}{4} = 12.5$ Mae'r plant yn cael £12.50 yr un.

- Mae rhai fformiwlâu yn cynnwys dwy ran.
  Mae un rhan yn swm sy'n amrywio, ac mae'r rhan arall yn aros yr un fath.

  Enghraifft Mae teulu'r Morusiaid yn llogi car i fynd ar eu gwyliau.
  Ar gyfer pob diwrnod o'r gwyliau maen nhw'n talu £50. Maen nhw hefyd yn talu swm sefydlog o £40 am yswiriant.

  a Ysgrifennwch fformiwla ar gyfer cyfanswm y gost (C = cyfanswm, d = dyddiau).
  b Defnyddiwch eich fformiwla i ddarganfod C pan yw d = 12 o ddyddiau.

  a

Nifer y dyddiau d	Cost llogi	Yswiriant	Cyfanswm C
1	$50 \times 1 = 50$	40	$50 + 40 = 90$
2	$50 \times 2 = 100$	40	$100 + 40 = 140$
3	$50 \times 3 = 150$	40	$150 + 40 = 190$
4	$50 \times 4 = 200$	40	$200 + 40 = 240$

  $C = 50 \times d + 40$ neu $C = 50d + 40$

  b Pan yw d = 12, $C = 50 \times 12 + 40 = 640$ Ateb: £640

- *Enghraifft* Dyma ddilyniant rhif: 7, 9, 11, 13, 15,...
  a Disgrifiwch y dilyniant mewn geiriau.
  b Darganfyddwch y fformiwla ar gyfer $n$fed term y dilyniant

  a Mae'r dilyniant yn cynyddu fesul 2 gan gychwyn o 7.

  b   7   9   11   13   15

  +2   +2   +2   +2

Rhif term	1	2	3	4	5	n
Tabl 2	2 + 5	4 + 5	6 + 5	8 + 5	10 + 5	$2n$ + 5
Dilyniant	7	9	11	13	15	$2n + 5$

  Y fformiwla ar gyfer yr $n$fed term = $2n + 5$

1 **a** Defnyddiwch y llythrennau coch i ysgrifennu fformiwla ar gyfer cyfanswm cost brechdan a chwpanaid o siocled poeth.
   b Defnyddiwch eich fformiwla i ddarganfod cyfanswm y gost pan yw'r frechdan yn £1.50 a'r siocled poeth yn 70c.

2 Mae rhai o Flwyddyn 9 yn mynd am drip i weld castell. Mae'n costio £70 i logi'r bws a £2 y pen i fynd i mewn i'r castell.
   a Ysgrifennwch fformiwla ar gyfer cyfanswm cost y trip.
       (**C** = cyfanswm y gost, **n** = nifer y disgyblion ar y trip)
   b Defnyddiwch eich fformiwla i ddarganfod cyfanswm cost trip i 54 o ddisgyblion.

3 Mae'r patrymau yma wedi eu gwneud â theils sgwâr.

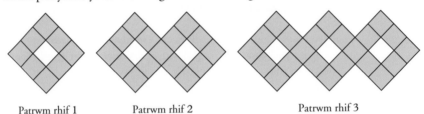

Patrwm rhif 1   Patrwm rhif 2   Patrwm rhif 3

   a Lluniwch y ddau batrwm nesaf.
   b Copïwch y tabl yma a'i gwblhau.

Rhif y patrwm	1	2	3	4	5
Nifer y teils	8	15			

   Dyma ran gyntaf y fformiwla:
       nifer y teils = 7 × rhif y patrwm + …
   c Copïwch y tabl yma. Bydd yn eich helpu i ddarganfod gweddill y fformiwla.

Rhif y patrwm	1	2	3	4	5
Tabl …	7 + ?	… + ?	… + ?	… + ?	… + ?
Nifer y teils	8	15			

   Defnyddiwch ran gyntaf y fformiwla i orffen y rhes o rifau.
   Llenwch weddill y tabl.
   ch Ysgrifennwch fformiwla ar gyfer nifer y teils yn yr nfed patrwm.
   d Defnyddiwch eich fformiwla i ddarganfod nifer y teils yn yr 20fed patrwm.

4 **a** Disgrifiwch bob un o'r dilyniannau hyn mewn geiriau.
   b Ysgrifennwch fformiwla ar gyfer nfed term pob dilyniant.
       (1) 6, 10, 14, 18, 22,…   (2) 1, 8, 15, 22, 29,…

3 Cylchoedd

CWESTIYNAU

ESTYNIAD

CRYNODEB

PROFWCH
EICH HUN

Dyma lun a dynnwyd yn y Palais de la découverte, amgueddfa wyddonol yn Paris. Mae'r llun yn dangos gwerth π, wedi ei ysgrifennu i 706 o leoedd degol, o amgylch waliau'r amgueddfa. Ceisiwch ddarganfod beth yw record y byd am gyfrifo π.

1 Beth yw hyd cylch?

Mae Edryd newydd brynu beic newydd.
Mae o eisiau gosod y cyfrifiadur er mwyn
gweld pa mor bell mae o'n seiclo.
Mae o'n bwydo'r pellter ar draws yr olwyn
i mewn i'r cyfrifiadur.
Y rheswm am hyn yw fod y pellter o
amgylch cylch yn dibynnu ar y pellter ar
draws y cylch.

Ymarfer 3:1

TW **1** Bydd arnoch angen Taflen waith 3:1.

2 Mae'r pellter ar draws pob cylch yn 5 cm.
   a Rhannwch bob un o'ch amcangyfrifon â 5.
   Defnyddiwch gyfrifiannell ac ysgrifennwch bob rhif sydd ar y dangosydd.
   b Ar beth y sylwch ynglŷn â'r atebion hyn?

Cylchedd	**Cylchedd** cylch yw'r pellter o amgylch y cylch. Mae'r cylchedd yn dibynnu ar y pellter ar draws y cylch.
Diamedr	Gelwir y pellter ar draws cylch yn **ddiamedr**. Mae'n rhaid i ddiamedr fynd drwy ganol y cylch.

cylchedd

diamedr

canol

Mae'r cylchedd wedi ei rannu â'r diamedr bob amser yn rhoi'r un ateb.
Mae'r ateb yma yn rhif arbennig mewn mathemateg.
Pi yw'r enw arno (sy'n cael ei ynganu 'pai'), ac yn cael ei ysgrifennu fel π.

π

Yn achos pob cylch
$$\text{Cylchedd} = \pi \times d\text{iamedr}$$
Yn aml ysgrifennir y rheol yma fel hyn: $C = \pi d$
Dylai fod gennych fotwm π ar eich cyfrifiannell.
Pwyswch π ar eich cyfrifiannell.
Dylech gael
3.1415929

Efallai y cewch fwy o ddigidau na hyn. Mae'n dibynnu ar ba gyfrifiannell sydd gennych.

Enghraifft

Darganfyddwch gylchedd y cylch yma.

$$C = \pi d$$
$$= \pi \times 8$$

Pwyswch y botymau: π $\times$ 8 $=$

Dylech gael
25.132741

$= 25.1$ cm i 1 lle degol

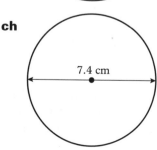

8 cm

Ymarfer 3:2

Yn yr ymarfer yma rhowch bob ateb yn gywir i 1 lle degol.

1 Darganfyddwch gylchedd y cylchoedd yma.

a

4 cm

c

8.3 cm

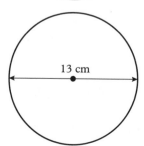

b

13 cm

ch

7.4 cm

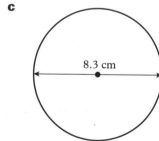

d

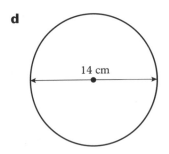

14 cm

dd

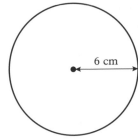

6 cm

2 Mae diamedr olwynion beic Edryd yn 70 cm.
Beth yw cylchedd un olwyn?

3 Mae tâp plastig addurniadol o amgylch
ymyl y drych crwn yma.
Beth yw hyd y tâp?

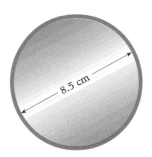

8.5 cm

4 Mae addurn aur o amgylch ymyl y plât yma.
Beth yw hyd yr ymyl aur?

27 cm

5 Mae Ffion yn gwneud lamplen.
Mae diamedr top y lamplen yn 20 cm.
Mae diamedr gwaelod y lamplen yn 32 cm.
Mae Ffion eisiau addurno top a gwaelod y
lamplen drwy roi brêd o amgylch yr
ymylon.
Faint o frêd fydd angen iddi ei brynu?

6 Yn y diagram dangosir rholyn o selotep.
Mae diamedr y cylch cardbord yn 3.4 cm.
Mae trwch y tâp ar y rholyn yn 1.7 cm.
Beth yw cylchedd allanol y tâp?

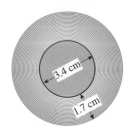

3.4 cm

1.7 cm

7 Mae'r rhannau ar y bwrdd dartiau yma wedi eu gwahanu gan ddarnau o wifren.

a Sawl darn syth o wifren sydd?

b Mae hyd pob darn syth o wifren yn 15.6 cm.
Beth yw cyfanswm hyd yr holl ddarnau syth?
Mae 6 o wifrau ar ffurf cylch.
Mae diamedrau'r rhain yn 33.6 cm, 31.6 cm, 21 cm,
19 cm, 2.4 cm a 1.3 cm.

c Darganfyddwch hyd pob gwifren gylch.

ch Beth yw cyfanswm hyd yr holl wifrau cylch?

d Beth yw cyfanswm hyd yr holl wifrau sydd ar y bwrdd dartiau?

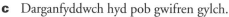

Mae John yn gwneud olwyn fesur ar gyfer ei
brosiect Technoleg.
Mae o eisiau i bob troad fesur 1 metr ar lawr.
Mae'n rhaid i gylchedd yr olwyn fod yn 1 metr.
Mae angen iddo wybod pa ddiamedr i'w
ddefnyddio wrth wneud yr olwyn.
Mae arno angen fformiwla ar gyfer y diamedr.

Y fformiwla i ddarganfod y cylchedd yw

$$C = \pi \times d$$

Gwrthdro lluosi â π yw rhannu â π.
Rhannwch y ddwy ochr â π:

$$\frac{C}{\pi} = \frac{\pi \times d}{\pi}$$

$$\frac{C}{\pi} = d$$

Y fformiwla i ddarganfod y diamedr yw $d = \dfrac{C}{\pi}$

Enghraifft

Mae cylchedd cylch yn 40 cm.
Darganfyddwch y diamedr.

$$d = \frac{C}{\pi}$$

$$d = \frac{40}{\pi}$$

Pwyswch y botymau: [4] [0] [÷] [π] [=] 12.732395
= 12.7 cm i 1 lle degol.

Ymarfer 3:3

Yn yr ymarfer yma rhowch bob ateb yn gywir i 1 lle degol.

1 Darganfyddwch ddiamedrau'r cylchoedd yma.

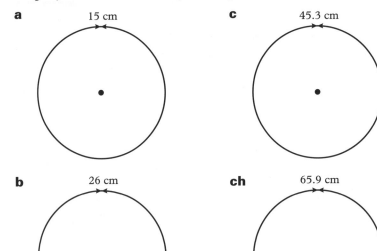

a 15 cm

c 45.3 cm

b 26 cm

ch 65.9 cm

2 Darganfyddwch pa ddiamedr fydd yn rhaid i John ei ddefnyddio i gael olwyn fesur o'r maint cywir.
Defnyddiwch 100 cm fel cylchedd.
Rhowch eich ateb mewn centimetrau.

3 Mae gan gylchfan gylchedd o 220 cm
Beth yw diamedr y gylchfan?

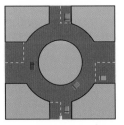

4 Beth yw diamedr drych crwn â chylchedd o 250 cm?

5 Pan fyddwch yn defnyddio'ch cyfrifiannell rydych yn gwybod ei bod yn syniad da gwirio eich atebion drwy amcangyfrif.
Defnyddiwch $\pi = 3$ i *amcangyfrif* yr atebion i gwestiynau **1** i **4**.

Radiws

Radiws cylch yw'r pellter o'r canol i'r cylchyn.
Mae'r radiws yn hanner y diamedr.

6 Ar gyfer pob un o'r cylchoedd yma darganfyddwch:
a y diamedr **b** y radiws

(1)
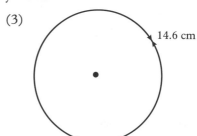
49 m

(3)
14.6 cm

(2)
85 cm

(4)
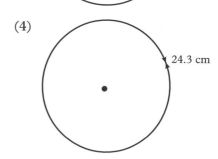
24.3 cm

7 Mae'r olwyn fawr fwyaf yn y byd yn Kobe yn Japan.
Mae cylchedd yr olwyn yn 200 m.
Darganfyddwch radiws yr olwyn.

8 Mae'r pellter o amgylch trac rhedeg crwn
yn 400 m.
Darganfyddwch radiws y trac.

9 Mae perimedr y trac yma yn 400 m.
a Beth yw cyfanswm hyd rhannau
syth y trac?
b Beth yw cyfanswm hyd y rhannau
crwm?
c Beth yw diamedr y ddau ben
hanner cylch?
ch Beth yw radiws y ddau ben
hanner cylch?

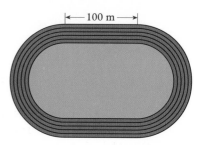
100 m

2 Arwynebedd cylch

Mae Eifion y ffermwr yn flin oherwydd y cylch cnwd yma yn y cae.
Mae'r cnwd wedi cael ei ddifetha.
Mae Eifion eisiau gwybod faint o'r cnwd sydd wedi ei golli.
Mae arno angen gwybod beth yw arwynebedd y cylch.

Arwynebedd cylch

Mae **arwynebedd cylch** yn dibynnu ar radiws y cylch.
Dyma'r fformiwla:

Arwynebedd cylch = $\pi \times$ radiws $\times$ radiws

Yn aml ysgrifennir y rheol yma fel hyn: $A = \pi \times r \times r$

neu $\qquad A = \pi r^2$ (Mae r^2 yn golygu $r \times r$)

Enghraifft

Darganfyddwch arwynebedd y cylch yma.

$$A = \pi r^2$$
$$= \pi \times 4^2$$
$$= \pi \times 4 \times 4$$
$$= \pi \times 16$$
$$= 50.3 \text{ cm i 1 lle degol.}$$

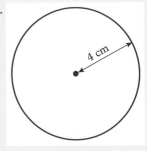

4 cm

Ymarfer 3:4

Yn yr ymarfer yma rhowch bob ateb yn gywir i 1 lle degol.

1   Darganfyddwch arwynebeddau'r cylchoedd yma.

a
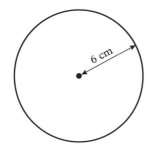

d
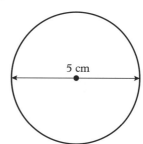

b
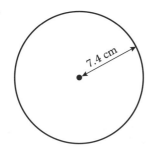

dd
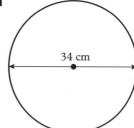

c
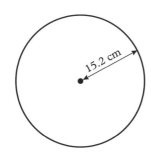

e
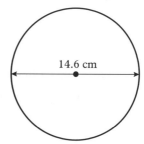

ch
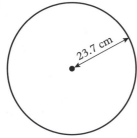

f
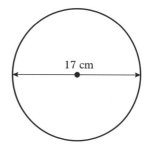

2 Defnyddiwch $\pi = 3$ i *amcangyfrif* arwynebeddau'r cylchoedd yng nghwestiwn **1**.

3 Mae radiws y cylch canol ar gae pêl-droed yn 5 llathen.
Beth yw arwynebedd y cylch?

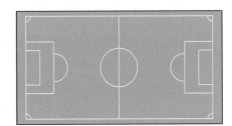

4

Mae diamedr darn arian 10c yn 24 mm.
Darganfyddwch arwynebedd un wyneb.

5 Darganfyddwch arwynebedd y bwrdd crwn yma.

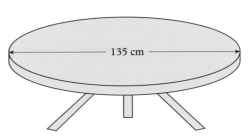

135 cm

6 Darganfyddwch arwynebeddau'r ddau blât yma:

16.5 cm

13 cm

7 Mae cryno ddisg wedi ei gwneud o blastig.
Mae radiws cryno ddisg yn 6 cm.
Mae radiws y twll yn y canol yn 0.75 cm.
 a Darganfyddwch arwynebedd y twll.
 b Darganfyddwch arwynebedd y plastig.

Ymarfer 3:5

Yn yr ymarfer yma rhowch bob ateb yn gywir i 1 lle degol.

1 Darganfyddwch arwynebeddau'r siapiau yma.

a

← 8 cm →

ch

←— 10 cm —→

10 cm

b

4 cm

d

←— 20 cm —→

8 cm

c

7 cm

←— 12 cm —→

dd

←— 8 cm —→

10 cm

6 cm

2 Mae arwynebedd y gôl ar lawr sglefrio hoci
iâ ar ffurf hanner cylch.
Mae'r diamedr yn 3.6 m.
Darganfyddwch yr arwynebedd.

3 Darganfyddwch arwynebedd y bathodyn yma.

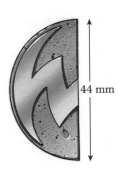

44 mm

4 Mae'r bwrdd yma ar ffurf petryal â hanner cylch
ar bob pen iddo.
   a Darganfyddwch arwynebedd wyneb petryalog
   y bwrdd.
   b Darganfyddwch arwynebedd un o'r hanner cylchoedd.
   c Darganfyddwch gyfanswm yr arwynebedd pan
   ddefnyddir y bwrdd cyfan.

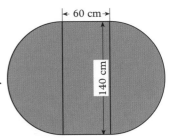

60 cm

140 cm

5 Mae llawr disgo ar ffurf cylch â radiws 4.5 m.
Mae angen sgleinio'r llawr.
   a Beth yw arwynebedd y llawr?
   b Mae sgleinio'r llawr yn costio £2.50 y metr sgwâr.
   Mae unrhyw ran ychwanegol o fetr sgwâr hefyd yn costio £2.50.
   Faint mae hi'n ei gostio i sgleinio'r llawr?

6 Mae Rachel yn gwneud gorchuddion ar gyfer pyllau padlo crwn.
Dyma sut mae hi'n cyfrifo'r prisiau:

Arwynebedd y pwll	Cost
Hyd at 10 000 cm²	£7
Rhwng 10 000 cm² a 20 000 cm²	£12.50
Mwy na 20 000 cm²	£15

Faint fyddai hi'n ei godi am orchudd i bob un o'r pyllau yma?

a

35 cm

b

120 cm

c

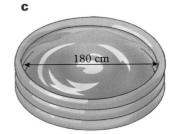

180 cm

Rhowch bob ateb yn gywir i 1 lle degol.

1 Darganfyddwch gylchedd pob un o'r cylchoedd yma.

a

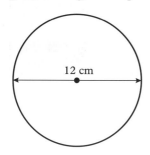

12 cm

c

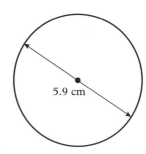

5.9 cm

b

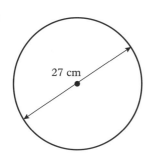

27 cm

ch

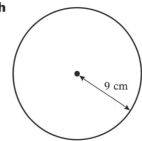

9 cm

2 Mae Jac eisiau gosod ffens o amgylch y pwll yma.
Mae o'n mesur yr holl bellter o amgylch y pwll.
Mae'n dweud fod y cylchedd yn 7.2 m.
Sut y gwyddoch chi fod hyn yn anghywir?

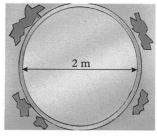

2 m

3 Mae Gwen yn rhedeg 7 o weithiau o amgylch llyn crwn.
Mae radiws y llyn yn 38 m.
Pa mor bell mae hi'n ei redeg?

4 Mae Mr Jones yn gosod gwydr yn y ffrâm ffenestr yma.
Mae'n rhaid iddo osod pwti yr holl ffordd o amgylch
y tu allan.
Beth yw'r hyd yr holl ffordd o amgylch y tu allan?

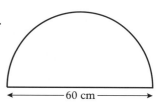

60 cm

5 Mae cylchedd y llwyfan crwn yma yn 28.5 m.
Beth yw diamedr y llwyfan?

6 Mae cylchedd llyn yn 440 m.
Beth yw'r pellter yn syth ar draws y llyn?

7 Mae perimedr y trac yma yn 500 m.
  a Beth yw cyfanswm hyd y rhannau syth?
  b Beth yw cyfanswm hyd y rhannau crwm?
  c Beth yw diamedr y ddau ben ar ffurf hanner cylch?

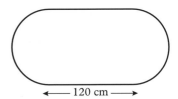

←——— 120 cm ———→

8 Darganfyddwch ddiamedr y cylch sydd â'r un perimedr â'r petryal yma.

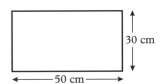

30 cm

←——— 50 cm ———→

9 Darganfyddwch arwynebeddau'r cylchoedd yma.

a

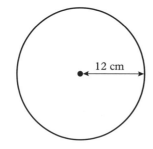

12 cm

b

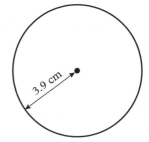

3.9 cm

10 Perimedr pa un o'r ddau siâp yma yw'r byrraf?

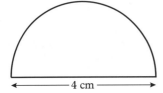

←——— 4 cm ———→

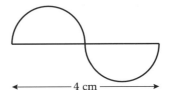

←——— 4 cm ———→

11 Darganfyddwch arwynebeddau'r siapiau yma.

a

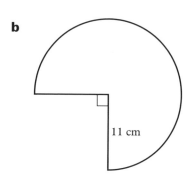

← 26 cm →

c

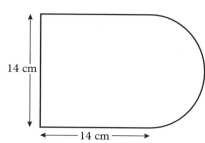

14 cm

← 14 cm →

b

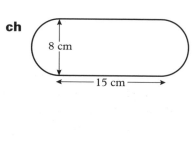

11 cm

ch

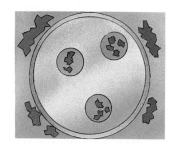

8 cm

← 15 cm →

12 Dyma werth π i 21 lle degol:

3.141 592 653 589 793 238 462

Mae mathemategwyr wedi defnyddio ffracsiynau i roi gwerth π.
Dyma rai o'r ffracsiynau:

Mathemategwr	Ffracsiwn
Archimedes	$\frac{22}{7}$
Ptolemy	$\frac{377}{120}$
Tsu Ch'ung-Chih	$\frac{355}{113}$

Defnyddiwch eich cyfrifiannell i ddarganfod ffracsiwn pwy oedd y cywiraf.

13 Mae diamedr y pwll crwn yma yn 25 m.
Mae 3 ynys gron yn y pwll.
Mae radiws pob ynys yn 2.5 m.
Darganfyddwch arwynebedd arwyneb y dŵr.

1   Mae diamedr olwyn beic yn 50 cm.
  a   Darganfyddwch gylchedd yr olwyn mewn metrau.
  b   Pa mor bell mae'r beic wedi symud os yw'r olwyn wedi gwneud un troad?
  c   Sawl troad cyflawn fydd yr olwyn wedi ei wneud pan fydd y beic wedi teithio 1 km?

2   Mae bys mawr y cloc yma yn 9 cm o hyd.
  a   Pa mor bell mae blaen y bys mawr yn symud mewn 1 awr?
  Mae blaen y bys bach yn symud 38 cm mewn 24 awr.
  b   Beth yw hyd y bys bach?

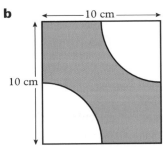

3   Darganfyddwch arwynebedd y siâp yma:

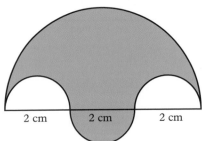

2 cm   2 cm   2 cm

4   Darganfyddwch yr arwynebeddau sydd wedi eu lliwio.

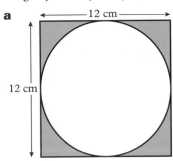

a   12 cm   12 cm

b   10 cm   10 cm

5   Mae Paul wedi taro pêl griced drwy'r ffenestr gron yma.
Mae diamedr y ffenestr yn 56 cm.
Mae'r gwydr i drwsio'r ffenestr yn costio 50c am 250 cm².
Mae angen gosod gleinwaith newydd o amgylch y ffenestr hefyd.
Mae hyn yn costio £1.50 y metr.
Faint fydd yn rhaid i Paul ei dalu am y deunyddiau i drwsio'r ffenestr?

• **Cylchedd**

Cylchedd cylch yw'r pellter o amgylch y cylch. Mae'r cylchedd yn dibynnu ar y pellter ar draws y cylch.

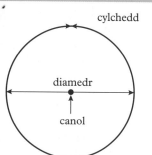

Diamedr

Gelwir y pellter ar draws cylch yn **ddiamedr.**

Enghraifft

Darganfyddwch gylchedd y cylch yma.

$$C = \pi d$$
$$= \pi \times 8$$

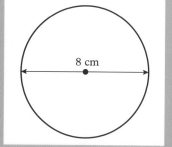

Pwyswch y botymau: π $\times$ 8 $=$

Dylech gael 25.132741

$= 25.1$ cm i 1 lle degol

• *Enghraifft*

Mae cylchedd cylch yn 40 cm. Darganfyddwch y diamedr.

$$d = \frac{C}{\pi} \qquad \therefore \quad d = \frac{40}{\pi}$$

Pwyswch y botymau: 4 0 $\div$ π $=$ 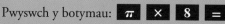 12.732395

$= 12.7$ cm i 1 lle degol.

• **Radiws**

Radiws cylch yw'r pellter o'r canol i'r cylchyn. Mae'r radiws yn hanner y diamedr.

• **Arwynebedd**

Mae **arwynebedd cylch** yn dibynnu ar radiws y cylch.

Enghraifft

Darganfyddwch arwynebedd y cylch yma.

$$A = \pi r^2$$
$$= \pi \times 4^2$$
$$= \pi \times 4 \times 4$$
$$= \pi \times 16$$
$$= 50.3 \text{ cm i 1 lle degol.}$$

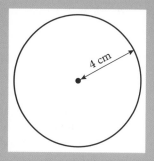

1 Darganfyddwch gylchedd y cylchoedd yma.

a
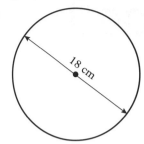
18 cm

b
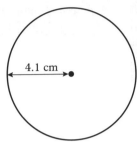
4.1 cm

2 Mae cylchedd y ddysgl darten yma yn 82 cm.
Beth yw diamedr y ddysgl?

3 Darganfyddwch arwynebeddau'r cylchoedd yma.

a
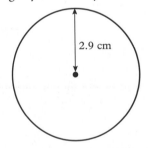
2.9 cm

b
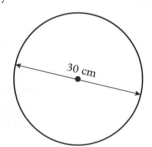
30 cm

4 Darganfyddwch arwynebeddau'r siapiau yma.

a
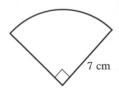
7 cm

b
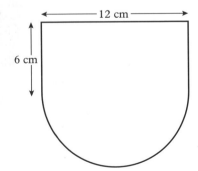
12 cm
6 cm

4 Ystadegaeth

CWESTIYNAU

ESTYNIAD

CRYNODEB

PROFWCH
EICH HUN

Enillodd Michelle Smith dair medal aur i'r Iwerddon mewn cystadlaethau nofio yn y Gêmau Olympaidd yn Atlanta ym 1996:

200 metr nofio cymysg

400 metr nofio cymysg

400 metr nofio rhydd

1 Edrych ar ddata

Mae'r llun yma'n dangos ras derfynol 100 m (dynion) yng Ngêmau Olympaidd 1996.
Ym 1956, yr amser buddugol yn y gystadleuaeth yma oedd 10.5 eiliad.
Yr amser buddugol ym 1996 oedd 9.84 eiliad.
Dyma welliant o 0.66 eiliad yn unig, bron i $\frac{2}{3}$ o eiliad, mewn 40 o flynyddoedd.

Bydd arnoch angen Taflen waith 4:1, **Enillwyr y gystadleuaeth 100 m (dynion) yn y Gêmau Olympaidd.**

Yn yr adran yma byddwch yn edrych ar ddata Gêmau Olympaidd 1996.

Byddwch yn casglu gwybodaeth ac yn llunio diagramau i ddangos y data rydych chi wedi eu casglu.

Yn gyntaf byddwch yn edrych ar ddata arwahanol.

Data arwahanol	Pan fydd data yn werthoedd unigol arbennig gelwir nhw yn ddata arwahanol.
Enghraifft	Mae maint esgidiau yn enghraifft o ddata arwahanol. Dyma'r unig werthoedd posibl: 1, $1\frac{1}{2}$, 2, $2\frac{1}{2}$, etc. Ni cheir meintiau esgidiau rhwng y rhain.

Ymarfer 4:1

Bydd arnoch angen Taflen waith 4:2, **Tabl terfynol medalau'r cystadlaethau.**
Mae'n dangos faint o fedalau a enillodd pob gwlad yng Ngêmau Olympaidd 1996.

Yn yr ymarfer yma bydd angen i chi ddefnyddio'r daflen waith i ddarganfod yr wybodaeth angenrheidiol ar gyfer pob cwestiwn.

1 Edrychwch ar y medalau aur a enillodd pob gwlad.

    a Copïwch y tabl marciau rhifo yma a'i lenwi.

Nifer y medalau aur	Marciau rhifo	Nifer y gwledydd
0–9		
10–19		
20–29		
30–39		
40–49		

    b Copïwch yr echelinau yma ar bapur graff.

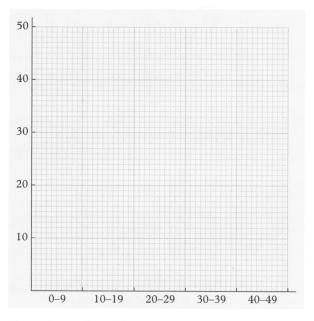

    c Lluniwch siart bar i ddangos yr wybodaeth yma.
       Cofiwch beidio â gadael lle gwag rhwng barrau data sydd wedi eu grwpio.

2 Edrychwch eto ar nifer y medalau aur.

    a Copïwch y tabl marciau rhifo yma a'i lenwi.

Nifer y medalau aur	Marciau rhifo	Nifer y gwledydd
0–4		
5–9		
10–14		
15–19		
20–24		
25–29		
30–34		
35–39		
40–44		

b Lluniwch siart bar i ddangos yr wybodaeth yma.

● **c** Nawr rydych wedi llunio dau siart bar yn dangos yr wybodaeth am y medalau aur.
Pa un sy'n dangos yr wybodaeth gliriaf? Eglurwch eich ateb.

3 Edrychwch ar y medalau arian a enillodd pob gwlad.
  a Copïwch y tabl marciau rhifo yma a'i lenwi.

Nifer y medalau arian	Marciau rhifo	Nifer y gwledydd
0–4		
5–9		
10–14		
15–19		
20–24		
25–29		
30–34		

  b Lluniwch siart bar i ddangos yr wybodaeth yma.

4 Edrychwch ar y medalau efydd a enillodd pob gwlad.
  a Dewiswch grwpiau synhwyrol ar gyfer y data.
    Lluniwch dabl marciau rhifo i ddangos yr wybodaeth.
  b Lluniwch siart bar i ddangos yr wybodaeth.

5 Edrychwch ar gyfanswm nifer y medalau a enillodd pob gwlad.
  a Dewiswch grwpiau synhwyrol ar gyfer y data.
    Lluniwch dabl marciau rhifo i ddangos yr wybodaeth yma.
  b Lluniwch siart bar i ddangos yr wybodaeth.

Ymarfer 4:2

Bydd arnoch angen Taflen waith 4:3, **Decathlon - crynodeb terfynol o'r cystadlaethau.** Yma dangosir y pwyntiau a sgoriodd y 30 cystadleuydd gorau yn y decathlon terfynol yng Ngêmau Olympaidd 1996.
Mae cystadleuydd yn cael sgôr o bwyntiau ar gyfer pob un o'r 10 cystadleuaeth yn y decathlon. Ym 1996 sgoriodd enillydd y fedal aur 8824 o bwyntiau.

Yn yr ymarfer yma bydd angen i chi ddefnyddio'r daflen waith i ddarganfod yr wybodaeth angenrheidiol ar gyfer pob cwestiwn.

1. Edrychwch ar y pwyntiau a sgoriwyd yn y ras 100 m.
   a Beth yw'r sgôr uchaf?
   b Beth yw'r sgôr isaf?
   c Dewiswch grwpiau synhwyrol ar gyfer y data.
      Lluniwch dabl marciau rhifo i ddangos yr wybodaeth.
   ch Lluniwch siart bar i ddangos yr wybodaeth.

2. Edrychwch ar y pwyntiau a sgoriwyd yn y ras 1500 m.
   a Beth yw'r sgôr uchaf?
   b Beth yw'r sgôr isaf?
   c Dewiswch grwpiau synhwyrol ar gyfer y data.
      Lluniwch dabl marciau rhifo i ddangos yr wybodaeth.
   ch Lluniwch siart bar i ddangos yr wybodaeth.

3. Edrychwch ar y ddau siart bar rydych chi wedi eu llunio.
   Pa gystadleuaeth yw'r anoddaf i'r cystadleuwyr yn eich tyb chi?
   Eglurwch eich ateb.

4. Edrychwch ar y pwyntiau a sgoriwyd yn y gystadleuaeth taflu disgen.
   a Dewiswch grwpiau synhwyrol ar gyfer y data.
      Lluniwch dabl marciau rhifo i ddangos yr wybodaeth.
   b Lluniwch siart bar i ddangos yr wybodaeth.

5. Edrychwch ar y pwyntiau a sgoriwyd yn y gystadleuaeth taflu gwaywffon.
   a Dewiswch grwpiau synhwyrol ar gyfer y data.
      Lluniwch dabl marciau rhifo i ddangos yr wybodaeth.
   b Lluniwch siart bar i ddangos yr wybodaeth.

6. Edrychwch ar y siartiau bar rydych chi wedi eu llunio ar gyfer y ddau gwestiwn diwethaf.
   Pa un o'r ddwy gystadleuaeth yma yw'r anoddaf i'r cystadleuwyr yn eich tyb chi?
   Eglurwch eich ateb.

7. Edrychwch ar gyfanswm y pwyntiau a sgoriwyd.
   a Dewiswch grwpiau synhwyrol ar gyfer y data.
      Lluniwch dabl marciau rhifo i ddangos yr wybodaeth.
   b Lluniwch siart bar i ddangos yr wybodaeth.

Nawr, rydych yn mynd i edrych ar ddata di-dor.

Data di-dor	Mae data yn **ddi-dor** pan allant gymryd *unrhyw* werth mewn amrediad penodol.
Enghreifftiau	Mae hyd pryfed genwair, taldra disgyblion ym Mlwyddyn 9 a phwysau llygod bochdew i gyd yn enghreifftiau o ddata di-dor.

Ymarfer 4:3

 Bydd arnoch angen taflen waith 4:4, **Nofio: ras 400 m nofio rhydd (dynion a merched)**.

Yma dangosir amseroedd y cystadleuwyr yn rhagbrofion y ras nofio rhydd 400 m (dynion a merched) yng Ngêmau Olympaidd 1996.

Enillodd Danyon Loader ei ras derfynol mewn 3 munud 47.97 eiliad.

Enillodd Michelle Smith ei ras derfynol mewn 4 munud 7.25 eiliad.

Mae'r ddau amser yma yn gynt nag unrhyw un o'r amseroedd yn y rhagbrofion.

1 Edrychwch ar yr amseroedd yn rhagbrofion y dynion.
   a Copïwch y tabl marciau rhifo yma a'i lenwi.

Amser	Marciau rhifo	Nifer y cystadleuwyr
3 m 40 e ond llai na 3 m 50 e		
3 m 50 e ond llai na 4 m 00 e		
4 m 00 e ond llai na 4 m 10 e		
4 m 10 e ond llai na 4 m 20 e		
4 m 20 e ond llai na 4 m 30 e		
4 m 30 e ond llai na 4 m 40 e		
4 m 40 e ond llai na 4 m 50 e		

   b Lluniwch siart bar i ddangos yr wybodaeth yma.

2 Edrychwch ar amseroedd yn rhagbrofion y merched.
   a Lluniwch dabl marciau rhifo ar gyfer yr wybodaeth yma.
      Defnyddiwch yr un grwpiau a ddefnyddiwyd ar gyfer y dynion.
   b Lluniwch siart bar i ddangos yr wybodaeth yma.

3 Edrychwch ar eich dau siart bar.
   Disgrifiwch y gwahaniaethau rhwng y ddau siart bar.

2 Cyfartaleddau ac amrediad

Dywedodd gwleidydd enwog unwaith, 'Rydym ni eisiau i bawb fod yn well na'r cymedr'.

Pam y mae hyn yn amhosibl?

Mae 3 gwahanol fath o gyfartaledd. Un math o gyfartaledd yw'r **cymedr**.

Cymedr	Er mwyn darganfod **cymedr** set o ddata: (1) Darganfyddwch gyfanswm yr holl werthoedd data. (2) Rhannwch â'r nifer o werthoedd data.

Enghraifft	Dyma bwysau 6 o sbrintwyr mewn cilogramau:
	  88 90 79 94 86 91
	Darganfyddwch eu pwysau cymedrig.
	Y cyfanswm yw:
	  88 + 90 + 79 + 94 + 86 + 91 = 528 kg
	Y cymedr yw 528 ÷ 6 = 88 kg

Ymarfer 4:4

1 Dyma bwysau a thaldra 5 o sbrintwyr.

Pwysau (kg)	85	91	74	68	82
Taldra (cm)	170	190	185	178	188

Darganfyddwch:
a daldra cymedrig y sbrintwyr.
b bwysau cymedrig y sbrintwyr.

2 Dyma bwysau a thaldra 5 o godwyr pwysau.

Pwysau (kg)	104	108	112	107	104
Taldra (cm)	168	188	187	175	182

a Darganfyddwch:
    (1) bwysau cymedrig y codwyr pwysau.
    (2) daldra cymedrig y codwyr pwysau.
b A fyddai'r codwyr pwysau yn gwneud sbrintwyr da
    yn eich tyb chi? Eglurwch eich ateb.

3 Mae'r tabl yma'n dangos medalau a enillodd yr
Unol Daleithiau yn y Gêmau Olympaidd.

Blwyddyn	Aur	Arian	Efydd	Cyfanswm
1996	44	32	25	101
1992	37	33	37	107
1988	35	31	27	93

Defnyddiwch yr wybodaeth yma i ddarganfod:
a nifer cymedrig y medalau aur a enillodd yr Unol Daleithiau yn y 3 Gêmau
    Olympaidd diwethaf,
b cyfanswm cymedrig y medalau a enillodd yr Unol Daleithiau yn y 3 Gêmau
    Olympaidd diwethaf.
    Rhowch eich atebion yn gywir i 1 lle degol.

Math arall o gyfartaledd yw'r **modd**.
Mae'n hawdd i'w ddarganfod.
Mae'n cael ei ddefnyddio'n aml pan fydd yn rhaid i'r cyfartaledd fod yn rhif cyfan.

Modd	Y **modd** yw'r gwerth data mwyaf cyffredin neu'r gwerth data mwyaf
	poblogaidd. Weithiau mae'n cael ei alw'n **werth moddol**.
	Nid oes raid i'r modd fod yn rhif.
	Er enghraifft gallai'r modd fod y math mwyaf cyffredin o fedal.

Enghraifft

Dyma bellteroedd y cystadleuwyr buddugol yng nghystadleuaeth taflu gwaywffon (dynion) yn y Gêmau Olympaidd rhwng 1968 a 1992. Maen nhw wedi eu rhoi i'r metr agosaf. Darganfyddwch y pellter moddol.

90 90 95 91 89 84 90

Mae mwy o dafliadau 90 m buddugol nag unrhyw bellter arall. Mae'r modd yn 90 m.

Ymarfer 4:5

1   Dyma dafliadau'r cystadleuwyr a enillodd fedalau arian ac efydd yn yr un saith cystadleuaeth taflu gwaywffon (dynion) yn y Gêmau Olympaidd. Maen nhw wedi eu talgrynnu i'r metr agosaf.

Arian	89	90	88	90	86	84	87
Efydd	87	84	87	87	84	83	83

   a   Beth yw modd pellteroedd enillwyr y medalau arian?
   b   Beth yw modd pellteroedd enillwyr y medalau efydd?

2   Dyma'r pellteroedd yng nghystadleuaeth taflu gwaywffon (dynion) yng Ngêmau Olympaidd 1996:

   Aur: 88 m
   Arian: 87 m
   Efydd: 87 m

   a   Os ydych yn cynnwys y pellteroedd yma, pa fodd sy'n newid?
   b   Beth fyddech chi'n ei wneud ynglŷn â'r broblem yma?

3   Dyma ganlyniadau cystadleuaeth taflu gwaywffon (merched) ar gyfer yr un blynyddoedd.
   Maen nhw wedi eu talgrynnu i'r metr agosaf.

Blwyddyn	Aur	Arian	Efydd
1968	60	60	58
1972	64	63	60
1976	66	65	64
1980	68	68	67
1984	70	69	67
1988	75	70	67
1992	68	68	67

a Ysgrifennwch y pellter moddol ar gyfer pob medal.

b Dyma ganlyniadau'r merched ym 1996:

Aur: 68 m
Arian: 66 m
Efydd: 65 m

A yw'r canlyniadau yma yn newid unrhyw un o'r moddau?

4 Mae'r siartiau cylch yma yn dangos y medalau a enillodd y Deyrnas Unedig a Gwlad Pwyl yng Ngêmau Olympaidd 1996. Ni allwch weld *faint* o fedalau a enillodd y ddwy wlad.

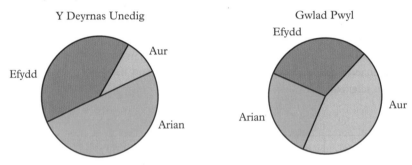

a Beth yw'r math moddol o fedal ar gyfer y Deyrnas Unedig?

b Beth yw'r math moddol o fedal ar gyfer Gwlad Pwyl?

c Eglurwch sut y cawsoch yr ateb.

· ·

Weithiau nid yw'r modd yn gyfartaledd defnyddiol. Gallai'r gwerth data mwyaf cyffredin olygu'r rhif lleiaf neu'r rhif mwyaf. Yn aml mae hi'n fwy defnyddiol cael gwerth canol.

Dyma'r trydydd math o gyfartaledd. Gelwir ef yn **ganolrif**.

Canolrif	Er mwyn darganfod y **canolrif**, rhowch yr holl werthoedd data mewn trefn, yn ôl eu maint. Yna'r **canolrif** yw'r gwerth canol.
Enghraifft	Dyma nifer y medalau a enillodd Japan yn y Gêmau Olympaidd rhwng 1972 a 1996:

29   25   0   32   14   22   14

Darganfyddwch y nifer canolrifol o fedalau a enillodd Japan.
Ysgrifennwch y rhifau mewn trefn, gan roi'r rhif lleiaf yn gyntaf.

0   14   14   ⑫   25   29   32

Darganfyddwch y rhif canol. Mae hwn yn 22.
Y nifer canolrifol o fedalau yw 22.

Ymarfer 4:6

1 Dyma nifer y medalau Olympaidd a enillodd yr
Eidal rhwng 1972 a 1996.

   18   13   15   32   14   19   34

Darganfyddwch y nifer canolrifol o fedalau a
enillodd yr Eidal.

2 Dyma nifer y medalau Olympaidd a enillodd
Kenya rhwng 1972 a 1996.

   9   0   0   3   9   8   8

Darganfyddwch y nifer canolrifol o fedalau a enillodd Kenya.

3 Dyma nifer y medalau Olympaidd a enillodd Awstralia rhwng 1972 a 1996.

   17   5   9   24   14   27   40

   a Darganfyddwch y nifer canolrifol o fedalau a enillodd Awstralia.
   b Darganfyddwch y nifer cymedrig o fedalau a enillodd Awstralia.
   c Eglurwch pam na allwch chi ddarganfod y modd.

Os oes gennych nifer eilrifol o werthoedd data yna ni fydd un ohonynt yn
union yn y canol.
Pan fydd hyn yn digwydd dylech ddarganfod cymedr y ddau rif canol.

Enghraifft

Dyma bellteroedd y cystadleuwyr buddugol yng nghystadleuaeth taflu
gwaywffon (dynion) yn rhai o'r Gêmau Olympaidd diwethaf. Rhoddwyd
y pellteroedd i'r metr agosaf. Darganfyddwch y pellter canolrifol.

   95   91   89   84   90   88

Ysgrifennwch y rhifau mewn trefn.

   84   88 | 89   90 | 91   95

Darganfyddwch y ddau rif canol: 89   90

Darganfyddwch y cymedr: $\dfrac{89 + 90}{2} = 89.5$

Mae'r pellter canolrifol yn 89.5 m.

4 Dyma bellteroedd y cystadleuwyr buddugol yng nghystadleuaeth taflu disgen (dynion) yn rhai o'r Gêmau Olympaidd diwethaf. Rhoddir y pellteroedd i'r metr agosaf.

61   65   64   68   67   67   69   65

a Ysgrifennwch y rhifau yma mewn trefn. Rhowch y rhif lleiaf yn gyntaf.
b Darganfyddwch y pellter canolrifol.

5 Dyma bellteroedd y cystadleuwyr a enillodd fedalau arian yng nghystadleuaeth taflu disgen (dynion) yn rhai o'r Gêmau Olympaidd diwethaf. Rhoddir y pellteroedd i'r metr agosaf.

61   63   64   66   66   66   67   65

Darganfyddwch y pellter canolrifol.

6 Dyma amseroedd y cystadleuwyr buddugol yn ras 100 m (merched) yn rhai o'r Gêmau Olympaidd diwethaf. Rhoddir yr amseroedd i'r ddegfed rhan agosaf o eiliad.

11.4   11.0   11.1   11.1   11.1   11.0   10.5   10.8

Darganfyddwch yr amser canolrifol.

7 Dyma amseroedd y cystadleuwyr a enillodd fedalau arian yng nghystadleuaeth 100 m (merched) yn rhai o'r Gêmau Olympaidd diwethaf. Rhoddir yr amseroedd i'r ddegfed rhan agosaf o eiliad.

11.6   11.1   11.2   11.1   11.1   11.1   10.8   10.8

Darganfyddwch yr amser canolrifol.

Yr Amrediad

Mae ceir yn teithio cyfanswm o 270 000 miliwn o gilometrau yn y Deyrnas Unedig bob blwyddyn. Y cyfartaledd ar gyfer y Deyrnas Unedig, Ffrainc, yr Almaen a Sbaen yw 255 000 miliwn km.

Nid yw'r cyfartaledd yma yn rhoi'r darlun llawn. Mae gwahaniaeth mawr rhwng y gwledydd.

Cyfanswm yr Almaen yw'r mwyaf, sef 376 000 miliwn. Cyfanswm Sbaen yw'r lleiaf, sef 70 000 miliwn yn unig.

Gelwir y gwahaniaeth o 306 000 miliwn km yn **amrediad** y data.

Amrediad	Amrediad set o ddata yw'r gwerth mwyaf tynnu'r gwerth lleiaf.

Ymarfer 4:7

1 Dyma'r oedrannau cyfartalog y mae pobl yn eu cyrraedd mewn gwahanol wledydd. Gelwir hyn yn 'ddisgwyliad oes'.

Gwlad	Disgwyliad oes	
	Dynion	Merched
Y D.U.	72	78
Angola	43	46
Brasil	62	68
Kenya	57	61
Glwad yr Iâ	75	80
Twrci	63	66

  a Cyfrifwch beth yw'r amrediad ar gyfer dynion.
  b Cyfrifwch beth yw'r amrediad ar gyfer merched.

2 Edrychwch ar y data yma sy'n ymwneud â 10 o ddisgyblion ym Mlwyddyn 11. Cofnodwyd y data pan oeddynt ym Mlwyddyn 7, Blwyddyn 9 a Blwyddyn 11. Rhoddir y taldra i'r centimetr agosaf. (M = Merched, B = Bechgyn).

Disgybl	Rhyw	Taldra Bl 7	Maint esgid Bl 7	Taldra Bl 9	Maint esgid Bl 9	Taldra Bl 11	Maint esgid Bl 11
1	M	145	2	154	3	160	4
2	M	153	3	160	5	167	5
3	M	137	1	147	3	154	4
4	M	141	2	156	4	165	6
5	M	149	2	160	3	170	4
6	B	131	3	157	5	165	7
7	B	151	5	159	7	175	9
8	B	141	3	155	5	171	8
9	B	150	4	165	5	180	10
10	B	129	3	135	4	155	7

  a Darganfyddwch beth yw amrediad taldra'r bechgyn ym Mlwyddyn 7.
  b Darganfyddwch beth yw taldra cymedrig y bechgyn ym Mlwyddyn 7.
  c Darganfyddwch beth yw amrediad maint esgid y bechgyn ym Mlwyddyn 7.
 ch Darganfyddwch beth yw maint esgid moddol y bechgyn ym Mlwyddyn 7.

3 **a** Darganfyddwch beth yw amrediad taldra'r bechgyn ym Mlwyddyn 9.
    b Darganfyddwch beth yw taldra cymedrig y bechgyn ym Mlwyddyn 9.
    c Darganfyddwch beth yw amrediad maint esgid y bechgyn ym Mlwyddyn 9.
    ch Darganfyddwch beth yw maint esgid moddol y bechgyn ym Mlwyddyn 9.

4 Gwnewch yr un peth ar gyfer y merched.

5 **a** Gan bwy, y bechgyn ynteu'r merched, y mae'r maint esgid moddol mwyaf?
    b Gan bwy, y bechgyn ynteu'r merched, y mae'r taldra cymedrig mwyaf?
    c Gan bwy, y bechgyn ynteu'r merched, y mae'r amrediad mwyaf o ran taldra?
    ch Cymharwch eich atebion ar gyfer Blwyddyn 9 a Blwyddyn 7.
       Nodwch yr hyn y sylwch arno.

6 Ewch ati i gyfrifo sut mae'r cyfartaleddau a'r amrediadau wedi newid erbyn
    Blwyddyn 11.
    Defnyddiwch y cwestiynau yn yr ymarfer yma i'ch helpu.

◄◄ AILCHWARAE ►

Weithiau rhoddir data mewn tabl.

Rhifodd 9T nifer y Smarties oedd mewn
100 o diwbiau a ddewiswyd ar hap.
Roedd llawer o'r tiwbiau yn cynnwys yr un
nifer o Smarties.
Rhoddodd y plant eu data mewn tabl.

Nifer y Smarties mewn tiwb	Nifer y tiwbiau	
34	13 ◄	Mae'r rhes yma'n dangos fod
35	24	13 o'r tiwbiau yn cynnwys 34 o
36	27	Smarties. Mae hyn yn rhoi cyfanswm o
37	22	$13 \times 34 = 442$ o Smarties
38	14	

Er mwyn darganfod beth yw cyfanswm y Smarties mae'n rhaid iddynt ddarganfod cyfanswm pob rhes. Maen nhw'n ychwanegu colofn arall at y tabl fel hyn:

Nifer y Smarties mewn tiwb	Nifer y tiwbiau	Nifer y Smarties
34	13	$13 \times 34 = 442$
35	24	$24 \times 35 = 840$
36	27	$27 \times 36 = 972$
37	22	$22 \times 37 = 814$
38	14	$14 \times 38 = 532$
		Cyfanswm $= 3600$

Nifer cymedrig o Smarties $= \frac{3600}{100} = 36$

Mae'r nifer moddol o Smarties mewn tiwb yn 36. Y rheswm am hyn yw bod mwy o diwbiau yn cynnwys 36 o Smarties nag unrhyw nifer arall.

Ymarfer 4:8

1 Dewiswyd 100 tiwb arall o Smarties ar hap. Dangosir nifer y Smarties oedd ym mhob tiwb yn y tabl.

Nifer y Smarties mewn tiwb	Nifer y tiwbiau
34	12
35	24
36	31
37	18
38	15

a Copïwch y tabl yma a'i lenwi.

Nifer y Smarties mewn tiwb	Nifer y tiwbiau	Nifer y Smarties
34	12	$12 \times 34 =$
35	24	$24 \times 35 =$
36	31	$... \times ... =$
37	18	$... \times ... =$
38	15	$... \times ... =$
		Cyfanswm $=$

b Cyfrifwch beth yw nifer cymedrig y Smarties.
c Cyfrifwch nifer moddol y Smarties.

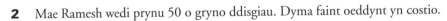

2 Mae Ramesh wedi prynu 50 o gryno ddisgiau. Dyma faint oeddynt yn costio.

Cost (£)	Nifer y cryno ddisgiau
11.99	8
12.49	12
12.99	17
13.49	7
13.99	6

  a Darganfyddwch beth yw cost gymedrig cryno ddisg.
  b Ysgrifennwch beth yw cost foddol cryno ddisg.

3 Yn y tabl dangosir sawl matsen sydd mewn 60 o focsys.

Nifer y matsys	Nifer y bocsys
46	14
47	15
48	22
49	6
50	3

Mae'r gwneuthurwyr yn honni mai cynnwys cyfartalog bocs matsys yw 48.
A yw hyn yn honiad teg? Eglurwch eich ateb.

Cymedr, modd, canolrif ac amrediad ar gyfer data wedi'u grwpio

Nid yw'n hawdd cyfrifo cyfartaleddau ar gyfer data wedi'u grwpio. Dyma ganlyniadau'r bechgyn mewn prawf mathemateg ym Mlwyddyn 9. Mae'r canlyniadau wedi cael eu grwpio fesul deg.

Marc	31 i 40	41 i 50	51 i 60	61 i 70	71 i 80	81 i 90	91 i 100
Nifer y bechgyn	5	14	28	35	24	16	8

Edrychwch ar y golofn gyntaf. Gallwch weld fod y bechgyn yma wedi sgorio rhwng 31 a 40 ond nid ydych yn gwybod *yn union* beth oedd sgôr pob un ohonynt.
Er mwyn cyfrifo **amcangyfrif** ar gyfer y cymedr, rhaid i chi gymryd yn ganiataol fod y 5 ohonynt wedi sgorio'r marc yng nghanol y grŵp.

Y gwerth canol hwn yw $\dfrac{31 + 40}{2} = 35.5$

Yn yr un ffordd rhaid i chi gymryd yn ganiataol fod pob un o'r 14 disgybl yn yr ail golofn wedi sgorio canol y grŵp hwnnw sef $\frac{41 + 50}{2} = 45.5$

Gallwch gyfrifo pob un o'r canolbwyntiau. Gallwch wneud tabl newydd sy'n edrych fel hyn:

Marc (canolbwynt)	35.5	45.5	55.5	65.5	75.5	85.5	95.5
Nifer y bechgyn	5	14	28	35	24	16	8

Nawr gallwch ddarganfod beth yw'r cymedr gan gymryd mai'r rhain oedd y sgorau a gafodd pawb.

$$\text{Cymedr} = \frac{35.5 \times 5 + 45.5 \times 14 + 55.5 \times 28 + 65.5 \times 35 + 75.5 \times 24 + 85.5 \times 16 + 95.5 \times 8}{130}$$

$$= \frac{8605}{130}$$

$= 66.2$ (1 lle degol)   Dim ond **amcangyfrif** ar gyfer y cymedr yw hwn.

Rydych wedi cymryd yn ganiataol fod pob disgybl ym mhob grŵp wedi sgorio'r marc canol ym mhob grŵp. Efallai nad yw hyn yn wir, felly efallai'n wir y bydd eich cymedr yn anghywir!

Pan fydd data wedi cael eu grwpio ni allwch ddweud pa werth data yw'r mwyaf cyffredin. Ni allwch ddarganfod y modd. Y cyfan allwch chi ei ddweud yw ym mha grŵp y mae'r rhan fwyaf o'r gwerthoedd. Gelwir y grŵp yma yn **grŵp moddol**. Ar gyfer marciau prawf y bechgyn mae'r grŵp moddol yn 61 i 70.

Ni allwch ddarganfod y canolrif chwaith! Ni allwch ysgrifennu'r gwerthoedd mewn trefn er mwyn darganfod y gwerth canol. Gallwch amcangyfrif y gwerth canolrifol a chewch weld hyn y flwyddyn nesaf.

Dim ond amcangyfrif yr amrediad allwch chi ei wneud hefyd!

Mae'r **amcangyfrif** ar gyfer yr amrediad yn golygu'r gwerth *mwyaf posibl* tynnu'r gwerth *lleiaf posibl*.

Ar gyfer marciau'r bechgyn y gwerth mwyaf posibl yw 100 a'r gwerth lleiaf yw 31.
Amcangyfrif ar gyfer yr amrediad yw 69 o farciau.

Ymarfer 4:9

1   Dyma sgorau merched Blwyddyn 9 yn yr un prawf mathemateg.

Marc	31 i 40	41 i 50	51 i 60	61 i 70	71 i 80	81 i 90	91 i 100
Nifer y merched	4	17	23	26	21	19	10

   a   Copïwch y tabl yma. Llenwch y canolbwyntiau ar gyfer pob grŵp o farciau.

Marc (canolbwynt)	35.5						
Nifer y merched	4	17	23	26	21	19	10

   b   Amcangyfrifwch beth yw'r cymedr. Rhowch eich ateb i 1 lle degol.
   c   Ysgrifennwch y grŵp moddol ar gyfer marciau'r merched.
  ch Amcangyfrifwch beth yw amrediad y marciau.

2   Gofynnodd Efa i'r holl ddisgyblion yn ei dosbarth faint o arian poced roeddynt yn ei gael bob wythnos. Dyma'i chanlyniadau:

Swm	0 c–99 c	£1–£1.99	£2–£2.99	£3–£3.99	£4–£4.99
Nifer y disgyblion	3	7	9	7	4

   a   Copïwch y tabl yma. Llenwch y canolbwyntiau ar gyfer pob grŵp.

Swm (canolbwynt)					
Nifer y bobl	3	7	9	7	4

   b   Amcangyfrifwch beth yw'r cymedr.
      Rhowch eich ateb yn gywir i'r geiniog agosaf.
   c   Ysgrifennwch grŵp moddol y swm o arian a dderbynnir.
  ch Amcangyfrifwch amrediad y swm o arian a dderbynnir.

1 Mae Lowri yn gallu dal un o ddau fws i fynd adref. Dyma faint o amser fu'n rhaid iddi ddisgwyl y 5 tro diwethaf ddefnyddiodd hi Fws 1.

   10 munud   14 munud   13 munud   12 munud   11 munud

   Dyma faint o amser fu'n rhaid iddi ddisgwyl y 5 tro diwethaf ddefnyddiodd hi Fws 2.

   10 munud   8 munud   17 munud   9 munud   16 munud

   a Cyfrifwch beth yw'r amser disgwyl cymedrig ar gyfer pob bws.
   b Cyfrifwch beth yw amrediad yr amser disgwyl ar gyfer pob bws.
   c Pa fws ydych chi'n meddwl y dylai Lowri ei ddal?
      Eglurwch eich ateb gan ddefnyddio cymedr ac amrediad yr amseroedd disgwyl.

2 Mae Beca yn gwneud arolwg i weld faint o gyflog mae pobl yn ei ennill mewn wythnos. Mae hi wedi llunio'r siart bar yma i ddangos ei chanlyniadau:

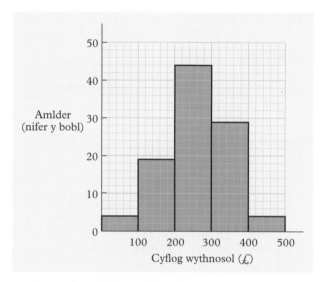

   a Copïwch y tabl yma a'i lenwi.

Canolbwynt	Amlder	Canolbwynt × Amlder
50	4	
150	19	
	Cyfanswm =	Cyfanswm =

   b Amcangyfrifwch beth yw'r cyflog wythnosol cymedrig.
   c Ysgrifennwch y grŵp moddol.
   ch Amcangyfrifwch beth yw amrediad y cyflogau wythnosol.

1 Mae'r graff yma'n dangos nifer yr oriau roedd dynion a merched yn gweithio yn
   y Deyrnas Unedig ym 1990.

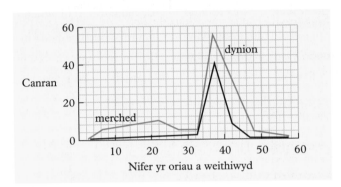

a Ysgrifennwch un peth sy'n gyffredin ynglŷn â phatrwm y nifer o oriau
   roedd dynion a merched yn gweithio.
b Ysgrifennwch un peth sy'n wahanol ynglŷn â phatrwm y nifer o oriau roedd
   dynion a merched yn gweithio.

2 Mae 29 o ddisgyblion yn 9X. Mae Tudur yn absennol ar ddiwrnod prawf.
   Sgôr cymedrig y 28 disgybl arall yn y prawf yw 76.5.
   Mae Tudur yn sefyll y prawf yn hwyr ac mae'n cael 86.
   Beth yw'r sgôr cymedrig newydd ar gyfer 9X?

3 Mae Elen yn mesur pwysau creision mewn 30 o fagiau. Ar y bagiau ceir y geiriau
   'Cynnwys cyfartalog 25g'. Defnyddiodd Elen glorian electronig gywir iawn.
   Dyma'i chanlyniadau.

24.498	24.531	25.014	25.367	24.487
25.571	25.274	24.985	24.361	25.184
25.367	25.148	25.178	24.257	24.568
24.759	24.589	26.010	25.451	24.856
24.968	25.374	25.984	26.357	24.168
26.254	23.987	24.591	24.367	25.684

a Dewiswch grwpiau synhwyrol ar gyfer y data yma.
   Lluniwch dabl marciau rhifo ar gyfer y grwpiau yma a'i lenwi.
b Defnyddiwch eich canlyniadau i lunio diagram.
c Ysgrifennwch y grŵp moddol ar gyfer pwysau'r creision.
   Sut allwch chi gael y grŵp moddol o'ch diagram?
ch Amcangyfrifwch beth yw'r cymedr o'r grwpiau rydych chi newydd
   eu gwneud.
d Darganfyddwch beth yw'r cymedr o'r data gwreiddiol.
dd Pa mor gywir yw'r amcangyfrif ar gyfer y cymedr?
e A yw'r honiad 'cynnwys cyfartalog' yn gywir?

- **Cymedr** Er mwyn darganfod **cymedr** set o ddata:
  (1) Darganfyddwch gyfanswm yr holl werthoedd data.
  (2) Rhannwch â'r nifer o werthoedd data.

- **Modd** Y **modd** yw'r gwerth data mwyaf cyffredin neu'r gwerth data mwyaf poblogaidd. Weithiau mae'n cael ei alw'n **werth moddol.**
  Nid oes raid i'r modd fod yn rhif.
  Er enghraifft gallai'r modd fod y math mwyaf cyffredin o fedal.

- **Canolrif** Er mwyn darganfod y **canolrif**, rhowch yr holl werthoedd data mewn trefn, yn ôl eu maint.
  Yna'r **canolrif** yw'r gwerth canol.
  Os oes gennych nifer eilrifol o werthoedd data yna ni fydd un ohonynt yn union yn y canol. Yn yr achos hwn, er mwyn darganfod y canolrif, dylech gyfrifo cymedr y ddau rif canol.

- **Amrediad** **Amrediad** set o ddata yw'r gwerth mwyaf tynnu'r gwerth lleiaf.

- **Data wedi'u grwpio** Nid yw'n hawdd cyfrifo cyfartaleddau ar gyfer **data wedi'u grwpio**.

  Er mwyn cyfrifo amcangyfrif ar gyfer y **cymedr**, defnyddiwch ganolbwynt pob grŵp ac yna cyfrifwch y cymedr gan gymryd mai dyma'r gwerth gafodd pawb mewn grŵp.

Enghraifft Dyma'r canlyniadau mewn prawf mathemateg Blwyddyn 9.

Marc	31–40	41–50	51–60	61–70	71–80	81–90	91–100
Marc (canolbwynt)	35.5	45.5	55.5	65.5	75.5	85.5	95.5
Nifer y bechgyn	5	14	28	35	24	16	8

$$\text{Cymedr} = \frac{35.5 \times 5 + 45.5 \times 14 + 55.5 \times 28 + 65.5 \times 35 + 75.5 \times 24 + 85.5 \times 16 + 95.5 \times 8}{130}$$

$$= \frac{8605}{130} = 66.2 \text{ (1 lle degol)}$$

Amcangyfrif yn unig yw hyn ar gyfer y cymedr.
Ni allwch ddarganfod y **modd**. Y cyfan allwch chi ei ddweud yw ym mha grŵp y mae'r rhan fwyaf o werthoedd.
Gelwir y grŵp yma yn **grŵp moddol**.
Mae'r amcangyfrif ar gyfer yr **amrediad** yn golygu'r gwerth *mwyaf posibl* tynnu'r gwerth *lleiaf posibl*.

1 Dyma'r symiau o arian mae 12 o ffrindiau yn gwario wrth
fynd i'r sinema.

£3.20   £2.40   £3.50   £2.40   £2.40   £3.40
£3.70   £2.40   £2.80   £2.60   £2.40   £2.90

a Cyfrifwch beth yw'r swm cymedrig o arian i'r geiniog agosaf.
b Cyfrifwch beth yw'r swm canolrifol o arian.
c Ysgrifennwch y swm moddol o arian.
ch Cyfrifwch beth yw amrediad y swm o arian.

2 Mae'r data yn dangos faint o law a syrthiodd bob dydd ym mis Tachwedd
(mewn milimetrau).

    3.5   16.4   6.4   3.7   14.2   8.9
   22.9   2.9   7.8   18.9   0.1   2.6
    9.4   14.2   4.5   11.6   15.9   6.1
   13.7   13.9   3.1   2.5   5.6   1.4
    6.9   4.1   17.9   19.2   10.7   7.2

a Copïwch y tabl marciau rhifo yma a'i lenwi.

Glawiad (mm)	Marciau rhifo	Nifer y dyddiau
0–5		
5–10		
10–15		
15–20		
20–25		

b Lluniwch siart bar i ddangos yr
wybodaeth yma.
Peidiwch â gadael bylchau rhwng
y barrau.
Mae'r graff yma'n dangos y
glawiad ym mis Ebrill.

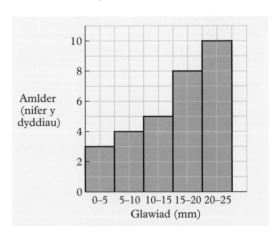

c Sawl diwrnod sydd yn y mis a ddangosir yn y graff yma?
ch Edrychwch ar y siart bar rydych chi wedi ei lunio a'r un a roddir yn y cwestiwn yma.
Pa un sy'n dangos y mis gwlypaf? Eglurwch sut y gallwch ddweud hyn.
d Amcangyfrifwch beth yw'r glawiad cymedrig ym mhob mis.
Bydd angen i chi ysgrifennu canolbwyntiau'r grwpiau yn gyntaf.

5 Manwl gywirdeb

CWESTIYNAU

ESTYNIAD

CRYNODEB

PROFWCH
EICH HUN

Gelwir y rhif 10^{100} yn gwgol. Mae hwn yn 1 â chant o seroau.

10^{100} = 10 000 000 000 000 000 000 000 000 000 000
000 000 000 000 000 000 000 000 000 000 000
000 000 000 000 000 000 000 000 000 000

Gelwir y rhif 10^{gwgol} neu $10^{10^{100}}$ yn gwgolplyg.

Mae hwn yn 1 â gwgol o seroau.

Mae Ceri yn cymryd $\frac{1}{4}$ eiliad i ysgrifennu sero a $\frac{1}{5}$ eiliad i ysgrifennu'r 1.

Faint o flynyddoedd fyddai hi'n cymryd i ysgrifennu gwgolplyg?

1   Talgrynnu

Mae Sara wedi mesur yr amser a gymer 60 o osgiliadau'r pendil.
Mae hi wedi cyfrifo amser un osgiliad.
Dyma'i hateb:

Amser un osgiliad = 1.036 251 eiliad

Nid yw hwn yn ateb synhwyrol. Nid yw'n hi'n gallu mesur yr amser yma yn fanwl gywir. Mae angen iddi dalgrynnu ei hateb.

◀◀AILCHWARAE▶

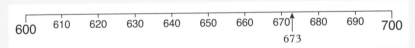

Mae 673 yn nes at 670 nag at 680. Mae'n 670 i'r deg agosaf.
Mae 673 yn nes at 700 nag at 600. Mae'n 700 i'r cant agosaf.

Mae 8.39 yn nes at 8.4 nag at 8.3. Mae wedi ei dalgrynnu i 8.4 i 1 lle degol.

Gallwch ddefnyddio'r **rheol talgrynnu** yma.
Edrychwch ar y digid 'diangen' cyntaf.
Os yw'n 5, 6, 7, 8 neu 9, adiwch un at y digid olaf rydych chi eisiau ei gadw.
Os yw'r digid 'diangen' cyntaf yn 0, 1, 2, 3 neu 4, nid ydych yn adio un.

Enghreifftiau   2.4761 yn gywir i 1 lle degol yw 2.5   Mae 4.0275 yn gywir i 3 lle degol yn 4.028.

Ymarfer 5:1

1 Talgrynnwch y rhifau yma yn gywir i'r rhif cyfan agosaf.
    a 7.1   **b** 4.8   **c** 14.45   **ch** 367.6   **d** 2.09

2 Talgrynnwch y rhifau yma yn gywir i'r deg agosaf.
    a 58   **b** 25   **c** 294   **ch** 199   **d** 431

3 Talgrynnwch y rhifau yma yn gywir i'r cant agosaf.
    a 361   **b** 209   **c** 3829   **ch** 4780   **d** 999

4 Talgrynnwch y rhifau yma yn gywir i 1 lle degol.
    a 4.682   **b** 10.147   **c** 21.846   **ch** 2.053   **d** 47.98

5 Talgrynnwch y rhifau yma yn gywir i 2 le degol.
    a 73.592   **b** 4.3554   **c** 18.339   **ch** 0.308   **d** 7.899

6 Talgrynnwch y rhifau yma yn gywir i 3 lle degol.
    a 5.6682   **b** 37.0745   **c** 0.8591   **ch** 0.3499   **d** 0.9995

Mae Sali yn **153 cm** o daldra yn gywir i'r centimetr agosaf.

153 cm = 1.53 m
Mae 1.53 m yn gywir i'r centimetr agosaf.

Mae Sali yn **1.53 m** o daldra yn gywir i'r centimetr agosaf.

Gallwch roi hyd mewn metrau yn gywir i 2 le degol.
Mae'r hyd wedyn yn gywir i'r centimetr agosaf.

Enghraifft   Rhowch yr hydoedd hyn yn gywir i'r centimetr agosaf:
    a 347.9 cm   **b** 1.426 m

    a 347.9 cm yn gywir i'r centimetr agosaf yw 348 cm.
    b 1.426 m yn gywir i'r centimetr agosaf yw 1.43 m.

---

7 Rhowch bob un o'r hydoedd hyn yn gywir i'r centimetr agosaf.
    a 8.3 cm   **c** 4.132 m   **d** 0.318 m   **e** 0.167 m   **ff** 13.205 m
    b 127.9 cm   **ch** 11.037 m   **dd** 9.214 m   **f** 12.325 m   **g** 5.009 m

Mae'r graig hon yn pwyso 1235 g yn
gywir i'r gram agosaf.
1235 g = 1.235 kg

Mae'r graig yn pwyso 1.235 kg yn
gywir i'r gram agosaf.

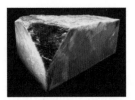

Gallwch roi pwysau mewn cilogramau yn gywir i 3 lle degol.
Mae'r pwysau wedyn yn gywir i'r gram agosaf.

Enghraifft   Rhowch y pwysau yma yn gywir i'r gram agosaf.
    a 41.2 g   **b** 0.8047 kg

    a 41.2 g yn gywir i'r gram agosaf yw 41 g.
    b 0.8047 kg yn gywir i'r gram agosaf yw 0.805 kg.

---

8   Rhowch y pwysau yma yn gywir i'r gram agosaf.
    a 56.8 g   **c** 7.2031 kg   **d** 3.5024 kg   **e** 0.0259 kg
    b 129.4 g   **ch** 1.2578 kg   **dd** 0.3219 kg   **f** 2.1798 kg

---

Ffigur ystyrlon

Mewn unrhyw rif y **ffigur ystyrlon** cyntaf yw'r digid cyntaf nad yw'n 0.
Yn y rhan fwyaf o rifau hwn yw'r digid cyntaf.

Y ffigur ystyrlon cyntaf yw'r digid coch:
37.8   650   7.961   0.0538   0.002 004

Talgrynnu i 1 ffigur ystyrlon (1 ffig. yst.)

Er mwyn **talgrynnu i 1 ffigur ystyrlon (1 ffig. yst.):**
a Edrychwch ar y digid cyntaf ar ôl y digid ystyrlon cyntaf.
b Defnyddiwch reolau arferol talgrynnu
c Cofiwch gadw'r rhif tua'r maint cywir.

Enghreifftiau

64.9 i 1 ffig. yst. yw 60 *Nid* 6!   5.06 i 1 ffig. yst. yw 5
284 i 1 ffig. yst. yw 300   0.0381 i 1 ffig. yst. yw 0.04

Ymarfer 5:2

1   Talgrynnwch y rhifau yma yn gywir i 1 ffig. yst.
    a 7.25   **c** 264   **d** 508.2   **e** 37 821
    b 48   **ch** 95   **dd** 999   **f** 460 097

2   Talgrynnwch y rhifau yma yn gywir i 1 ffig. yst.
    a 0.084   **b** 0.0035   **c** 0.070 94   **ch** 0.005 55

Mae hi'n hawdd iawn taro'r botwm anghywir wrth ddefnyddio cyfrifiannell.
Mae'n syniad da gwirio fod eich ateb fwy neu lai yn gywir.

Amcangyfrif

Er mwyn cael **amcangyfrif** rydym yn talgrynnu pob rhif i un ffigur ystyrlon.

Enghraifft

Gwnewch 362 × 24

Defnyddiwch gyfrifiannell i gael 362 × 24 = 8688
Amcangyfrif 362 × 24 ≈ 400 × 20 = 8000
Mae 8000 yn agos at 8688 felly mae'r ateb yn debyg o fod yn gywir.

Ymarfer 5:3

Gwnewch y canlynol.
Gwiriwch bob ateb drwy amcangyfrif.

1 **a** 74 × 31   **c** 866 × 62   **d** 6.9 × 3.4   **e** 2.3 × 9.8
    b 544 − 206   **ch** 832 + 365   **dd** 3.06 × 7.5   **f** 4.24 × 6.29

Enghraifft

Gwnewch 30.45 ÷ 8.7

Defnyddiwch gyfrifiannell i gael 30.45 ÷ 8.7 = 3.5
Amcangyfrifwch: 30.45 ÷ 8.7 ≈ 30 ÷ 9

Mae 9 yn mynd i mewn i 27 dair gwaith felly 30 ÷ 9 ≈ 3

Mae 3 yn agos at 3.5 felly mae'r ateb yn debyg o fod yn gywir.

Gwnewch y canlynol.
Gwiriwch bob ateb drwy wneud amcangyfrif.

2 **a** 21.28 ÷ 2.8   **c** 94.38 ÷ 3.9   **d** 129.6 ÷ 2.7   **e** 377.3 ÷ 4.9
    b 30.94 ÷ 9.1   **ch** 43.07 ÷ 7.3   **dd** 431.6 ÷ 8.3   **f** 495.6 ÷ 1.4

3 Mae pob un o'r rholiau yma o bapur wal yn costio £6.75.
    Faint fydd 9 rholyn yn costio?

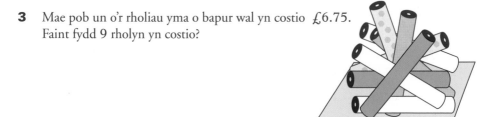

4 Mae gwniadwraig yn gwneud 87 o bocedi bob awr. Gweithiodd am 38 awr yn ystod un wythnos. Faint o bocedi wnaeth hi?

5 Mae Siân yn mynd i siopa i'r archfarchnad. Mae'r rhestr yma'n dangos beth brynodd hi. Faint fu'n rhaid iddi ei dalu?

torth	67c	jam	52c
menyn	89c	afalau	53c

6 Roedd tyrfa o 27 645 o bobl mewn gêm bêl-droed.
Roedd 3594 yn llai o bobl yn y gêm flaenorol.
Faint o bobl ddaeth i weld y gêm flaenorol?

7 Mae'r tabl yn dangos faint o bobl sy'n ymweld â ffatri ganhwyllau.

Wythnos un	361
Wythnos dau	279
Wythnos tri	198
Wythnos pedwar	340
Wythnos pump	512

a Beth oedd cyfanswm yr ymwelwyr yn ystod y cyfnod 5 wythnos?
b Beth oedd nifer cymedrig yr ymwelwyr bob wythnos?

8 Aeth 1274 o ddisgyblion ar drip ysgol.
Roedd pob bws yn cario 49 o ddisgyblion. Sawl bws a ddefnyddiwyd?

Talgrynnu i unrhyw nifer o ffigurau ystyrlon	Er mwyn **talgrynnu i unrhyw nifer o ffigurau ystyrlon**: **a** Edrychwch ar y digid 'diangen' cyntaf. **b** Defnyddiwch reol arferol talgrynnu. **c** Gofalwch gadw'r rhif tua'r maint cywir.

Yr unig adeg y bydd sero yn ystyrlon yw pan fydd yn ymddangos ar ochr **dde**'r ffigur ystyrlon cyntaf.

Enghreifftiau   253.7 i 2 ffig. yst. yw 250. *Nid* 25!   52 780 i 3 ffig. yst. yw 52 800
6739 i 3 ffig. yst. yw 6740   0.036 28 i 2 ffig. yst. yw 0.036

0.008 047 1 i 3 ffig. yst. yw 0.008 05   Yma mae'r 0 ar ôl yr 8 yn ystyrlon.

Ymarfer 5:4

1 Talgrynnwch bob ateb ar y cyfrifiannell yn gywir i 2 ffig. yst.

   a 23.444444   **c** 90.666667   **d** 0.40752

   b 1657.3917   **ch** 12089   **dd** 8.05737

2 Talgrynnwch bob ateb ar y cyfrifiannell yn gywir i 4 ffig. yst.

   a 12.333333   **c** 0.32475   **d** 31.423704

   b 7.1090909   **ch** 0.0181818   **dd** 99.999999

Gwnewch y cyfrifiadau yma ar gyfrifiannell.
Talgrynnwch yr atebion yn gywir i 3 ffig. yst.

3 7.34×3.18 **8** $34 \div 7$ **13** $\sqrt{8}$

4 11.9×0.213 **9** $25 \div 9$ **14** $\sqrt{14}$

5 0.913×0.648 **10** $0.58 \div 6$ **15** $\sqrt{35}$

6 314.5×670 **11** $0.09 \div 11$ **16** $\sqrt{0.06}$

7 0.2009×0.405 **12** $7.3 \div 1.2$ **17** $\sqrt{0.17}$

18 Talgrynnwch y rhifau yma.
   a 5.067 i 2 ffig. yst.   **ch** 23.56 i 1 ffig. yst.   **e** 108.4 i 1 ffig. yst.
   b 863.4 i 3 ffig. yst.   **d** 20 785 i 3 ffig. yst.   **f** 4555 i 2 ffig. yst.
   c 2.0472 i 2 ffig. yst.   **dd** 0.059 82 i 2 ffig. yst.   **ff** 0.404 040 i 4 ffig. yst.

19 Ysgrifennwch sawl ffigur ystyrlon sydd ym mhob un o'r rhifau yma.
   a 34.5   **ch** 304   **e** 1100   **g** 0.08   **i** 0.003
   b 17   **d** 75   **f** 0.24   **ng** 0.901   **l** 0.4005
   c 3.152   **dd** 270   **ff** 0.319   **h** 0.0404   **ll** 4.0

Talgrynnu synhwyrol

Ymarfer 5:5

1 Edrychwch ar y cwestiwn yma $\dfrac{600.1 \times 565.1}{42}$

  a Talgrynnwch bob rhif yn y cwestiwn i 1 ffig. yst.

  b Defnyddiwch hyn i amcangyfrif yr ateb i'r cwestiwn.

  c Cyfrifwch yr ateb i'r cwestiwn gan ddefnyddio'ch cyfrifiannell.
      Rhowch eich ateb yn gywir i'r rhif cyfan agosaf.

  ch Cyfrifwch y cyfeiliornad yn eich amcangyfrif.
      A yw eich amcangyfrif yn un da yn eich tyb chi?

Enghraifft Pan fyddwch yn amcangyfrif yr ateb i gwestiwn sy'n cynnwys ffracsiwn yn aml mae modd cael amcangyfrif llawer gwell na thalgrynnu i 1 ffig. yst.

Amcangyfrifwch yr ateb i $\dfrac{65.9 \times 56.1}{42}$

Os ydych yn gwneud y cwestiwn yma drwy dalgrynnu pob rhif i 1 ffig. yst. rydych yn cael

$$\frac{65.9 \times 56.1}{42} \approx \frac{70 \times 60}{40} = \frac{4200}{40} = 105$$

Yr ateb mewn gwirionedd yw 88.0 i 3 ffig. yst.

Efallai nad yw 105 yn ymddangos yn rhy bell o 88 ond gallwch fynd yn llawer nes!

Yn gyntaf, talgrynnwch y rhifau i gyd i'r rhif cyfan agosaf.

$$\frac{65.9 \times 56.1}{42} \approx \frac{66 \times 56}{42}$$

Nawr mae angen i chi allu rhannu'r 42 yn yr enwadur yn 6×7 a chanslo'r ffracsiwn fel hyn:

$$\frac{66 \times 56}{42} = \frac{66 \times 56}{6 \times 7} = \frac{66}{6} \times \frac{56}{7} = 11 \times 8 = 88$$

Mae hyn yn rhoi brasamcan ardderchog!

Yng nghwestiynau **2** i **7**:

a Amcangyfrifwch yr ateb drwy rannu'r enwadur fel bo'r ffracsiwn yn canslo.

b Cyfrifwch yr ateb union gywir drwy ddefnyddio'ch cyfrifiannell. Rhowch eich ateb cyfrifiannell yn gywir i 3 ffigur ystyrlon.

2 $\dfrac{24.8 \times 41.8}{35}$

4 $\dfrac{21.8 \times 41.9}{12}$

6 $\dfrac{14.8 \times 4.8}{25}$

3 $\dfrac{16.3 \times 35.8}{24}$

5 $\dfrac{35.8 \times 56.1}{48}$

7 $\dfrac{19.8 \times 63.8}{40}$

Er mwyn defnyddio'r dull yma mae'n rhaid i chi geisio canslo rhannau o'r ffracsiwn. Ni fydd hyn yn digwydd bob amser er ei fod yn digwydd yn y cwestiynau blaenorol. Efallai y bydd yn rhaid i chi dalgrynnu'r rhifau yn y rhifiadur fel y bydd y ffracsiwn yn canslo.

Enghraifft   Amcangyfrifwch yr ateb i $\dfrac{78 \times 41}{6.9 \times 8.4}$

Mae'r rhifau yn yr enwadur yn talgrynnu i 7×8 felly talgrynnwch y rhifau yn y rhifiadur yn lluosrifau 7 ac 8.

$$\dfrac{78 \times 41}{6.9 \times 8.4} \approx \dfrac{77 \times 40}{7 \times 8} = 11 \times 5 = 55$$

Yr ateb union gywir yw 55.2 (3 ffig. yst.) felly mae'r dull yma'n rhoi amcangyfrif da iawn.

Yng nghwestiynau **8** i **16**:

a Amcangyfrifwch yr ateb drwy dalgrynnu fel y bydd y ffracsiwn yn canslo.

b Cyfrifwch yr ateb union gywir gan ddefnyddio'ch cyfrifiannell. Rhowch eich ateb cyfrifiannell yn gywir i 3 ffigur ystyrlon.

8 $\dfrac{15.8 \times 40}{35}$

11 $\dfrac{36.2 \times 38.9}{4.7 \times 8.1}$

14 $\dfrac{46.7 \times 50.1}{7.89 \times 3.15}$

9 $\dfrac{12.7 \times 102.5}{30}$

12 $\dfrac{18.1 \times 33.4}{2.66 \times 6.89}$

15 $\dfrac{26.7 \times 50.4}{3.19 \times 12.1}$

10 $\dfrac{32.1 \times 17}{45}$

13 $\dfrac{39.1 \times 43.4}{5.3 \times 6.8}$

16 $\dfrac{86.7 \times 26.1}{12.89 \times 7.15}$

2 Lluosi a rhannu â rhifau llai nag 1

Mae Ynyr yn cymryd tabledi at glefyd gwair.
Mae'r dos yn hanner tabled bob dydd.
Mae gan Ynyr bump o dabledi.
Am sawl diwrnod fyddant yn para?

Mae angen i Ynyr gyfrifo sawl hanner sydd mewn 5.
Y sym fydd angen iddo ei gwneud yw $5 \div \frac{1}{2}$

Bydd y tabledi yn para am 10 diwrnod.

Ymarfer 5:6

Pan fydd raid i chi egluro ateb, bydd enghraifft neu ddiagram yn aml yn eich helpu i ddangos yr hyn yr ydych yn ei olygu.

1 Mae Dai a Sali yn gwneud y cwestiwn yma:
$3 \div \frac{1}{2} = ?$
Dywedodd Dai fod yr ateb yn $1\frac{1}{2}$
Lluniodd Sali'r diagram yma i'w helpu i ddarganfod yr ateb.

Dywedodd Sali fod 6 hanner mewn 3 felly'r ateb yw 6.
a Pa un yw'r ateb cywir?
b Allwch chi weld o ble daeth yr ateb anghywir?

2 Mae Rob a Ceri yn gwneud y cwestiwn yma.
$10 \div 0.5 = ?$
Mae Rob yn dweud fod yr ateb yn 2 gan fod rhifau bob amser yn mynd yn llai wrth iddynt gael eu rhannu.
Mae Ceri yn dweud fod yr ateb yn 20 gan fod 0.5 yr un fath â hanner ac oherwydd bod 20 o haneri mewn 10 cyfan.
a Pa un yw'r ateb cywir?
b Allwch chi weld o ble daeth yr ateb anghywir?

3 $8 \times \frac{1}{2} = ?$
Lluniodd Llew y diagram
yma i ddarganfod yr ateb.

Mae Llew yn dweud fod yr ateb yn 4.
Mae Siwan yn dweud fod yn rhaid bod Llew yn anghywir gan fod rhifau bob
amser yn cynyddu wrth iddynt gael eu lluosi.
a Pa un o'r ddau sy'n gywir?
b Pam y mae'r llall yn anghywir?

4 Mae Jen a Wil yn gwneud y cwestiwn yma.
$12 \times 0.2 = ?$
Mae Jen yn dweud fod yn rhaid bod yr ateb yn 24 gan fod $12 \times 2 = 24$ ac
mae rhifau bob amser yn cynyddu wrth iddynt gael eu lluosi.
Mae Wil yn dweud fod yr ateb yn 2.4 gan fod 0.2 yn llai nag 1 felly dylai'r
ateb fod yn llai na 12.
a Pwy sy'n gywir?   **b** Pam y mae'r llall yn anghywir?

Yng nghwestiynau **5–11** penderfynwch pa ateb sy'n gywir heb ddefnyddio
cyfrifiannell.

5 $16 \div \frac{1}{2} = ?$
A 8   **B** 20   **C** 32   **CH** 80

6 $14 \times 0.1 = ?$
A 14   **B** 140   **C** 1.4   **CH** 0.14

7 $0.2 \times 6 = ?$
A 12   **B** 1.2   **C** 3   **CH** 0.3

8 $15 \div 0.3 = ?$
A 5   **B** 0.5   **C** 50   **CH** 1.5

9 $4 \div 0.5 = ?$
A 2   **B** 20   **C** 8   **CH** 0.8

10 $(0.5)^2 = ?$
A 25   **B** 2.5   **C** 0.10   **CH** 0.25

11 $0.6 \div 0.3 = ?$
A 0.2   **B** 2   **C** 20   **CH** 1.8

Gwiriwch eich atebion gan ddefnyddio cyfrifiannell.

Gêm : Pedwar mewn Rhes

Gêm i 2 chwaraewr yw hon. Bydd arnoch angen cownteri o ddau liw gwahanol. Mae pob chwaraewr yn defnyddio lliw gwahanol.

Chwaraewr 1 Dewiswch un rhif cyfan, × neu ÷ ac un ffracsiwn neu ddegolyn.
Enghraifft 2 × **0.3** Ateb: 0.6
Atebwch y cwestiwn rydych chi wedi ei ddewis **heb** ddefnyddio cyfrifiannell.

Chwaraewr 2 Gwnewch yr un cwestiwn **heb** ddefnyddio cyfrifiannell. Os cewch ateb gwahanol, gwiriwch drwy ddefnyddio cyfrifiannell.

Chwaraewr 1 Cuddiwch eich ateb ar y bwrdd gan ddefnyddio cownter.
Os cewch ateb nad yw ar y bwrdd, ni allwch osod cownter.

Chwaraewr 2 Nawr dilynwch chwithau yr un camau â chwaraewr 1.

Y chwaraewr cyntaf i gael pedwar cownter mewn rhes mewn unrhyw gyfeiriad yw'r enillydd.

1, 2, 3, 4, 5   × neu ÷   **0.1, 0.2, 0.3**
6, 7, 8, 9, 10   **0.4, $\frac{1}{2}$**

100	3	2.1	0.7	90	14
18	70	0.5	40	1	60
0.9	0.2	2	12	8	10
1.2	0.8	30	5	0.6	1.5
1.8	4	0.1	50	6	0.3
0.4	16	1.6	20	1.4	80

3 Defnyddio cyfrifiannell

Mae Steffan a'i ddau gyfaill wedi prynu pabell am £129.95.

Maen nhw'n rhannu'r gost yn gyfartal rhyngddynt.

Mae Steffan yn cyfrifo siâr y tri ohonynt ar ei gyfrifiannell fel hyn: 129.95 ÷ 3.

Dyma'r ateb ar ddangosydd y cyfrifiannell:

43.31666667

Mae Steffan yn dweud ei fod yn gallu cael y cyfrifiannell i dalgrynnu'r ateb i 2 le degol.

Defnyddio'r modd 'fix' ar gyfrifiannell

Enghraifft

Gallwch ddefnyddio'r **modd 'fix'** i dalgrynnu 43.316 66667 i 2 le degol.

Pwyswch y botymau: **2nd F** **FSE** **2nd F** **TAB** **2**

          Modd 'fix'   Nifer y lleoedd degol

Nawr mae'r dangosydd yn dangos **43.32**   Ateb: £43.32

Er mwyn newid y cyfrifiannell yn ôl i'r modd normal pwyswch y botymau canlynol:

2nd F **FSE** **2nd F** **FSE** **2nd F** **FSE**

Ymarfer 5:7

Yng nghwestiynau **1–4** talgrynnwch eich atebion yn gywir i 2 le degol.

Gosodwch eich cyfrifiannell yn y modd 'fix' drwy bwyso'r botymau
2nd F **FSE** **2nd F** **TAB** **2**

1 Cyfrifwch y canlynol:
   a £34.65 ÷ 4   **b** £21.99 ÷ 7   **c** £3.20 ÷ 6   **ch** £123.50 ÷ 16

2 Mae paced sy'n cynnwys 8 o selsig yn costio £1.55.
   Faint mae un selsigen yn costio?

3 Mae paced sy'n cynnwys 12 rhôl fara yn costio £1.06.
   Faint mae un rhôl yn costio?

4 Mae ffreutur yr ysgol yn gwerthu 702 o brydau bwyd. Maen nhw'n derbyn £658.45.
   Beth yw'r swm cymedrig sy'n cael ei wario ar un pryd?

Yng nghwestiynau **5–7**, gosodwch eich cyfrifiannell yn y modd 'fix' er mwyn talgrynnu i 3 le degol drwy bwyso'r botymau canlynol **2nd F** **FSE** **2nd F** **TAB** **3**

Dylai dangosydd y cyfrifiannell edrych fel hyn **FIX DEG** 0.000

5 Mae paced sy'n cynnwys 8 o ddarnau cyw iâr yn pwyso 1.75 kg.
Beth yw pwysau cymedrig un darn o gyw iâr?
Rhowch eich ateb yn gywir i 3 lle degol.
Golyga hyn fod eich ateb yn gywir i'r gram agosaf.

6 Mae saith o ffrindiau yn rhannu potel 1.5 litr o cola.
Faint o ddiod mae pob un ohonynt yn ei gael?
Rhowch eich ateb yn gywir i'r milimetr agosaf.
(Golyga hyn fod yr ateb yn gywir i 3 lle degol).

7 Mae saith cwpwrdd cegin unfath sy'n sefyll ochr yn ochr yn mesur 3 m.
Beth yw lled un cwpwrdd?
Rhowch eich ateb yn gywir i'r milimetr agosaf.

Bydd y cyfrifiannell yn talgrynnu i unrhyw nifer o leoedd degol gan ddefnyddio'r modd 'fix'.

Pwyswch **2nd F** **FSE**

Ar gyfer **un** lle degol pwyswch **2nd F** **TAB** **1**

Ar gyfer **dau** le degol pwyswch **2nd F** **TAB** **2**

Ar gyfer **tri** lle degol pwyswch **2nd F** **TAB** **3**

Ar gyfer y rhif cyfan agosaf pwyswch **2nd F** **TAB** **0**

---

8 Gosodwch eich cyfrifiannell i dalgrynnu i 1 lle degol.
Talgrynnwch y rhifau yma i 1 lle degol.
a 35.583 **b** 7.3495 **c** 21.947 **ch** 8.091 **d** 50.607

9 Gosodwch eich cyfrifiannell i dalgrynnu i 3 lle degol.
Talgrynnwch y rhifau yma i 3 lle degol.
a 3.5694 **b** 6.0287 **c** 46.5589 **ch** 30.3521 **d** 9.758 53

10 Gosodwch eich cyfrifiannell i dalgrynnu i 0 lle degol.
Talgrynnwch y rhifau yma i'r rhif cyfan agosaf.
a 61.93 **b** 204.488 **c** 19.093 **ch** 39.51 **d** 299.99

Cofiwch. Er mwyn newid y cyfrifiannell yn ôl i'r modd normal pwyswch y botymau canlynol

2nd F **FSE** **2nd F** **FSE** **2nd F** **FSE**

Rhifau mawr iawn ar gyfrifiannell

Ymarfer 5:8

1 **a** Copïwch y patrwm rhif yma a llenwi'r bylchau.
$$1^2 = 1 \times 1 \qquad = ...$$
$$10^2 = 10 \times 10 \qquad = ...$$
$$100^2 = 100 \times 100 \qquad = ...$$
$$1000^2 = 1000 \times 1000 = ...$$
    b Defnyddiwch y patrwm rhif i ysgrifennu'r ateb i $1\,000\,000^2$

2 **a** Copïwch y patrwm rhif yma a llenwi'r bylchau.
$$4^2 = 4 \times 4 \qquad = ...$$
$$40^2 = 40 \times 40 \qquad = ...$$
$$400^2 = 400 \times 400 \qquad = ...$$
$$4000^2 = 4000 \times 4000 = ...$$
    b Defnyddiwch y patrwm rhif i ysgrifennu'r ateb i $4\,000\,000^2$

3 Ysgrifennwch yr atebion i'r canlynol.
    a 3000^2 **c** 500^2 **d** $700\,000^2$
    b $20\,000^2$ **ch** $60\,000^2$ **dd** $8\,000\,000^2$

4 **a** Copïwch y tabl yma.
Llenwch golofn $(\text{Rhif})^2$ gan ddefnyddio'r patrymau y gwnaethoch chi eu darganfod yng nghwestiynau **1**, **2** a **3**.

Rhif	$(\text{Rhif})^2$	Dangosydd y cyfrifiannell
1 000 000		
2 000 000		
3 000 000		

    b Defnyddiwch gyfrifiannell i lenwi'r golofn olaf. Defnyddiwch y botwm $\boxed{x^2}$.
Ar gyfer y llinell gyntaf pwyswch y botymau

Gadewch ddwy linell arall yn eich tabl ar gyfer ychwanegu rhifau ychwanegol.
    c Edrychwch ar golofnau dau a thri eich tabl.
Eglurwch beth, yn eich tyb chi, mae'r ateb ar y cyfrifiannell yn ei olygu.

5 **a** Adiwch y rhifau 4 000 000 a 5 000 000 at eich tabl.
Llenwch y tabl.
    b Beth sy'n digwydd i ddangosydd y cyfrifiannell yn achos y ddau rif yma?

Mae'r cyfrifiannell yn defnyddio dull i ysgrifennu rhifau mawr iawn.

Ffurf safonol

Gellir ysgrifennu rhif mawr iawn **fel rhif rhwng 1 a 10 wedi ei luosi â phŵer o 10**. Gelwir hyn yn **ffurf safonol**.

$4\ 000\ 000\ 000 = 4$ wedi ei luosi â 10 naw o weithiau $= \mathbf{4 \times 10^9}$
$3\ 600\ 000 = 3.6$ wedi ei luosi â 10 chwech o weithiau $= \mathbf{3.6 \times 10^6}$

Mae $\mathbf{1.6 \times 10^8}$ yn ffurf safonol.
Golyga fod 1.6 wedi ei luosi â 10 wyth o weithiau $= 1.6 \times 100\ 000\ 000$
$$= 160\ 000\ 000$$

Nid yw 16×10^7 yn ffurf safonol gan nad yw 16 rhwng 1 a 10.

Enghraifft

Ysgrifennwch bob ateb ar y cyfrifiannell fel rhif cyffredin.

a 8.1^{03} **b** 7.28^{05} **c** 2.06^{08}

a $8.1 \times 10^3 = 8.1 \times 1000 = 8100$
b $7.28 \times 10^5 = 7.28 \times 100\ 000 = 728\ 000$
c $2.06 \times 10^8 = 2.06 \times 100\ 000\ 000 = 206\ 000\ 000$

Ymarfer 5:9

1 Ysgrifennwch bob ateb ar y cyfrifiannell fel rhif cyffredin.

a 2.9^{04} **c** 9.0^{03} **d** 8.03^{01}

b 5.78^{06} **ch** 1.57^{05} **dd** 9.8374^{03}

2 Ysgrifennwch bob ateb ar y cyfrifiannell fel rhif cyffredin.

a 2.8^{02} **c** 7.1^{06} **d** 7.37^{01}

b 1.65^{04} **ch** 2.09^{08} **dd** 3.425^{05}

3 Nid yw pob un o'r rhifau yma wedi eu hysgrifennu yn y ffurf safonol. Pa rai?
    a 3.05×10^2 **c** 0.6×10^5 **d** 9.2×10^3
    b 49×10^6 **ch** 495×10^9 **dd** 3×10^6

4 Ysgrifennwyd y rhifau yma yn y ffurf safonol.
Ysgrifennwch nhw fel rhifau cyffredin.

   a 2.34×10^4 **c** 5.83×10^8 **d** 7.48×10^9

   b 5.7×10^3 **ch** 8.215×10^2 **dd** 1.0×10^5

Enghreifftiau **1** Ysgrifennwch y rhifau yma yn y ffurf safonol.

   a 40 000 000   **b** 350 000   **c** 2 830 000

   a 40 000 000 = 4 wedi ei luosi â 10 saith o weithiau = 4×10^7

   b 350 000 = 3.5 wedi ei luosi â 10 bump o weithiau = 3.5×10^5

   c 2 830 000 = 2.83 wedi ei luosi â 10 chwech o weithiau = 2.83×10^6

2 Ar gyfrifiannell mae'n *rhaid* ysgrifennu 2.81^{03} fel 2.81×10^3

Gofalwch nad ydych byth yn defnyddio'r dull dangosydd cyfrifiannell i ysgrifennu rhif yn y ffurf safonol.

----

5 Ysgrifennwch y rhifau yma yn y ffurf safonol.

   a 4000   **c** 300   **d** 2 000 000

   b 70 000   **ch** 900 000   **dd** 500 000 000 000

6 Ysgrifennwch y rhifau yma yn y ffurf safonol.

   a 70 000   **c** 378 000 000   **d** 700 000 000

   b 450 000   **ch** 560 000 000   **dd** 10 000 000 000

7 Mae'r pellter cyfartalog o'r Haul i'r Ddaear yn 93 000 000 milltir.
Ysgrifennwch y rhif yma yn y ffurf safonol.

8 Mae'r tabl yma'n dangos pellteroedd y planedau o'r Haul mewn cilometrau.

Planed	Pellter o'r Haul (km)
Y Ddaear	1.5×10^8
Iau	7.78×10^8
Mawrth	2.28×10^8
Mercher	5.8×10^7
Plwton	5.92×10^9
Sadwrn	1.43×10^9
Wranws	2.87×10^9
Fenws	1.08×10^8
Neifion	4.5×10^9

   a Ysgrifennwch bob pellter fel rhif cyffredin.

   b Pa blaned sydd agosaf at yr Haul?
      Eglurwch sut y gallwch ddweud hyn o'r ffurf safonol.

   c Pa blaned sydd bellaf o'r Haul?

4 Cyfeiliornad wrth fesur

Mae Pedr yn cael dodrefn newydd yn ei ystafell wely.
Mae'n mesur y gwagle i weld a fydd hi'n bosibl gosod desg gyfrifiadur yno.
Mae Pedr yn defnyddio tâp mesur sydd wedi ei farcio mewn centimetrau.
Dim ond i'r centimetr agosaf mae'n gallu mesur.
Mae Pedr yn mesur y gwagle yn 98 cm.

Terfannau uchaf a therfannau isaf	Gall hyd y gwagle ar gyfer cyfrifiadur Pedr fod yn unrhyw werth rhwng 97.5 a 98.5 cm. Gellir dangos hyn ar linell rif.

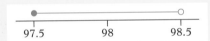

97.5 98 98.5

97.5 yw'r hyd lleiaf sy'n talgrynnu i 98.
Gelwir 97.5 yn **derfan isaf**.
Mae 98.5 hanner ffordd rhwng 98 a 99.
Ni all yr hyd fod yn union 98.5 ond defnyddir hwn fel y derfan uchaf.
Gelwir 98.5 yn **derfan uchaf**.

Ymarfer 5:10

1 Mae'r catalog yma'n gwerthu tri math gwahanol o ddesgiau cyfrifiadur.
Rhoddir y lled yn gywir i'r centimetr agosaf.

10 DESG GYFRIFIADUR CAERDYDD
Gorffeniad onnen. Yn cynnwys silff symudol a dwy ddrôr.
Maint (Ll)109, (D)48, (U)81 cm.
Pwysau dros 20 kg.
Rhif catalog 610/8621 £39.99

11 DESG MYFYRIWR.
Gorffeniad mahogani. Cwpwrdd â drws cloadwy a dwy ddrôr.
Maint (Ll)127, (D)55, (U)75 cm.
Rhif catalog 611/4622 £37.99

12 DESG GYFRIFIADUR CAERDYDD.
Gorffeniad mahogani. Yn cynnwys silff symudol a dwy ddrôr. Maint (Ll)110, (D)50, (U)82 cm.
Pwysau dros 20 kg.
Rhif catalog 610/8528 £39.99

a Beth yw lled desg, rhif catalog 610/8621?
Copïwch a chwblhewch y llinell
rif yma i ddangos pob lled gwirioneddol
posibl.

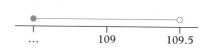

b Beth yw lled desg, rhif catalog 611/4622?
Dangoswch bob lled gwirioneddol posibl ar linell rif.

c Beth yw lled desg, rhif catalog 610/8528?
Dangoswch bob lled gwirioneddol posibl ar linell rif.

Enghraifft

Mae Lisa wedi mesur ei phensil.
Mae'n 8.3 cm yn gywir i 1 lle degol.
Beth yw terfannau uchaf ac isaf yr hyd?

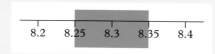

Mae'r derfan isaf yn 8.25
Mae'r derfan uchaf yn 8.35

---

2 Mae Lona wedi mesur ei hystafell ddosbarth. Mae hi'n 12.3 m o hyd a 6.7 m o
led yn gywir i 1 lle degol.
a Beth yw terfannau isaf ac uchaf yr hyd?
b Beth yw terfannau isaf ac uchaf y lled?

3 Mae cynhwysedd oergell yn 5.2 troedfedd giwbig yn gywir i 1 lle degol.
Beth yw'r terfannau uchaf ac isaf ar gyfer cynhwysedd yr oergell?

4 Ysgrifennwch y terfannau uchaf ac isaf ar gyfer pob un o'r rhain:
a Mae hyd pensil yn 16 cm yn gywir i'r centimetr agosaf.
b Mae pwysau bocs yn 23.6 pwys yn gywir i 1 lle degol.
c Mae pwysau babi yn 4.2 kg yn gywir i un rhan o ddeg o gilogram.
ch Cymerodd daith 75 o funudau yn gywir i'r funud agosaf.

5 **a** Mae hyd amlen yn 25 cm yn gywir i'r centimetr agosaf.
Dangoswch yr holl hydoedd gwirioneddol posibl gan ddefnyddio llinell rif.
b Mae Mari wedi gwneud cerdyn.
Mae'r hyd yn 24.5 cm yn gywir i 1 lle degol.
Dangoswch yr holl wir hydoedd gwirioneddol posibl gan ddefnyddio llinell rif.
c A fydd Mari yn gallu sicrhau y bydd y cerdyn yn ffitio'r amlen?

● **6** Mesurwyd record yr ysgol ar gyfer taflu'r ddisgen yn 33.51 m yn gywir i'r centimetr agosaf.
Beth yw terfannau uchaf ac isaf y tafliad?

● **7** Mae gwyddonydd yn pwyso craig sydd wedi dod o'r lleuad ac yn cael yr ateb 2.452 kg yn gywir i'r gram agosaf. Beth yw terfannau uchaf ac isaf y pwysau?

Mae'n bosibl cael terfan isaf ac uchaf yn achos arwynebedd a pherimedr.

Enghraifft   Bydd wyneb newydd yn cael ei osod ar fuarth yr ysgol a ffens yn cael ei hadeiladu.

Mae hyd a lled y buarth wedi eu mesur yn gywir i'r metr agosaf.

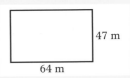

Er mwyn darganfod yr arwynebedd lleiaf rydych yn cymryd y gwerthoedd lleiaf ar gyfer yr hyd a'r lled.
Ar gyfer yr arwynebedd **mwyaf** rydych yn cymryd y gwerthoedd mwyaf.

Arwynebedd lleiaf = 63.5 × 46.5   Arwynebedd mwyaf = 64.5 × 47.5
                  = 2952.75 m²   = 3063.75 m²
Y derfan isaf yw 2952.75 m² a'r derfan uchaf yw 3063.75 m²

Yn yr un modd, ar gyfer y perimedr:
Perimedr lleiaf   = 63.5 + 46.5 + 63.5 + 46.5 = 220 m
Perimedr mwyaf   = 64.5 + 47.5 + 64.5 + 47.5 = 224 m
Mae'r derfan isaf yn 220 m a'r derfan uchaf yn 224 m.

Ymarfer 5:11

1 Mae ochrau cae petryalog yn cael eu mesur yn gywir i'r metr agosaf. Mae'r hyd yn 329 m a'r lled yn 251 m.
  a Ysgrifennwch derfannau isaf ac uchaf yr hyd.
  b Ysgrifennwch derfannau isaf ac uchaf y lled.
  c Defnyddiwch y terfannau isaf i ddarganfod gwerth lleiaf yr arwynebedd.
  ch Defnyddiwch y terfannau uchaf i ddarganfod gwerth mwyaf yr arwynebedd.
  d Defnyddiwch y terfannau isaf i ddarganfod gwerth lleiaf y perimedr.
  dd Defnyddiwch y terfannau uchaf i ddarganfod gwerth mwyaf y perimedr.

2   Mae ochrau llawr sglefrio petryalog yn 96 m a 43 m i'r metr agosaf.

   a   Ysgrifennwch derfannau isaf ac uchaf yr hyd a'r lled.

   b   Cyfrifwch beth yw arwynebedd lleiaf y llawr sglefrio.

   c   Cyfrifwch beth yw arwynebedd mwyaf y llawr sglefrio.

3   Mae Angharad yn defnyddio pren mesur metr i fesur hyd ei gardd.
Mae hi'n mesur yr hyd yn union 17 m.
Mae'r pren mesur metr yn gywir i'r centimetr agosaf yn unig.

   a   Darganfyddwch derfannau isaf ac uchaf hyd y pren mesur metr.

   b   Defnyddiwch y derfan isaf i ddarganfod hyd lleiaf yr ardd.

   c   Defnyddiwch y derfan uchaf i ddarganfod hyd mwyaf yr ardd.

4   Mae hyd ochr teilsen garped sgwâr yn
30.0 cm yn gywir i 1 lle degol.
Mae Rhydian yn gosod 25 o'r teils mewn rhes.
Darganfyddwch derfannau isaf ac uchaf ar
gyfer hyd y 25 teilsen.

5   Mae ochrau bocs yn 6 cm, 8 cm a 10 cm yn gywir i'r centimetr agosaf.

   a   Ysgrifennwch derfannau isaf ac uchaf pob un o fesuriadau'r bocs.

   b   Defnyddiwch y terfannau isaf i ddarganfod cyfaint lleiaf y bocs.

   c   Defnyddiwch y terfannau uchaf i ddarganfod cyfaint mwyaf y bocs.

6   Mae mesuriadau'r pwll tywod
petryalog yma yn 109 cm wrth 81 cm
wrth 18 cm. Mae'r hydoedd i gyd yn
gywir i'r centimetr agosaf.

   a   Darganfyddwch derfannau isaf ac
uchaf arwynebedd y pwll tywod.

   b   Darganfyddwch derfannau isaf ac
uchaf cyfaint y pwll tywod.

7   Mae Gari yn gosod unedau cegin.
Mae pob uned yn 1.68 m o hyd yn gywir i'r centimetr agosaf.
Mae o eisiau gosod 4 o'r unedau yma mewn lle gwag sy'n 6.73 m o hyd.
Fydd yr unedau yn ffitio? Eglurwch eich ateb.

1 Dyma brisiau argraffu motiff ar grys chwys:

Hyd at 5000 mm² £2
5000 mm² a mwy £3

Mae'r motiff yma yn 138 mm wrth 37 mm.

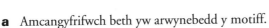

a Amcangyfrifwch beth yw arwynebedd y motiff.
b Defnyddiwch eich amcangyfrif i ddarganfod cost argraffu'r motiff.
c Cyfrifwch wir arwynebedd y motiff.
ch Defnyddiwch eich ateb i **c** i ddarganfod gwir gost yr argraffu.
d Eglurwch pam y mae'r ddwy gost yn wahanol.

2 Talgrynnwch y rhifau yma.
a 2.599 78 i 3 lle degol **c** 24.3753 i 3 lle degol **d** 3.999 i 2 le degol
b 3.576 i 1 lle degol **ch** 0.006 i 2 le degol **dd** 0.899 95 i 4 lle degol

3 Rhowch bob un o'r hydoedd yma yn gywir i'r centimetr agosaf.
a 13.7 cm **b** 4.232 m **c** 5.0375 m **ch** 0.807 m

4 Rhowch bob un o'r pwysau yma yn gywir i'r gram agosaf.
a 90.4 g **b** 7.1054 kg **c** 6.3855 kg **ch** 0.5139 kg

5 Talgrynnwch y rhifau yma.
a 3.582 i 2 ffig. yst. **ch** 7.386 i 1 ffig. yst. **e** 403.8 i 1 ffig. yst.
b 48.395 i 3 ffig. yst. **d** 95 723 i 3 ffig. yst. **f** 8697 i 2 ffig. yst.
c 34.354 i 2 ffig. yst. **dd** 0.005 82 i 2 ffig. yst. **ff** 0.040 067 1 i 4 ffig. yst.

6 Cyfrifwch y canlynol. Gwiriwch bob ateb drwy amcangyfrif.
Rhowch eich atebion yn gywir i 3 ffig. yst. pan fydd angen talgrynnu.
a 6.7 × 5.8 **c** 459 − 187 **d** 914 ÷ 291 **e** 724 ÷ 6.7
b 178 + 94 **ch** 366 ÷ 3.7 **dd** 379 ÷ 9.8 **f** 14.8 × 38

7 Ysgrifennwch bob ateb ar y cyfrifiannell fel rhif cyffredin.

a 5.7^{04} **c** 9.2^{01} **d** 6.5^{01}

b 5.482^{06} **ch** 3.06^{03} **dd** 1.1156^{05}

8 Mae'r rhifau yma wedi eu hysgrifennu yn y ffurf safonol.
Ysgrifennwch nhw fel rhifau cyffredin.
a 8.483×10^3 **c** 4.3981×10^9 **d** 3.375×10^6
b 3.8×10^4 **ch** 7.8×10^5 **dd** 7×10^{10}

9 Mae ystafell yn 3.93 m o hyd a 2.89 m o led yn gywir i'r centimetr agosaf.
Darganfyddwch derfannau isaf ac uchaf arwynebedd yr ystafell.

10 Mae darn o ffens yn 2 m o hyd yn gywir i'r centimetr agosaf.
Beth yw hyd mwyaf 6 darn o ffens sydd wedi eu gosod gyda'i gilydd?

11 Mae'r cae chwarae yma wedi ei fesur yn
gywir i'r metr agosaf.
  a Ysgrifennwch derfannau isaf ac uchaf
    yr hyd a'r lled.
  b Cyfrifwch yr arwynebedd lleiaf.
  c Cyfrifwch yr arwynebedd mwyaf.
ch Cyfrifwch y perimedr lleiaf.
  d Cyfrifwch y perimedr mwyaf.

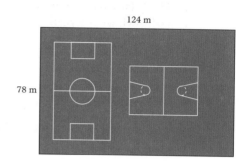

124 m

78 m

12 Mae John yn 166 cm o daldra a'i chwaer Ann yn 158 cm o daldra.
Rhoddwyd y ddau daldra yn gywir i'r centimetr agosaf.
  a Ysgrifennwch derfannau isaf ac uchaf taldra John.
  b Ysgrifennwch derfannau isaf ac uchaf taldra Ann.
  c Beth yw'r gwahaniaeth mwyaf yn eu taldra?
ch Beth yw'r gwahaniaeth lleiaf yn eu taldra?

13 Cododd tymheredd plentyn o 37.7°C i 38.8°C.
Mae'r ddau dymheredd yn gywir i 1 lle degol.
Darganfyddwch derfannau isaf ac uchaf y codiad mewn tymheredd.

14 Mae gan Rhian a Llinos bryf brigyn yr un. Mae'r ddwy yn dweud fod hyd eu pryf
brigyn yn 5 cm i'r centimetr agosaf.
A yw hyn yn golygu fod hyd y pryfed yr un fath?
Eglurwch eich ateb.

15 $p = 5.2$ cm, $r = 1.9$ cm ac $s = 2.0$ cm yn gywir i 1 lle degol.
Darganfyddwch werth mwyaf posibl y canlynol:
  a $p + r + s$ **b** $p - r$ **c** $p - s$ **ch** $s - r$

16 $p = 5.2$ cm, $r = 1.9$ cm ac $s = 2.0$ cm yn gywir i 1 lle degol.
Darganfyddwch werth lleiaf posibl y canlynol:
  a $p + r + s$ **b** $p - r$ **c** $p - s$ **ch** $s - r$

1 Mae Ifan a Morgan yn gwneud y cwestiwn yma:

$$(0.4)^2 = ?$$

Mae Ifan yn dweud fod yr ateb yn 1.6 oherwydd fod 0.4 yn ddegolyn a bod rhan o 1.6 yn ddegolyn.
Mae Morgan yn dweud fod yr ateb yn 0.16 oherwydd fod 0.4 yn llai nag 1 felly mae'n rhaid fod yr ateb yn llai nag 1.

a Pwy sy'n gywir?   **b** Pam fod y llall yn anghywir?

2 Mae diamedr y pwll padlo yma yn 183 cm yn gywir i'r centimetr agosaf.

a Darganfyddwch derfannau isaf ac uchaf yr arwynebedd.
b Mae dyfnder y pwll yn 38 cm yn gywir i'r centimetr agosaf. Darganfyddwch derfannau isaf ac uchaf y cyfaint mewn litrau.

3 Mae Pat yn gwneud 30 o gyfrifiadau yn ei phen mewn 248 eiliad i'r eiliad agosaf.
Beth yw terfannau'r amser cymedrig a gymer Pat i wneud un cyfrifiad?

4 Mae pedwar o rwyfwyr yn pwyso 86.3 kg, 89.2 kg, 85.0 kg a 93.9 kg yn gywir i 1 lle degol.

a Darganfyddwch derfan uchaf eu pwysau cyfansymiol.
b Defnyddiwch eich ateb i **a** i ddarganfod gwerth mwyaf y pwysau cymedrig.
c Darganfyddwch werth lleiaf y pwysau cymedrig.

5 Roedd y glawiad yn ystod pum mis gwahanol yn 13.5 cm, 15.1 cm, 17.2 cm, 14.0 cm ac 13.9 cm yn gywir i 1 lle degol.
a Darganfyddwch gyfanswm lleiaf y glawiad.
b Darganfyddwch werth lleiaf y glawiad cymedrig.
c Darganfyddwch werth y glawiad cymedrig mwyaf.

- **Talgrynnu i unrhyw nifer o ffigurau ystyrlon**

  Er mwyn **talgrynnu i unrhyw nifer o ffigurau ystyrlon**:
  a Edrychwch ar y digid 'diangen' cyntaf.
  b Defnyddiwch reol arferol talgrynnu.
  c Gofalwch gadw'r rhif tua'r maint cywir.

  Enghreifftiau 253.7 i 2 ffig. yst. yw 250.   *Nid* 25!   0.036 28 i 2 ffig. yst. yw 0.036
  52 780 i 3 ffig. yst. yw 52 800   0.008 047 1 i 3 ffig. yst. yw 0.008 05

- **Ffurf**   Gellir ysgrifennu rhif mawr iawn **fel rhif rhwng 1 a 10**
  safonol   **wedi ei luosi â phŵer o 10**. Gelwir hyn yn
                     ffurf safonol.

  4 000 000 000 = 4 wedi ei luosi â 10 naw o weithiau $= 4 \times 10^9$
  3 600 000 = 3.6 wedi ei luosi â 10 chwech o weithiau $= \mathbf{3.6 \times 10^6}$

  Mae $\mathbf{1.6 \times 10^8}$ yn ffurf safonol.
  Golyga fod 1.6 wedi ei luosi â 10 wyth o weithiau $= 1.6 \times 100\,000\,000 = 160\,000\,000$
  Nid yw 16×10^7 yn ffurf safonol gan nad yw 16 rhwng 1 a 10.

- **Terfannau uchaf** Mae hyd gwagle yn 98 cm yn gywir i'r centimetr agosaf.
  a therfannau isaf Gall hyd y gwagle fod yn unrhyw werth rhwng
                        97.5 a 98.5 cm.
                        Gellir dangos hyn ar linell rif.

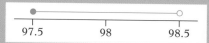

97.5 yw'r hyd lleiaf sy'n talgrynnu i 98.
Gelwir 97.5 yn **derfan isaf**.
Mae 98.5 hanner ffordd rhwng 98 a 99. Ni all yr hyd fod yn union 98.5
ond defnyddir hwn fel y derfan uchaf.
Gelwir 98.5 yn **derfan uchaf**.

Gellir cael terfannau isaf ac uchaf hefyd
yn achos arwynebedd a pherimedr.

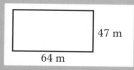

Er mwyn darganfod yr arwynebedd **lleiaf** rydych yn cymryd y gwerthoedd lleiaf ar gyfer
yr hyd a'r lled. Ar gyfer yr arwynebedd **mwyaf** rydych yn cymryd y gwerthoedd mwyaf.

Terfan isaf $= 63.5 \times 46.5$ Terfan uchaf $= 64.5 \times 47.5$
               $= 2952.75 \text{ m}^2$ $= 3063.75 \text{ m}^2$

Er mwyn darganfod y perimedr lleiaf rydych yn cymryd y gwerthoedd isaf ar gyfer yr
hyd a'r lled. Ar gyfer y perimedr mwyaf rydych yn cymryd y gwerthoedd uchaf.

Terfan isaf $= 63.5 + 46.5 + 63.5 + 46.5 = 220 \text{ m}$
Terfan uchaf $= 64.5 + 47.5 + 64.5 + 47.5 = 224 \text{ m}$

1 Talgrynnwch y rhifau yma:
  a 23.52 i'r rhif cyfan agosaf.   **b** 349 i'r deg agosaf.
  c 35.572 i 1 lle degol.   **ch** 39.4729 i 3 ll.d.   **d** 0.037 56 i 2 ffig. yst.
  dd 75.043 i 2 ffig. yst.   **e** 27.462 i 3 ffig. yst.   **f** 0.007 008 9 i 3 ffig. yst.

2 **a** Rhowch 5.649 m yn gywir i'r centimetr agosaf.
  b Rhowch 0.3782 kg yn gywir i'r gram agosaf.

3 Mae Pat a Pedr yn gwneud y cwestiwn yma: $20 \times 0.3 = ?$
  Mae Pat yn dweud fod yn rhaid bod yr ateb yn 60 oherwydd fod $20 \times 3 = 60$
  ac mae rhifau bob amser yn mynd yn fwy wrth iddynt gael eu lluosi.
  Mae Pedr yn dweud fod yr ateb yn 6 oherwydd fod 0.3 yn llai nag 1 felly dylai'r
  ateb fod yn llai na 20.
  a Pwy sy'n gywir?   **b** Pam y mae'r llall yn anghywir?

4 Ysgrifennwch bob ateb ar y cyfrifiannell fel rhif cyffredin.

  a 3.671^{03} **b** 6.293^{06}

5 Ysgrifennwch y rhifau ffurf safonol yma fel rhifau cyffredin.
  a 1.647×10^2 **b** 7.32×10^5

6 Mae Tegwen wedi mesur ei beiro.
  Mae hyd y beiro yn 15.7 cm yn gywir i 1 lle degol.
  Ysgrifennwch derfannau isaf ac uchaf hyd beiro Tegwen.

7 Mae Aled wedi mesur ochrau ei ddesg i'r centimetr agosaf.
  Mae'r hyd yn 130 cm a'r lled yn 52 cm.
  a Ysgrifennwch derfannau isaf ac uchaf yr hyd a'r lled.
  b Darganfyddwch werthoedd lleiaf a mwyaf y perimedr.
  c Darganfyddwch werthoedd lleiaf a mwyaf yr arwynebedd.

8 **a** Amcangyfrifwch arwynebedd y poster yma.
  Dangoswch y rhifau rydych chi'n eu defnyddio
  ar gyfer eich amcangyfrif.
  b Cyfrifwch beth yw gwir arwynebedd y poster.

78.5 cm

44.5 cm

6 Cyfaint

CWESTIYNAU

ESTYNIAD

CRYNODEB

PROFWCH
EICH HUN

Mae llawer o wyddonwyr yn credu fod cynhesu byd-eang yn toddi'r capiau iâ yn y pegynau.

Mae astudiaeth a wnaed gan y Panel Rhynglywodraethol ar gyfer Newid Hinsawdd yn amcangyfrif, erbyn y flwyddyn 2070, y gallai lefel y môr fod cymaint â 71 cm yn uwch nag ydyw heddiw.

Darganfyddwch pa rannau o Wledydd Prydain fyddai o dan ddŵr.

1 Unedau mesur cynhwysedd

Defnyddir concrit i wneud sylfaen tŷ.
Mae'r adeiladwr angen gwybod faint o goncrit i'w gymysgu.
Mae'n cyfrifo beth yw cyfaint y twll fydd arno angen ei lenwi.

◀◀AILCHWARAE▶

| Cynhwysedd | **Cynhwysedd** gwrthrych gwag yw cyfaint y lle sydd y tu mewn iddo. |

Mae'r ciwb yma'n cael ei lenwi â dŵr.
Mae cynhwysedd y ciwb yn 1 mililitr.
Mae 1 ml yr un fath ag 1 cm³.

Mesurir cyfeintiau mawr mewn litrau.
1 litr = 1000 ml
Mae'r botel lemonêd yma yn dal 2 litr.

Ymarfer 6:1

1 Edrychwch ar y gwrthrychau yma.
Rhestrwch y gwrthrychau yn ôl eu cynhwysedd.
Dechreuwch gyda'r lleiaf.

2 Mae'r botel ffisig annwyd yma yn dal 120 ml.
   a Sawl llond llwy 5 ml sydd ynddi?
   b Mae Gwenan yn gorfod cymryd un llwyaid 5 ml
     o ffisig annwyd deirgwaith y dydd.
     Am sawl diwrnod fydd y botel yn para?

3 Mae ffatri yn gwneud medalau arian.
I wneud pob medal mae angen 10 ml
o arian tawdd.

Sawl medal allwch chi ei gwneud â:
a   **b**   **c**

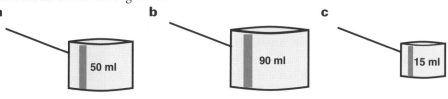

   ch 25 ml o arian tawdd?   **d** 1000 ml o arian tawdd?

4 Mae Betsan yn llenwi ei char â phetrol. Mae cynhwysedd tanc petrol ei char yn
45 litr. Mae'r car yn defnyddio 11 litr o betrol i gwblhau taith.
   a Faint o betrol sydd ar ôl yn y tanc?
   b Faint o weithiau y gall Betsan wneud yr un daith eto cyn gorfod
     cael mwy o betrol?

5 Mae pwmp dŵr Sam yn gallu
pwmpio dŵr ar gyfradd o 2 litr
yr eiliad.
Sawl litr o ddŵr mae Sam yn gallu ei
bwmpio mewn dau funud?

6 Mae Ben wedi prynu potel o siampŵ car. Mae'r label ar y botel yn dweud fod y
cynnwys yn ddigon ar gyfer 25 siampŵ.
Mae'r botel yn cynnwys 750 ml.
Sawl mililitr ddylai Ben ei ddefnyddio ar gyfer un siampŵ?

Weithiau bydd angen i chi drawsnewid unedau. *Cofiwch:* 1 *l* = 1000 ml

Enghreifftiau **1** Trawsnewidiwch 8500 ml yn litrau
8500 ml = 8500 ÷ 1000 *l*
= 8.5 *l*

2 Trawsnewidiwch 2.6 litr yn ml
2.6 *l* = 2.6 × 1000 ml
= 2600 ml

7 Newidiwch y cynwyseddau yma yn litrau.
- **a** 5000 ml
- **b** 7000 ml
- **c** 2500 ml
- **ch** 6750 ml
- **d** 250 ml
- **dd** 700 ml

8 Newidiwch y cynwyseddau yma yn mililitrau.
- **a** 9 *l*
- **b** 2.7 *l*
- **c** 1.75 *l*
- **ch** 6.5 *l*
- **d** 4.25 *l*
- **dd** 4.025 *l*

9 Mae Geraint yn mynd i brynu lemonêd ar gyfer disgo.
Mae'r lemonêd i'w gael mewn poteli 2 litr.
Mae cynhwysedd pob gwydr yn 300 ml.
- **a** Sawl gwydr y gall Geraint ei lenwi o bob potel?
- **b** Mae Geraint yn amcangyfrif y bydd arno angen 40 gwydr o lemonêd. Faint o boteli fydd angen iddo eu prynu?

10 Mae potel o ddiod oren yn cynnwys 800 ml.
Mae'r cyfarwyddiadau yn dweud: 'Un rhan o ddiod oren i bum rhan o ddŵr'.
Faint o ddiod oren fydd y botel yn wneud?
- **a** mewn mililitrau
- **b** mewn litrau?

11 Mae Sara yn prynu siampŵ.
Mae hi'n hoffi dau fath o siampŵ.
- **a** Faint mae 100 ml o siampŵ Gwych a Glân yn costio?
- **b** Faint mae 100 ml o siampŵ Hyfryd yn costio?
- **c** Pa siampŵ yw'r rhataf?

HYFRYD
£2.16
300 ml

GWYCH A GLÂN
£1.40
200 ml

2 Cyfaint ciwboid

Mae angen i'r adeiladydd wybod sawl bricsen sydd ym mhob 'pecyn'.

◄◄ **AILCHWARAE** ►

Pan fyddwn eisiau gwybod beth yw'r cyfaint byddwn yn defnyddio cm³.

1 cm³	Gelwir ciwb ag ochrau 1 cm yn giwb 1 cm. Dywedir fod ei gyfaint yn 1 cm ciwb. Rydych yn ysgrifennu hyn fel **1 cm³**.	
Enghraifft	Mae'r siâp yma wedi ei wneud â 5 ciwb. Mae ei gyfaint yn 5 cm³.	

Ymarfer 6:2

Gwnaeth Lowri'r siapiau yma gyda chiwbiau 1 cm.
Beth yw cyfaint pob siâp?

1

2

3

4

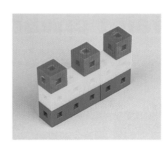

Cyfaint blocyn

Edrychwch ar y blocyn yma o giwbiau 1 cm.
Mae ffordd gyflym o ddarganfod **cyfaint blocyn**.

Rhifwch nifer y ciwbiau ar draws yr hyd, y lled a'r uchder.

Cyfaint = hyd × lled × uchder
$$= 3 \times 2 \times 4$$
$$= 24 \text{ cm}^3$$

Ymarfer 6:3

Darganfyddwch gyfeintiau'r blociau ciwb 1 cm yma.
Ysgrifennwch eich atebion mewn cm³.

1

2

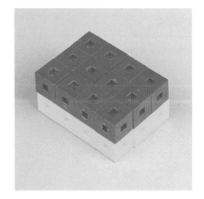

3

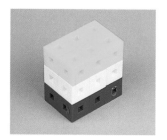

4

Mae'r blociau o giwbiau yn yr ymarfer diwethaf i gyd ar ffurf ciwboid.
Gallwch fesur hyd pob un o ochrau'r ciwboid yn hytrach na
rhifo'r ciwbiau.
Defnyddir yr hydoedd yma i gyfrifo'r cyfaint.

Cyfaint ciwboid

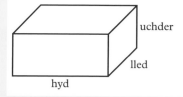

Cyfaint ciwboid = hyd × lled × uchder

Enghraifft   Darganfyddwch gyfaint y ciwboid yma.

Cyfaint = **hyd × lled × uchder**
= $3 \times 5 \times 2$
= 30 cm³

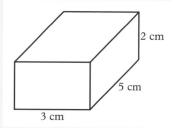

Ymarfer 6:4

Cyfrifwch gyfeintiau'r ciwboidau yma.

1

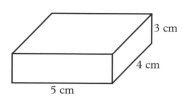

2

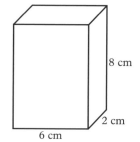

3

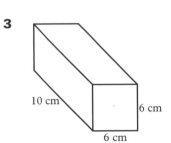

10 cm
6 cm
6 cm

4

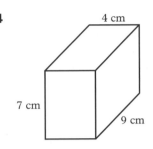

4 cm
7 cm
9 cm

Cyfrifwch gyfeintiau'r cynwysyddion yma.

5

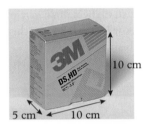

15 cm
10 cm
30 cm

7

10 cm
5 cm
10 cm

6

40 cm
21 cm
7 cm

8

10 cm
8 cm
2 cm

9 **a** Cyfrifwch gyfaint y ciwb yma.
  b Beth yw cyfaint 4 o'r ciwbiau yma?

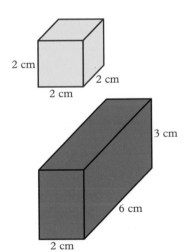

2 cm
2 cm
2 cm

  c Cyfrifwch gyfaint y bocs yma.
  ch Cyfaint pa un yw'r mwyaf, y 4 ciwb
    ynteu'r bocs?

  d Fydd y ciwbiau yn ffitio i mewn i'r bocs?
    Eglurwch eich ateb.

3 cm
6 cm
2 cm

Enghraifft   Mae Ieuan eisiau darganfod
hyd y ciwboid yma.
Mae'r cyfaint yn 224 cm³.

4 cm

8 cm

h

Cyfaint = *h*yd × lled × uchder
224 = *h* × 8 × 4
224 = *h* × 32   *Gwrthdro* × 32 *yw* ÷ 32
224 ÷ 32 = *h*   *Rydych yn rhannu'r ddwy ochr â* 32.
h = 7 cm
Mae'r hyd yn 7 cm.

Ymarfer 6:5

Darganfyddwch yr hydoedd sydd wedi eu marcio â llythyren.

1   Cyfaint = 135 cm³

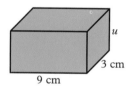

u

3 cm

9 cm

3   Cyfaint
= 3840 cm³

20 cm

12 cm

h

2   Cyfaint = 693 cm³

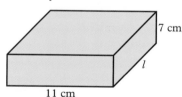

7 cm

l

11 cm

● **4**

Cyfaint = 343 cm³

x

x

x

5   Dyma lun o danc pysgod newydd Eirian.
   a   Darganfyddwch gyfaint y tanc mewn cm³.
   b   Beth yw cynhwysedd y tanc mewn litrau?
      Cofiwch: 1 ml = 1 cm³
   c   Mae Eirian yn rhoi 51 litr o ddŵr yn
      y tanc.
      Darganfyddwch ddyfnder y dŵr yn y tanc.

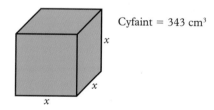

30 cm

40 cm

60 cm

115

3 Cyfeintiau prismau a silindrau

Mae nwy yn cael ei storio mewn cynwysyddion fel hyn.
Mae'r cynhwysydd ar ffurf silindr.
Mae uchder y silindr yn newid wrth i gyfaint y nwy sy'n
cael ei storio ynddo newid.

◄◄**AILCHWARAE**►

Prism	Mae **prism** yn solid â'r un siâp yn union o un pen i'r llall. Ble bynnag y gwnewch doriad yr un yw siâp a maint y toriad.
Trawstoriad	Gelwir siâp y toriad yma yn **drawstoriad** y solid. Mae trawstoriad prism yn bolygon.
Silindr	Mae **silindr** fel prism ond mae ei drawstoriad yn gylch.

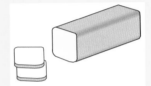

Ymarfer 6:6

1 Edrychwch ar y solidau hyn.
   a Ysgrifennwch lythrennau'r solidau â'r un trawstoriad yr holl ffordd drwy'r siâp.
   b Ysgrifennwch enw siâp y trawstoriad ar gyfer pob solid yn rhan **a**.

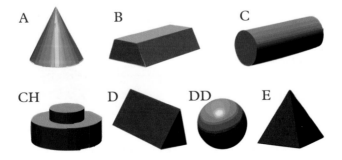

A B C

CH D DD E

Cyfaint prism

Cyfaint prism neu silindr yw
arwynebedd y trawstoriad × hyd

Enghraifft

Darganfyddwch beth yw cyfaint y prism yma.

Arwynebedd y trawstoriad = 25 cm²

Cyfaint = 25 × 7
       = 175 cm³

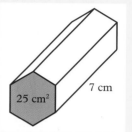

7 cm
25 cm²

Cyfrifwch gyfeintiau'r prismau a'r silindrau yma.

2

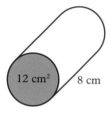

12 cm²   8 cm

5

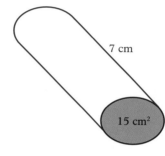

7 cm
15 cm²

3

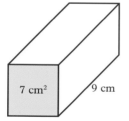

7 cm²   9 cm

6

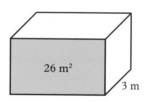

26 m²   3 m

4

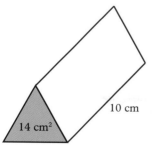

10 cm
14 cm²

7

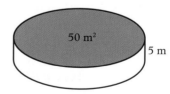

50 m²   5 m

Gallwch ddarganfod hyd prism os ydych yn gwybod beth yw ei gyfaint.

Enghraifft   Mae cyfaint y prism yma yn 208 cm³.
Mae arwynebedd y triongl yma yn 26 cm².

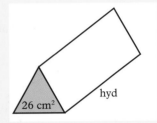

26 cm²   hyd

Cyfaint = arwynebedd y trawstoriad × hyd
$$208 = 26 \times \text{hyd}$$
$$208 \div 26 = \text{hyd}$$
$$\text{hyd} = 8 \text{ cm}$$

Gwrthdro ×26 yw ÷26
Rhannwch bob ochr â 26

Darganfyddwch hyd bob un o'r siapiau yma.

8

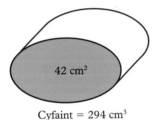

42 cm²

Cyfaint = 294 cm³

9

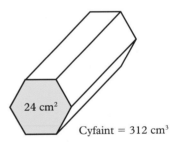

24 cm²

Cyfaint = 312 cm³

Weithiau bydd yn rhaid i chi gyfrifo arwynebedd y trawstoriad i ddechrau.

Enghraifft   Darganfyddwch gyfaint y prism yma.

Arwynebedd y trawstoriad $= \dfrac{\text{sail} \times \text{uchder}}{2}$

$$= \dfrac{6 \times 3}{2}$$

$$= 9 \text{ cm}^2$$

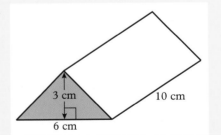

3 cm   10 cm
6 cm

Cyfaint = arwynebedd y trawstoriad × hyd
$$= 9 \times 10$$
$$= 90 \text{ cm}^3$$

Ymarfer 6:7

Cyfrifwch beth yw cyfaint bob un o'r prismau yma.

1

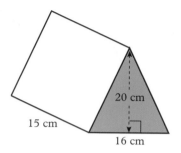

15 cm
20 cm
16 cm

3

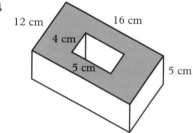

10 cm
7 cm
4 cm
3 cm
3 cm
5 cm

2

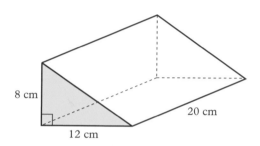

8 cm
12 cm
20 cm

4

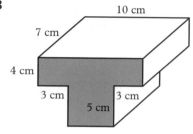

12 cm
16 cm
4 cm
5 cm
5 cm

5 Mae Cled yn gwneud ramp i gadair olwyn.
Beth yw cyfaint y concrit fydd ei angen arno?

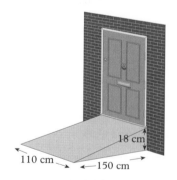

18 cm
110 cm
150 cm

6 Mae Hari wedi adeiladu cwt glo.
Mae'r llun yn dangos hydoedd yr ochrau.
Beth yw cyfaint cwt glo Hari?

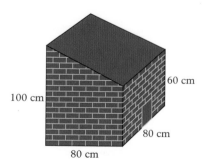

60 cm
100 cm
80 cm
80 cm

7 Darganfyddwch yr hydoedd sydd wedi eu marcio â llythyren.

a

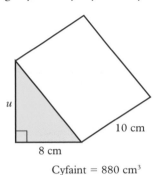

8 cm 10 cm

Cyfaint = 880 cm³

b

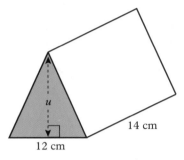

12 cm 14 cm

Cyfaint = 1176 cm³

Cyfaint = arwynebedd y trawstoriad × hyd

Mae trawstoriad silindr yn gylch.
Mae arwynebedd cylch yn $\pi \times$ radiws $\times$ radiws

Enghraifft **Arwynebedd y trawstoriad** = $\pi \times$ **radiws** $\times$ **radiws**
$$= 3.14 \times 5 \times 5$$
$$= 78.5 \text{ cm}^2$$
Cyfaint y silindr $= 78.5 \times 12$
$$= 942 \text{ cm}^3$$

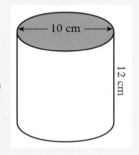

10 cm

12 cm

Ymarfer 6:8

Cyfrifwch gyfeintiau'r silindrau yma.
Rhowch eich atebion yn gywir i 1 lle degol.

1

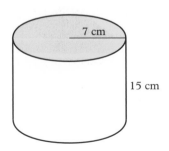

7 cm

15 cm

2

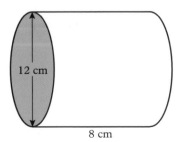

12 cm

8 cm

3

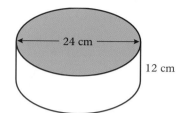
24 cm
12 cm

5

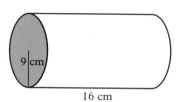
9 cm
16 cm

4

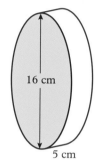
16 cm
5 cm

6

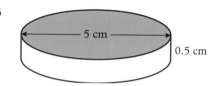
5 cm
0.5 cm

Ymarfer 6:9

1 Mae Dafydd yn prynu corn-bîff.
Mae'r tuniau yma'n costio'r un faint.
Mae Dafydd eisiau penderfynu pa un
o'r ddau dun yw'r fargen orau.
  a Darganfyddwch gyfaint bob tun.
  b Pa un o'r ddau dun yw'r fargen orau?

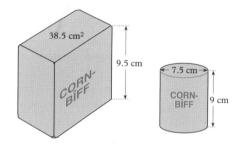
38.5 cm²
9.5 cm
7.5 cm
CORN-BÎFF
CORN-BÎFF
9 cm

2 Mae gan Gwawr ddau dun cacen. Mae'r ddau yn 10 cm o uchder.
Mae gwaelod un tun yn grwn. Mae gwaelod y tun arall yn sgwâr.

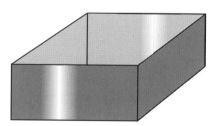
20 cm

  a Darganfyddwch beth yw cyfaint y tun gwaelod crwn.
    Mae cyfaint y ddau dun yr un fath.
  b Darganfyddwch hyd ochr y sgwâr yn y tun gwaelod sgwâr.
    Rhowch eich ateb yn gywir i 3 ffig. yst.

3 Mae'r botel silindrog yma yn cynnwys dŵr hyd at ddyfner o 15 cm.
Mae diamedr y botel yn 10 cm.

Mae'r dŵr yn cael ei dywallt i fowldiau ciwbiau iâ.
Mae ochrau'r ciwbiau yn 3 cm o hyd.

a Darganfyddwch beth yw cyfaint y dŵr sydd yn y botel.
b Sawl mowld fydd y dŵr yn ei lenwi?

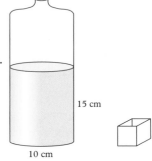

15 cm

10 cm

4 Mae trawstoriad gwifren yn grwn.
Mae'r diamedr yn 0.4 cm.
Mae hyd y wifren yn 150 cm.
Darganfyddwch gyfaint y wifren.
Rhowch eich ateb yn gywir i 1 lle degol.

5 Mae'r peg yma wedi ei wneud o ddau
silindr.
Mae diamedr un silindr yn 8 cm a'r
uchder yn 2 cm.
Mae uchder y silindr arall yn 10 cm
a'r diamedr yn 2 cm.

Darganfyddwch gyfaint y peg yn
gywir i 1 lle degol.

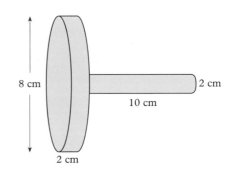

8 cm

10 cm

2 cm

2 cm

6 Beth yw cynhwysedd y gwresogydd
dŵr silindrog yma?

Rhowch eich ateb mewn litrau yn
gywir i'r litr agosaf.

Cofiwch. 1 ml = 1 cm³

28 cm

45 cm

7 Mae cynhwysedd y drwm yma yn 70 litr.
Mae'r uchder yn 50 cm.

Darganfyddwch:
a gynhwysedd y drwm mewn cm³,
b arwynebedd y gwaelod crwn mewn cm².

8 Mae gan rholer gardd drawstoriad crwn.
Mae'r radiws yn 24 cm.
a Darganfyddwch arwynebedd y cylch.

b Mae cyfaint y rholer yn 226 080 cm³.
Darganfyddwch hyd y rholer yn gywir
i'r centimetr agosaf.

9 Mae cyfaint y ddau silindr
yma yr un fath.
a Darganfyddwch gyfaint silindr A.
b Darganfyddwch hyd silindr B.
Rhowch eich atebion yn gywir i 1 lle degol.

11 cm

14 cm   A

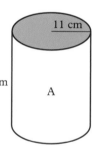

30 cm   B

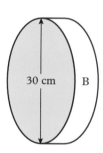

10 Mae'r llun yn dangos mesuriadau
cynhwysydd nwy silindrog.
a Darganfyddwch nifer y litrau o nwy
sy'n cael eu storio yn y cynhwysydd.
b Defnyddir 1 miliwn litr o nwy mewn
un diwrnod.
Beth fydd y gostyngiad yn uchder y
cynhwysydd?
Rhowch eich ateb yn gywir i'r metr
agosaf.

21 m

15 m

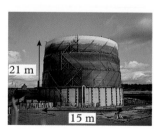

Cynllunio bocs cyflwyno

Mae cwmni gwneud caws eisiau bocs cyflwyno ar gyfer tri o'u cosynnau.

Mae pob un o'r tri chosyn ar ffurf silindr.
Mae radiws pob cosyn yn 2 cm a'r uchder yn 3 cm.

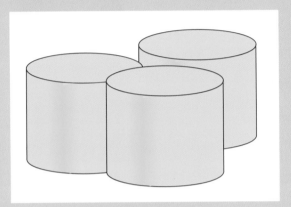

Mae'n rhaid i'r bocs gael ei gynllunio i gynnwys y nodweddion canlynol:

- Ni ddylai'r bocs ysigo wrth i un neu ddau o'r cosynnau gael eu tynnu ohono.
- Rhaid i chi allu gweld faint o gosynnau sydd yn y bocs bob amser.

Dyma bethau eraill i'w hystyried:

- Dylai'r bocs fod yn syml i'w wneud.
- Ni ddylid defnyddio gormod o gardbord i wneud y bocs.
- Bydd angen i amryw o'r bocsys gael eu pacio gyda'i gilydd i'w hanfon i'r siopau.
- Bydd y siopau eisiau stacio'r bocsys caws ar silffoedd.

Cynlluniwch focs cyflwyno addas ar gyfer y cosynnau.
Bydd angen i chi ystyried gwahanol drefniannau ar gyfer y cosynnau.

Dewiswch y cynllun terfynol a rhowch eich rhesymau dros ei ddewis.

1 Mae Lois yn gallu prynu olew mewn poteli o'r meintiau yma.

A

B

C

500 ml
£0.50

1000 ml
£0.90

3000 ml
£2.80

a Faint mae 100 ml o olew maint A yn costio?
b Faint mae 100 ml o olew maint B yn costio?
c Faint mae 100 ml o olew maint C yn costio?
ch Pa un yw'r fargen orau?

2 Darganfyddwch gyfeintiau'r ciwboidau yma.

a
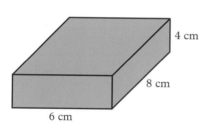
4 cm
8 cm
6 cm

b
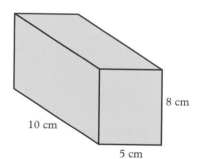
8 cm
10 cm
5 cm

3 Darganfyddwch yr hydoedd sydd wedi eu marcio â llythyren.

a
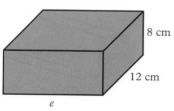
8 cm
12 cm
e
Cyfaint = 1824 cm³

b
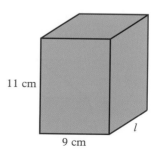
11 cm
9 cm
l
Cyfaint = 742.5 cm³

4 Dyma rwyd ciwboid.

Beth yw cyfaint y ciwboid?

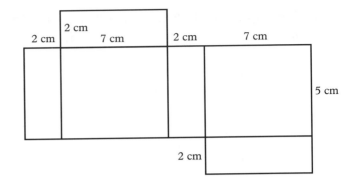

5 Mae Glenda yn gwneud wal ar gyfer drama'r ysgol. Mae hi'n defnyddio 50 o'r blociau polystyren yma.
Beth yw cyfaint y polystyren mae hi'n ei ddefnyddio?

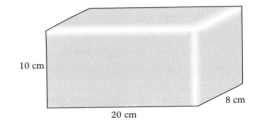

6 Mae Siôn yn gwneud teisen briodas dri darn.
Mae'n defnyddio tri thun gwaelod sgwâr.

Mae uchder pob tun yn 8 cm.
Mae hydoedd ochrau'r tuniau yn 20 cm, 30 cm a 40 cm.

Beth yw cyfanswm cyfaint y tri thun?

7 Cyfrifwch beth yw cyfeintiau'r prismau yma.

a

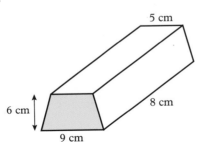

b

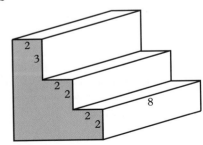

rhoddir pob hyd mewn centimetrau

8 Darganfyddwch yr hydoedd sydd wedi eu marcio â llythyren.

a

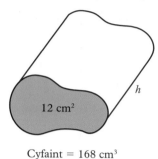

12 cm²

Cyfaint = 168 cm³

b

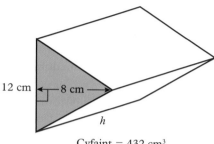

12 cm ← 8 cm →

h

Cyfaint = 432 cm³

9 Darganfyddwch gyfeintiau'r silindrau yma yn gywir i 1 lle degol.

a

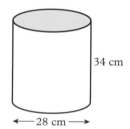

34 cm

←28 cm→

b

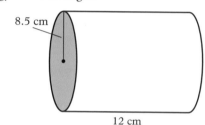

8.5 cm

12 cm

10 a Beth yw cyfaint y tun bwyd cath yma?

b Mae'r tuniau bwyd cath wedi eu pacio mewn bocsys fel hwn.
Faint o duniau fydd yn ffitio yn y bocs?

c Beth yw cyfaint y lle gwag sy'n cael ei wastraffu yn y bocs?
Rhowch eich ateb yn gywir i'r rhif cyfan agosaf.

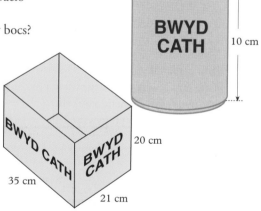

7 cm

BWYD CATH

10 cm

BWYD CATH

BWYD CATH

20 cm

35 cm

21 cm

11 Mae Rhydian wedi prynu tiwb 100 ml o bâst dannedd.
Bydd Rhydian yn defnyddio silindr bychan o bâst dannedd
bob tro y bydd yn brwsio'i ddannedd.
Mae diamedr y trawstoriad crwn yn 0.5 cm.
Mae o'n brwsio'i ddannedd ddwywaith y dydd.
Faint fydd y tiwb yn para?

3 cm

1 Mae Elin wedi gwneud offeryn sy'n casglu
   dŵr glaw.
   Mae'r dŵr yn cael ei gasglu mewn
   cynhwysydd petryal sy'n 3 m o hyd a 2 m
   o led.
   Yna mae'n llifo i'r silindr mesur oddi
   tanodd.
   Mae diamedr y silindr yn 40 cm.
   Beth yw dyfnder y dŵr yn y silindr ar ôl i
   1 cm o law syrthio i'r cynhwysydd?
   Rhowch eich ateb yn gywir i'r centimetr agosaf.

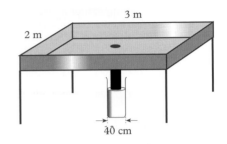

2 Mae Rhisiart yn gwneud ffibr gwydr.
   Mae'n cychwyn gyda silindr o wydr.
   Gweler y diagram.
   Mae'n troelli hwn yn ffibr gwydr â
   thrawstoriad crwn, diamedr 0.1 cm.
   Beth yw hyd y ffibr gwydr mae
   Rhisiart yn ei wneud?
   Rhowch eich ateb yn gywir i'r metr
   agosaf.

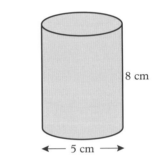

3 Mae'r diagram yn dangos pibell rwber
   25 cm o hyd.
   Mae'r radiws mewnol yn 2 cm a'r
   radiws allanol yn 5 cm.
   Darganfyddwch gyfaint y rwber a
   ddefnyddiwyd i wneud y bibell.
   Rhowch eich ateb yn gywir i 1 lle
   degol.

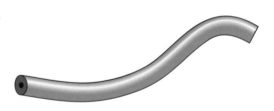

4 Mae'r diagram yma yn dangos trawstoriad
   pibell ddŵr.
   Mae dŵr yn llifo drwy'r bibell ar fuanedd o
   14 cm yr eiliad.
   Beth fydd cyfaint y dŵr fydd yn llifo drwy'r
   bibell mewn un munud?
   Rhowch eich ateb mewn litrau yn gywir i
   1 lle degol.

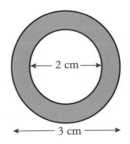

- **Cynhwysedd**   **Cynhwysedd** gwrthrych gwag yw cyfaint y lle sydd y tu mewn iddo.

  Mae'r ciwb yma'n cael ei lenwi â dŵr.
  Mae cynhwysedd y ciwb yn 1 mililitr.
  Mae 1 ml yr un fath ag 1 cm^3.

- **Cyfaint ciwboid**   Darganfyddwch gyfaint y ciwboid yma.

  Cyfaint = hyd × lled × uchder
  $$= 3 \times 5 \times 2$$
  $$= 30 \text{ cm}^3$$

  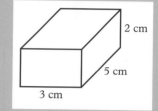

- **Prism**   Mae **prism** yn solid â'r un siâp yn union o un pen i'r llall.
  Ble bynnag y gwnewch doriad yr un yw siâp a maint y toriad.

  Trawstoriad   Gelwir siâp y toriad yma yn **drawstoriad** y solid.

  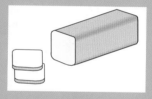

- **Cyfaint prism**   Cyfaint prism neu silindr yw **arwynebedd y trawstoriad × hyd**

  Enghraifft   Darganfyddwch beth yw cyfaint y prism yma.

  Arwynebedd y trawstoriad = 25 cm^2

  Cyfaint = 25 × 7
  $$= 175 \text{ cm}^3$$

  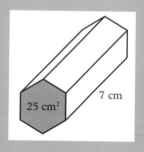

- *Enghraifft*   Darganfyddwch beth yw cyfaint y silindr yma.

  Arwynebedd y trawstoriad = π × **radiws × radiws**
  $$= 3.14 \times 5 \times 5$$
  $$= 78.5 \text{ cm}^2$$

  Cyfaint y silindr = arwynebedd y trawstoriad × hyd
  $$= 78.5 \times 12$$
  $$= 942 \text{ cm}^3$$

  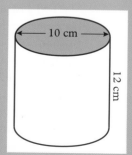

Darganfyddwch gyfaint bob un o'r solidau yma.

1

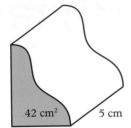

42 cm²   5 cm

3

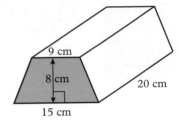

9 cm

8 cm

15 cm

20 cm

2

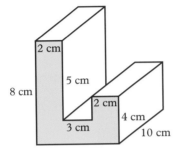

2 cm

5 cm

8 cm

2 cm

3 cm   4 cm

10 cm

4

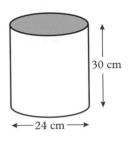

30 cm

24 cm

5   Mae gan ciwboid gyfaint o 1287 cm³. Mae arwynebedd y gwaelod yn 33 cm².
Darganfyddwch uchder y ciwboid.

6 **a** Darganfyddwch arwynebedd gwaelod crwn
y cynhwysydd yma.
   b Mae Jim yn tywallt 5 litr o ddŵr iddo.
Darganfyddwch ddyfnder y dŵr sydd yn y cynhwysydd.
Rhowch eich ateb yn gywir i 1 lle degol.

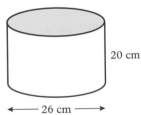

20 cm

26 cm

7   Mae twnnel hanner cylch yn cael ei gloddio drwy ochr bryn.
Mae'r diagram yn dangos trawstoriad y twnnel.
Mae hyd y twnnel yn 250 m.
Darganfyddwch gyfaint y pridd a symudwyd i wneud
y twnnel.

8 m

8   Pa un o'r ddwy botel siampŵ yma yw'r fargen orau?

HYFRYD

GWYCH
A GLÂN

150 ml   125 ml

£2.10   £1.80

7 Adolygu Rhifau

CWESTIYNAU

ESTYNIAD

CRYNODEB

PROFWCH
EICH HUN

Ar lefel y môr mae sain yn teithio ar fuanedd o 333.15 metr yr eiliad (m/s).

Mae golau yn teithio ar fuanedd o 299 800 000 metr yr eiliad.

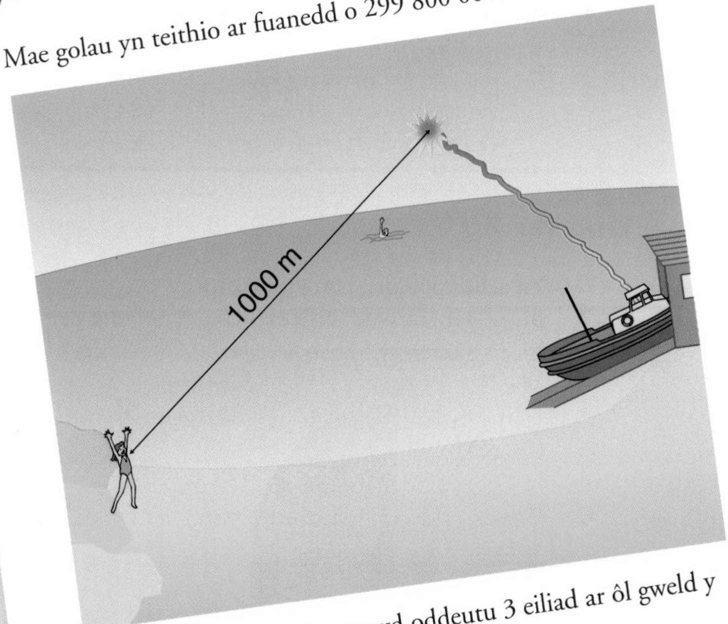

1000 m

Mae'r ferch yn clywed yr ergyd oddeutu 3 eiliad ar ôl gweld y roced oleuo yn tanio.

1 ◀◀AILCHWARAE▶

Mae 71% o arwynebedd y ddaear wedi ei orchuddio â dŵr.

Mae'r siart cylch yma wedi ei rannu yn
100 rhan hafal.
Mae pob rhan yn 1% o'r siart cylch.

Ymarfer 7:1

Yn achos pob diagram ysgrifennwch
a pa ganran sydd wedi ei liwio,
b pa ganran sydd heb ei liwio.

1

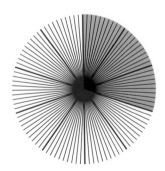

2

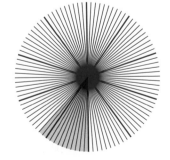

3 Mae oddeutu 70% o'r corff dynol yn ddŵr.
Pa ganran ohono sydd ddim yn ddŵr?

4 Mae Caren wedi gwneud 82% o'i gwaith cartref.
Pa ganran o'r gwaith sydd heb ei wneud?

5 Mae Marc wedi lliwio
35% o'i lun.
Pa ganran sydd heb
ei liwio?

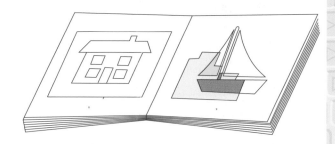

6 Mae 12% o flwyddyn 9 Ysgol Abergwynant yn mynd adref i gael cinio.
Pa ganran sy'n aros yn yr ysgol i gael cinio?

7 Mae'r canran o gartrefi sydd â ffôn yn 87%.
Pa ganran o gartrefi sydd heb ffôn?

Mae 1% o'r siart cylch yma wedi ei liwio'n goch.

Mae $1\% = \dfrac{1}{100} = 0.01$ wedi ei liwio'n goch.

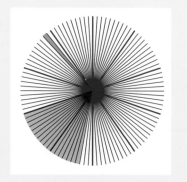

Mae 17% wedi ei liwio'n las.

Mae $17\% = \dfrac{17}{100} = 0.17$ wedi ei liwio'n las.

Ymarfer 7:2

1 Copïwch y canlynol a'u cwblhau drwy ddefnyddio ffracsiwn a rhif degol.

a 43% = ... = ...	**ch** 91% = ... = ...	**e** 11% = ... = ...
b 79% = ... = ...	**d** 7% = ... = ...	**f** 9% = ... = ...
c 3% = ... = ...	**dd** 67% = ... = ...	**ff** 41% = ... = ...

Gallwch ysgrifennu canrannau fel ffracsiynau o 100.
Weithiau gallwch symleiddio'r ffracsiynau.

Mae 10% wedi ei liwio'n las.

Mae $10\% = \dfrac{10}{100} = \dfrac{1}{10}$ wedi ei liwio'n las.

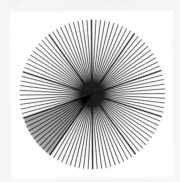

2   Copïwch y rhain a'u cwblhau.

a $30\% = \dfrac{\cdots}{100} = \dfrac{\cdots}{10}$ **b** $90\% = \dfrac{\cdots}{100} = \dfrac{\cdots}{10}$

3   **a**   Sawl rhan sy'n wyrdd?
   b   Pa ganran sy'n wyrdd?
   c   Ysgrifennwch y canran fel degolyn.
   ch Ysgrifennwch y canran fel ffracsiwn o 100.
   d   Ysgrifennwch y canran fel ffracsiwn yn ei ffurf symlaf.

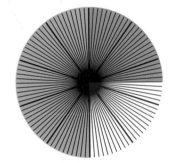

4   **a**   Sawl rhan sy'n borffor?
   b   Pa ganran sy'n borffor?
   c   Ysgrifennwch y canran fel degolyn.
   ch Ysgrifennwch y canran fel ffracsiwn o 100.
   d   Ysgrifennwch y canran fel ffracsiwn yn ei ffurf symlaf.

5   **a**   Sawl rhan sy'n felyn?
   b   Pa ganran sy'n felyn?
   c   Ysgrifennwch y canran fel degolyn.
   ch Ysgrifennwch y canran fel ffracsiwn o 100.
   d   Ysgrifennwch y canran fel ffracsiwn yn ei ffurf symlaf.
   dd Copïwch y rhain a'u cwblhau.

   $40\% = \dfrac{\cdots}{5}, \quad \cdots\% = \dfrac{4}{5}$

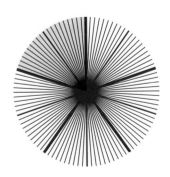

Dyma ddau siart llif i'ch helpu i gofio sut i weithio gyda chanrannau, ffracsiynau a degolion.

ffracsiwn / degolyn $\longrightarrow$ $\boxed{\times\ 100}$ $\longrightarrow$ canran

ffracsiwn / degolyn $\longleftarrow$ $\boxed{\div\ 100}$ $\longleftarrow$ canran

Enghreifftiau

1 Newidiwch y rhain yn ganrannau:
   a 0.65   **b** $\frac{3}{5}$

$\boxed{\times\ 100}$

   a $0.65 \times 100 = 65\%$
   b $\frac{3}{5} \times 100 = (3 \div 5) \times 100 = 60\%$

2 Newidiwch 14% yn:
   a ddegolyn
   b ffracsiwn yn ei ffurf symlaf.

$\boxed{\div\ 100}$

   a $14\% = 14 \div 100 = 0.14$ **b** $14\% = \frac{14}{100} = \frac{7}{50}$

$\div 2$ (applied to numerator and denominator)

Ymarfer 7:3

1 Newidiwch y rhifau degol yma yn ganrannau.
  a 0.38   **b** 0.07   **c** 1.5   **ch** 0.8   **d** 0.005

2 Newidiwch y ffracsiynau yma yn ganrannau.
  a $\frac{4}{5}$ **b** $\frac{3}{8}$ **c** $\frac{11}{20}$ **ch** $\frac{16}{25}$ **d** $\frac{1}{3}$

3 Newidiwch y canrannau yma yn ddegolion.
  a 79%   **b** 21%   **c** 7%   **ch** 90%   **d** 30%

4 Newidiwch y canrannau yma yn ffracsiynau o 100.
  a 57%   **b** 9%   **c** 81%   **ch** 3%   **d** 17%

5 Newidiwch y canrannau yn ffracsiynau.
Rhowch y ffracsiynau yn eu termau symlaf.
  a 75%   **ch** 5%   **e** 2%   **g** 4%   **i** 36%
  b 70%   **d** 15%   **f** 22%   **ng** 8%   **l** $12\frac{1}{2}\%$
  c 60%   **dd** 55%   **ff** 26%   **h** 24%   **ll** $33\frac{1}{3}\%$

Mae Robert, Chris a Ffion yn cymharu eu marciau prawf.
Cafodd Robert $\frac{63}{75}$, cafodd Chris $\frac{51}{60}$ a chafodd Ffion $\frac{65}{80}$.
Maen nhw'n mynd i newid pob marc yn ganran.
Byddant yn gallu gweld wedyn pwy gafodd y marc uchaf.

Enghraifft

Cafodd Ffion $\frac{65}{80}$. Newidiwch $\frac{65}{80}$ yn ganran.

Er mwyn newid ffracsiwn yn ganran rydych yn lluosi â 100.

$\frac{65}{80} = \frac{65}{80} \times 100\% = (65 \div 80) \times 100\% = 81.25\%$

Cafodd Ffion 81% yn gywir i'r rhif cyfan agosaf.

Ymarfer 7:4

1 Newidiwch farciau Robert a Chris yn ganrannau.
Pwy gafodd y marc uchaf?

2 Newidiwch y ffracsiynau yma yn ganrannau.
Rhowch eich atebion yn gywir i'r rhif cyfan agosaf.

a $\frac{71}{80}$	**c** $\frac{4}{5}$	**d** $\frac{23}{36}$	**e** $\frac{27}{55}$	**ff** $\frac{96}{120}$
b $\frac{16}{40}$	**ch** $\frac{56}{60}$	**dd** $\frac{15}{48}$	**f** $\frac{23}{28}$	**g** $\frac{112}{125}$

Er mwyn darganfod pa ganran yw un rhif o rif arall:
(1) Ysgrifennwch y rhif fel ffracsiwn.
(2) Newidiwch y ffracsiwn yn ganran.

Enghraifft

Mae tafell 35 g o fara cyflawn yn cynnwys 3 g o ffibr.
Pa ganran o'r bara sy'n ffibr?

Mae'r ffracsiwn o fara sy'n ffibr yn $\dfrac{3}{35}$

Trawsnewidiwch y ffracsiwn yn ganran.

$$\frac{3}{35} \times 100 = (3 \div 35) \times 100 = 8.5714 \dots$$

$$= 8.6\% \text{ yn gywir i 1 lle degol.}$$

3 Dyma beth wnaeth Elen yn ystod cyfnod o 24 awr:

cysgu	8 awr	ysgol	6 awr
bwyta	2 awr	gwylio'r teledu	3 awr
mewn disgo	4 awr	arall	1 awr

Cyfrifwch pa ganran o'i hamser dreuliodd Elen:

a yn cysgu   **c** mewn disgo
b yn gwylio'r teledu   **ch** yn bwyta

Rhowch bob canran yn gywir i'r rhif cyfan agosaf.

4 Mae Elgan yn edrych ar boblogaethau pentrefi'r ardal.
Dyma'r data sydd ganddo:

Pentref	Abergarmon	Eglwysfair	Trefryn	Glancegin
Poblogaeth	928	735	1035	1256

a Beth yw cyfanswm y boblogaeth?
b Pa ganran o'r boblogaeth sy'n byw yn Abergarmon?
c Pa ganran o'r boblogaeth sy'n byw yng Nglancegin?
ch Pa ganran o'r boblogaeth sy'n byw un ai yn Eglwysfair neu yn Nhrefryn?
Rhowch bob canran yn gywir i'r rhif cyfan agosaf.

5 Cafodd Gwyn £40 ar ei ben-blwydd.
Gwariodd £24 a chynilodd y gweddill.
a Pa ganran o'r arian a wariodd Gwyn?
b Pa ganran o'r arian a gafodd ei gynilo?

6 Mae gan Martin a Carys becyn o gnau
mwnci yr un sy'n pwyso 30 g.
a Mae Martin yn bwyta pob un o'i gnau
mwnci.
Pa ganran mae Martin wedi ei fwyta?
b Mae Carys yn bwyta 18 g o'i chnau
mwnci.
Pa ganran mae Carys wedi ei fwyta?

7 Agorodd Elenid baced 750 g o rawnfwyd i'w brecwast.
Ar ôl brecwast roedd 525 g o rawnfwyd ar ôl.
a Sawl gram o rawnfwyd gafodd ei fwyta?
b Pa ganran o'r grawnfwyd gafodd ei fwyta?

8 Mae Tomos yn gweithio 40 awr bob wythnos.
Gostyngir ei oriau gwaith i 38 awr yr wythnos.
Beth yw'r gostyngiad canrannol yn oriau gwaith Tomos?

2   Cynnydd a Lleihad

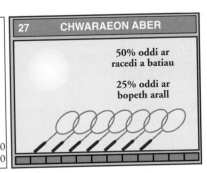

| Gwialen bysgota £20 |
| Bocs offer pysgota £12 |
| Pêl-droed £10 |
| Pwmp pêl-droed £6 |
| Bwrdd dartiau £12.20 |
| Dartiau £8 |
| Raced dennis £45 |
| Bat criced £28.50 |
| Peli tennis £7 |
| Helmed seiclo £24.80 |
| Cyfrifiadur beic £16.80 |
| Goleuadau beic £10.40 |

27   CHWARAEON ABER

50% oddi ar racedi a batiau

25% oddi ar bopeth arall

Mae Lisa eisiau gwybod faint fydd hi'n ei arbed os bydd hi'n prynu bwrdd dartiau.

Cofiwch: 50% = $\frac{1}{2}$ a   25% = $\frac{1}{4}$

Enghraifft

Mae Lisa yn prynu bwrdd dartiau. Roedd yn costio £12.20.
Mae'r siop wedi gostwng y pris 25%.
a   Faint o arian mae Lisa yn ei arbed?
b   Faint mae Lisa yn ei dalu am y bwrdd dartiau?

a   Mae Lisa'n gwybod fod 25% = $\frac{1}{4}$ a bod $\frac{1}{4}$ o £12.20 = £3.05
    Mae Lisa yn arbed £3.05.

b   Mae Lisa yn talu £12.50 − £3.05 = £9.45

Ymarfer 7:5

Defnyddiwch y prisiau a roddir yn y llun i ateb y cwestiynau yn yr ymarfer yma.
Ar gyfer pob eitem nodwch:
a   faint o arian a arbedir   b   beth yw'r pris gostyngol

1   bocs offer pysgota   6   pwmp pêl-droed

2   gwialen bysgota   7   helmed seiclo

3   raced dennis   8   bat criced

4   peli tennis   9   cyfrifiadur beic

5   pêl-droed   10   goleuadau beic

29   GWERSYLLA GWYNANT

Pabell £108
Sach gysgu £32
Matres wynt £12
Mat gwersylla £4
Set o fwrdd a stolion plygu £30.50.
Llusern £24
Set goginio £12
Stôf nwy £16
Cynhwysydd dŵr £5.50
Bocs oer £12.30

10% oddi ar y prisiau sydd wedi eu marcio

Enghraifft

Mae Alan yn prynu pabell. Roedd hi'n costio £108.
Mae'r siop wedi gostwng y pris 10%.

a Faint o arian mae Alan yn ei arbed?
b Faint mae Alan yn ei dalu am y babell?

a Mae Alan yn gwybod fod $10\% = \frac{1}{10}$ a bod $\frac{1}{10}$ o $108 = \frac{108}{10} = 10.8$

Mae Alan yn arbed £10.80

Cofiwch:

$1 \quad 0 \quad 8 \div 10$

$1 \quad 0 \, . \, 8$

b Mae Alan yn talu £108 − £10.80 = £97.20

Ymarfer 7:6

Defnyddiwch y prisiau a roddir yn y llun ar gyfer cwestiynau **1** i **8**.
Ar gyfer pob eitem nodwch:

a faint o arian a arbedir   **b** beth yw'r pris gostyngol

1 Sach gysgu

2 stôf nwy

3 llusern

4 set goginio

5 matres wynt

6 bocs oer

7 cynhwysydd dŵr

8 set o fwrdd a stolion plygu

139

9   Mae beic mynydd yn costio £120.
    Mae'r siop yn gwerthu'r beic gyda gostyngiad o 10% yn y pris llawn.
    Beth yw'r pris gostyngol?

10 Mae Huw yn cael £12 yr wythnos am ddosbarthu papurau newydd.
    Mae perchennog y siop yn mynd i gynyddu ei gyflog 10%.
    Faint o arian fydd Huw yn ei gael yn ôl y gyfradd newydd yma?

11 Mae'r bocs te yma yn cynnwys 200 o fagiau te.
    Mae 10% yn fwy mewn paced bargen.
    a Sawl bag te ychwanegol yw hyn?
    b Beth yw cyfanswm y bagiau te sydd yn
           y paced bargen?

12 Mae paced o felysion yn cynnwys 200 g.
    Mae paced bargen yn cynnwys 20% yn fwy.
    a Sawl gram ychwanegol o felysion yw hyn?
    b Sawl gram sydd yn y paced bargen i gyd?

Weithiau bydd arnoch angen cyfrifiannell i gyfrifo'r canran.

Enghraifft   Mae Siân yn prynu cyfrifiadur.
                      Mae'n costio £960.
                      Mae'r siop yn gostwng y pris 12%.
                      Faint mae Siân yn ei arbed?

                      Mae'n rhaid i Siân gyfrifo 12% o 960.

                                              Cam 1   Cam 2   Cam 3

                                               12
Gellir ysgrifennu hyn fel yma: ───   ×   960
                                               100

Cam 1   Mae hyn yn newid y canran yn ddegolyn.
         Mae'r degolyn yn ymddangos pan rydych yn pwyso **×** yng Ngham 2.
Cam 2   Mae 'o' yr un fath â lluosi felly defnyddiwch y botwm **×** .
Cam 3   Rydych yn darganfod canran y swm yma.

Pwyswch y botymau:

              Cam 1   Cam 2   Cam 3

   1 2 ÷ 1 0 0 × 9 6 0 = 115.2

Ateb: £115.20

Ymarfer 7:7

1 Darganfyddwch 12% o 300 g.

5 Darganfyddwch 34% o 350 m.

2 Darganfyddwch 18% o 250 cm.

6 Darganfyddwch 12% o £150.

3 Darganfyddwch 8% o 600 cm.

7 Darganfyddwch 15% o £450.

4 Darganfyddwch 45% o 120 g.

8 Darganfyddwch 9% o £420.

9 Mae 40 o getris inc mewn paced cyffredin.
Mae paced bargen yn cynnwys 15% yn fwy.
Faint o getris sydd yn y paced bargen?

10 Mae cyfaint potel maint cyffredin o olew bath yn 320 ml.
Mae potel fargen yn cynnwys 8% yn fwy.
a Faint mwy o olew bath sydd yn y botel fargen?
b Beth yw cyfanswm yr olew bath sydd yn y botel fargen?

11 Mae paced yn cynnwys 660 g o goffi.
Mae paced mawr yn cynnwys 35% yn fwy.
a Faint mwy o goffi sydd yn y paced mawr?
b Faint o goffi sydd i gyd yn y paced mawr?

● **12** Aeth teulu Heledd allan am bryd o fwyd.
Roedd y bil yn £32.50.
Cafodd y weinyddes 12½% o gildwrn.
a Faint oedd y cildwrn?
b Beth oedd cyfanswm cost y pryd bwyd?

● **13** Roedd sêl mewn siop. Bob dydd yn ystod y sêl roedd gostyngiad o 15% ym mhrisiau'r diwrnod cynt.
a Roedd siwmper yn costio £28 cyn y sêl.
Darganfyddwch ei phris gwerthu ar ôl:
(1) un diwrnod yn y sêl,
(2) dau ddiwrnod yn y sêl.
b Darganfyddwch bris gwerthu pob un o'r rhain ar ôl dau ddiwrnod yn y sêl.
(1) siaced oedd yn costio £46.50 cyn y sêl.
(2) jîns oedd yn costio £32.95 cyn y sêl.

Enghraifft   Mae Peredur eisiau gêm gyfrifiadurol ar
ei ben-blwydd.
Mae'r gêm gyfrifiadurol yn costio £54.
Mae ei rieni yn cytuno i dalu $\frac{3}{4}$ y gost.
Faint mae rhieni Peredur yn ei dalu?

$\frac{3}{4}$ o £54 $= \frac{3}{4} \times 54$

Pwyswch y botymau: **3** **÷** **4** **×** **5** **4** **=**

neu os oes gennych fotwm **$a\frac{b}{c}$** :

3 **$a\frac{b}{c}$** **4** **×** **5** **4** **=** $40\lrcorner1\lrcorner2$

Pwyswch **$a\frac{b}{c}$** unwaith eto i newid yn ddegolyn. 40.5

Mae rhieni Peredur yn talu £40.50

Ymarfer 7:8

1   Defnyddiwch gyfrifiannell i ddarganfod:

   a $\frac{3}{4}$ o £22   **c** $\frac{5}{8}$ o 400 person

   b $\frac{3}{5}$ o 375 tŷ   **ch** $\frac{3}{20}$ o £6.80

2   Defnyddiwch gyfrifiannell i ddarganfod pob un o'r rhain.
Rhowch bob ateb yn gywir i'r geiniog agosaf.

   a $\frac{2}{3}$ o £50   **c** $\frac{4}{11}$ o £5.60   **d** $\frac{5}{9}$ o £2.75

   b $\frac{3}{7}$ o £20   **ch** $\frac{4}{5}$ o 32c   **dd** $\frac{7}{12}$ o 85c

3   Mae Daniel yn mynd i'r ganolfan chwaraeon. Mae gostyngiad o $\frac{1}{3}$ yn yr holl brisiau.
Mae Daniel yn mynd i'r gampfa yn gyntaf ac yna mae'n mynd i nofio.
Fel arfer mae nofio yn costio £1.35 ac fel arfer mae'r gampfa yn costio 75 c.
Faint fydd yn rhaid i Daniel ei dalu i gyd pan fydd y prisiau wedi eu gostwng?

4   Gall fflasg ddal hyd at 750 ml o goffi. Mae'r fflasg yn $\frac{7}{8}$ llawn.
Faint o goffi sydd ynddi?

5   Mae Barbara yn prynu raced dennis newydd.
Mae Siop A yn cynnig disgownt o 15%.
Mae Siop B yn cynnig gostyngiad o $\frac{1}{8}$ yn y pris.
Pa siop sy'n cynnig y pris isaf?
Dangoswch eich gwaith cyfrifo i gyd.

3 Cymarebau

Yn Ysgol Abergwynant mae'r un faint o ferched ag o fechgyn.

Mae'r **gymhareb** merched i fechgyn yn 1 : 1.

◄◄AILCHWARAE►

Dyma chwech o gownteri.

Mae 2 gownter coch mewn *cyfanswm* o 6 o gownteri.

Mae **ffracsiwn** y cownteri sy'n goch yn $\frac{2}{6} = \frac{1}{3}$

Mae 2 gownter coch a 4 cownter glas.

Mae **cymhareb** cownteri coch i gownteri glas yn $\qquad$ 2 : 4
Rydych yn symleiddio cymarebau fel ffracsiynau. $\qquad$ 2 : 4 = 1 : 2

Mae'r gymhareb 1 : 2 yn dweud wrthych fod 1 cownter coch ar gyfer pob 2 gownter glas.
Mae'r gymhareb yn *cymharu* nifer y cownteri coch â nifer y cownteri glas.

Cymhareb	**Cymhareb** yw mesur meintiau neu niferoedd cymharol pethau.

Ymarfer 7:9

Rhowch eich atebion yn eu ffurf symlaf yn yr ymarfer yma.

1 Edrychwch ar y cownteri coch a glas yn yr enghraifft uchod.
 a Pa ffracsiwn o'r cownteri sy'n las?
 b Beth yw cymhareb cownteri glas i gownteri coch?

2 Mae Llinos yn rhoi edau drwy'r mwclis yma gan ddilyn patrwm.

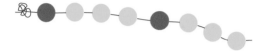

a Pa ffracsiwn o'r mwclis sy'n felyn?
b Pa ffracsiwn o'r mwclis sy'n wyrdd?
c Beth yw cymhareb mwclis gwyrdd i fwclis melyn?
ch Beth yw cymhareb mwclis melyn i fwclis gwyrdd?
d Mae Llinos yn dal ati i ddilyn ei phatrwm.
    (1) Os yw Llinos yn defnyddio 3 o fwclis gwyrdd eto, faint o fwclis melyn fydd hi'n eu defnyddio?
    (2) Os yw Llinos yn defnyddio 21 o fwclis melyn i gyd, faint o fwclis gwyrdd fydd hi'n eu defnyddio?

3 Mae Llŷr yn gwneud y patrwm yma â chiwbiau.

a Copïwch a chwblhewch y cymarebau yma ar gyfer y lliwiau yn y patrwm.
    (1) coch : glas : melyn = 4 : 2 : ... = 2 : ... : ...
    (2) glas : coch : melyn = 1 : ... : ...
    (3) melyn : coch : glas = ... : ... : 1
b Mae Llŷr yn dal ati i ddilyn ei batrwm. Mae'n defnyddio 6 o giwbiau coch eto.
    (1) Faint o giwbiau glas fydd Llŷr yn eu defnyddio eto?
    (2) Faint o giwbiau melyn fydd Llŷr yn eu defnyddio eto?
c Mae Llŷr yn defnyddio 30 o giwbiau melyn i gyd.
    (1) Faint o giwbiau glas mae o'n eu defnyddio?
    (2) Faint o giwbiau coch mae o'n eu defnyddio?

4 Mae Sonia yn gwneud diod oren.
Mae hi'n defnyddio 4 rhan o ddŵr i 1 rhan o ddiod oren.
a Ysgrifennwch gymhareb diod oren i ddŵr.
b Mae hi'n defnyddio 200 ml o ddiod oren. Faint o ddŵr mae hi'n ei ddefnyddio?
c Pa ffracsiwn o'r ddiod wan sy'n oren?
ch Os yw'r jwg yn cynnwys 1500 ml o'r ddiod wan, faint o'r ddiod oren mae Sonia wedi ei ddefnyddio?

Ymarfer 7:10

Symleiddio cymarebau

Enghraifft Ysgrifennwch y cymarebau yma yn eu termau symlaf. **a** $8:12$ **b** $24:6:12$

a Mae 4 yn mynd i mewn i 8 a 12 $8:12 = \dfrac{8}{4} : \dfrac{12}{4} = 2:3$

b Mae 6 yn mynd i mewn i 24, 6 a 12 $24:6:12 = \dfrac{24}{6} : \dfrac{6}{6} : \dfrac{12}{6} = 4:1:2$

1 Symleiddiwch y cymarebau yma.

a $10:15$	**ch** $30:10$	**e** $12:6:6$	**g** $40:20:60:20$
b $20:5$	**d** $10:5$	**f** $7:7:14$	**ng** $9:3:6:3$
c $5:5$	**dd** $33:22$	**ff** $6:4:2$	**h** $24:16:8:80$

Enghraifft Mae Carl, Rani a Catrin yn ennill gwobr o £60. Maen nhw'n penderfynu rhannu'r wobr yn ôl cymhareb eu hoedrannau. Mae Carl yn 15 oed, Rani yn 10 oed a Catrin yn 5 oed. Faint o arian mae pob un ohonynt yn ei gael?

Mae cymhareb eu hoedrannau yn $15:10:5 = \dfrac{15}{5} : \dfrac{10}{5} : \dfrac{5}{5} = 3:2:1$

Mae angen $3 + 2 + 1 = 6$ rhan.

Mae un rhan yn £60 ÷ 6 = £10   Mae Carl yn cael £10 × 3 = £30
Mae Rani yn cael £10 × 2 = £20
Mae Catrin yn cael £10 × 1 = £10

Gwiriwch. £30 + £20 + £10 = £60

2 Rhannwch y symiau yma yn ôl y cymarebau a roddir.
Efallai y bydd angen i chi symleiddio'r gymhareb yn gyntaf.
Gwiriwch eich ateb bob tro.

a £25 $2:3$	**ch** £100 $5:3:2$	**e** £4.40 $2:8:10$
b £27 $2:7$	**d** £30 $1:2:3$	**f** 45 c $10:20$
c £34 $7:10$	**dd** £21 $2:1:4$	• **ff** 70 c $18:9:3$

Weithiau ysgrifennir cymarebau ar y ffurf 1 : *n*
Gallwch weld y ffurf yma ar fapiau.

Enghraifft Trawsnewidiwch y gymhareb 2 : 9 i'r ffurf 1 : *n*

Er mwyn trawsnewid **2** : 9 i'r ffurf 1 : *n* mae angen i chi newid y **2** yn 1.
Golyga hyn eich bod yn rhannu â **2**.

$$2 : 9 = \frac{2}{2} : \frac{9}{2} = 1 : 4.5$$

3 Trawsnewidiwch y cymarebau yma i'r ffurf 1 : *n*.
Copïwch y rhain a rhowch y rhifau i mewn.

a $2 : 5 = \frac{2}{2} : \frac{5}{2} = 1 : \ldots$ 　　　**b** $4 : 3 = \frac{4}{4} : \frac{3}{\ldots} = 1 : \ldots$

4 Trawsnewidiwch y cymarebau yma i'r ffurf 1 : *n*
   a 2 : 7　　　**c** 10 : 17　　**d** 2 : 1　　**e** 10 : 3　　**ff** 10 : 7
   b 4 : 11　　**ch** 6 : 15　　**dd** 4 : 1　　**f** 6 : 3　　**g** 3 : 1

5 **a** Mae cymysgedd teisen A yn defnyddio pedair rhan o fenyn i saith rhan o flawd.
      (1) Ysgrifennwch gymhareb menyn i flawd mewn ffigurau.
      (2) Trawsnewidiwch y gymhareb i'r ffurf 1 : *n*.
   b Mae cymysgedd teisen B yn defnyddio pum rhan o fenyn i naw rhan o flawd.
      (1) Ysgrifennwch gymhareb menyn i flawd mewn ffigurau.
      (2) Trawsnewidiwch y gymhareb i'r ffurf 1 : *n*.
   c Mae'n well gan Eryl ddiet sy'n cynnwys llai o fenyn a mwy o flawd.
      Cymharwch y ddwy gymhareb sydd yn y ffurf 1 : *n*.
      Pa gymysgedd ddylai Eryl ei ddewis?

Tybiwch eich bod yn gwybod faint mae nifer
arbennig o eitemau yn costio.
Gallwch ddarganfod cost un eitem. Yna gallwch
ddarganfod cost unrhyw nifer o'r eitemau.

Enghraifft Mae pedair eirinen wlanog yn costio 80 c.
Darganfyddwch faint mae saith eirinen wlanog yn costio.

Mae 4 eirinen yn costio 80 c, felly mae 1 eirinen yn costio 80 ÷ 4 = 20 c
Mae 7 eirinen yn costio 7 × 20 c = 140 c = £1.40

Ymarfer 7:11

1 **a** Os yw pedair oren yn costio 60c, faint mae un oren yn costio?
   b Faint mae chwech oren yn costio?

2 **a** Mae Mari yn cael tâl o £20 am 5 awr o waith.
      Faint mae hi'n ei gael am weithio 1 awr?
   b Faint mae Mari yn ei gael am 7 awr o waith os yw'n cael ei thalu yn ôl yr
      un gyfradd?

3 **a** Mae 3 bag te yn cynnwys 7.5 g o de.
      Faint o de sydd mewn un bag te?
   b Faint o de sydd mewn 10 o fagiau te?

4 Mae tri melon yn costio £2.40. Faint mae pum melon yn costio?

5 Mae pedwar lemon yn costio 64 c. Faint mae saith lemon yn costio?

6 Mae chwe grawnffrwyth yn costio £1.56. Faint mae pum grawnffrwyth yn costio?

7 Mae Ian yn ennill £10.50 am 3 awr o waith.
   Faint mae o'n ei gael am 5 awr o waith yn ôl yr un gyfradd o dâl?

8 Mae 4 cm³ o gopr yn pwyso 35.68 g.
   a Gelwir màs 1 cm³ o ddeunydd yn **ddwysedd**.
      Darganfyddwch beth yw dwysedd y copr mewn g/cm³.
   b Darganfyddwch fàs 15 cm³ o gopr.

9 Mae 10 cm³ o haearn yn pwyso 78.6 g.
   a Darganfyddwch beth yw dwysedd yr haearn mewn g/cm³.
   b Darganfyddwch beth yw màs 2.5 cm³ o haearn.

10 Mae car yn teithio 150 milltir mewn 3 awr.
   a Pa mor bell mae'r car yn teithio mewn 1 awr?
   b Ysgrifennwch fuanedd y car mewn milltiroedd yr awr.
   c Pa mor bell mae'r car yn teithio mewn 4 awr ar yr un buanedd?

11 Mae awyren yn hedfan 2500 km mewn 5 awr.

   a Pa mor bell mae'r awyren yn hedfan mewn 1 awr?

   b Ysgrifennwch fuanedd yr awyren mewn cilometrau yr awr.

   c Pa mor bell mae'r awyren yn hedfan mewn 7 awr ar yr un buanedd?

12 Mae awyren yn hedfan 1290 milltir mewn 3 awr.
Pa mor bell mae'n hedfan mewn 5 awr ar yr un buanedd?

- -

Dyma rai fformiwlâu y gallwch eu defnyddio wrth wneud cwestiynau ar fuanedd, pellter ac amser.

$$\textbf{Buanedd} = \frac{\textbf{Pellter}}{\textbf{Amser}} \qquad \textbf{Amser} = \frac{\textbf{Pellter}}{\textbf{Buanedd}} \qquad \textbf{Pellter} = \textbf{Buanedd} \times \textbf{Amser}$$

Dyma ffordd hawdd o gofio'r fformiwlâu.

Edrychwch ar y triongl yma:

Cuddiwch **B**   Cuddiwch **A**   Cuddiwch **P**

$$\textbf{B} = \frac{\textbf{P}}{\textbf{A}} \qquad\qquad\qquad \textbf{A} = \frac{\textbf{P}}{\textbf{B}} \qquad\qquad\qquad \textbf{P} = \textbf{B} \times \textbf{A}$$

Enghreifftiau   **1**   Mae trên yn teithio 210 milltir ar fuanedd o 70 milltir yr awr.
Faint o amser mae'r trên yn cymryd?

Mae angen i chi ddarganfod yr **amser** felly rydych yn defnyddio $\textbf{A} = \dfrac{\textbf{P}}{\textbf{B}} = \dfrac{210}{70} = 3$ awr.

            2   Mae awyren yn hedfan ar fuanedd o 600 km yr awr am 2 awr a
15 munud. Pa mor bell mae'r awyren yn hedfan?
Mae angen i chi ddarganfod y **pellter** felly rydych yn defnyddio $\textbf{P} = \textbf{B} \times \textbf{A}$

Mae 15 munud yn $\frac{1}{4}$ awr neu 0.25 o awr.
$2\frac{1}{4}$ awr = 2.25 awr
$\textbf{P} = \textbf{B} \times \textbf{A} = 600 \times 2.25 = 1350$ km

Os oes gennych fotwm **DMS**, gallwch fwydo oriau a munudau i mewn i'r cyfrifiannell.

6 **0** **0** **×** **2** **DMS** **1** **5** **2nd F** **DMS**

Ateb: 1350 km

Ymarfer 7:12

1 Mae awyren yn hedfan 1800 km ar fuanedd o 450 km yr awr.
Faint o amser mae'r daith awyren yn cymryd?

2 Mae trên yn teithio am 3 awr 30 munud ar fuanedd o 90 milltir yr awr.
Pa mor bell mae'r trên yn teithio?

3 Mae rhedwr yn rhedeg 1500 m mewn 4 munud.
Beth yw buanedd y rhedwr mewn metrau y munud?

4 Mae Cefin yn gweld mellten.
Yna mae'n cyfrif 7 eiliad cyn
clywed y daran. Mae Cefin yn
gwybod fod buanedd sain yn 360
metr yr eiliad. Mae'n cyfrifo pa
mor bell y teithiodd y sain cyn ei
gyrraedd.
Cyfrifwch beth yw ateb Cefin
mewn
a metrau,
b cilometrau.

5 Mae awyren yn hedfan o Lundain i Gaeredin mewn 1 awr 15 munud.
Mae'r awyren yn hedfan ar fuanedd o 320 milltir yr awr.
Darganfyddwch y pellter o Lundain i Gaeredin.

6 Yn yr Unol Daleithiau amserwyd antelopiaid yn rhedeg 4 milltir mewn
6.8 munud.
a Cyfrifwch fuanedd yr antelopiaid mewn milltiroedd y funud.
Rhowch eich ateb yn gywir i 3 lle degol.
b Trawsnewidiwch y buanedd yn filltiroedd yr awr.
Rhowch eich ateb yn gywir i'r rhif cyfan agosaf.

7 Buanedd mwyaf pryf cop yn rhedeg ar draws arwynebedd fflat yw 53 cm
yr eiliad.
Faint o amser fyddai'r pryf cop cyflymaf hwn yn ei gymryd i redeg ar draws
ystafell 5 m o led? Rhowch eich ateb mewn eiliadau yn gywir i 1 lle degol.

1 Mae Rachel wedi palu 42% o'i gardd lysiau.
   Pa ganran sydd heb gael ei balu?

2 Wrth bilio tatws mae 8% o'r màs yn cael ei dorri i ffwrdd fel croen.
   Pa ganran sydd ar ôl?

3 Mae'r tabl yma'n dangos aelodaeth clwb chwaraeon.

Math o aelodaeth	Oedolyn	Myfyriwr	Plentyn
Nifer yr aelodau	245	78	92

   a Beth yw cyfanswm yr aelodau?
   b Pa ganran o'r aelodau sy'n oedolion?
   c Pa ganran o'r aelodau sy'n blant?
   Rhowch eich atebion yn gywir i 1 lle degol.

4 Mae 900 o ddisgyblion yn ysgol Lisa.
   a Mae tua 44% o bobl yn perthyn i grŵp gwaed A.
       Faint o'r disgyblion ddylai berthyn i grŵp gwaed A?
   b Mae tua 4% o bobl yn perthyn i grŵp gwaed AB.
       Faint o'r disgyblion ddylai berthyn i grŵp gwaed AB?

5 Mae Michael yn dweud fod 15% o 60 yr un fath â 60% o 15.
   A yw Michael yn gywir?
   Dangoswch eich gwaith cyfrifo.

6 Mae teledu yn costio £380.
   Mae'n cael ei ostwng 25%.
   Beth yw'r pris newydd?

7 Mae paced cyffredin o sebon powdr yn cynnwys 2 kg.
   Mae 15% ychwanegol o bowdr mewn paced bargen.
   Faint o bowdr sydd yn y paced bargen?

8 Mae pris tocyn i fynd i chwarae bowls wedi codi $\frac{1}{5}$.
   Beth yw'r pris newydd os oedd tocyn yn arfer costio £4.80?

9 Mae Nathan yn prynu dodrefn mewn sêl.
   Mae'r prisiau wedi cael eu gostwng $\frac{2}{5}$.
   Pris yr eitemau cyn y sêl oedd £390.
   Faint mae Nathan yn ei dalu?

10 Rhowch bob ateb yn ei ffurf symlaf yn y cwestiwn yma.
Mae Elfed yn gwneud y patrwm yma â chownteri.

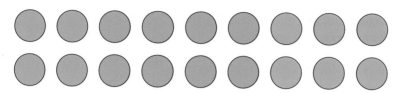

   a Pa ffracsiwn o'r cownteri sy'n goch?
   b Ysgrifennwch gymhareb cownteri gwyrdd : cownteri coch : cownteri glas.
   c Ysgrifennwch gymhareb cownteri coch : cownteri gwyrdd : cownteri glas.
   ch Mae Elfed yn mynd â'i batrwm yn ei flaen.
       Os yw'n defnyddio 10 o gownteri gwyrdd eto faint mwy o gownteri glas fydd eu hangen arno?

11 Mae Sali, Khalid a Mair yn helpu mewn caffi.
Mae Sali yn gweithio am 3 awr, mae Khalid yn gweithio am 2 awr a Mair yn gweithio am 4 awr.
Mae perchennog y caffi yn barod i dalu £27.
Rhannwch yr arian rhwng y tri ohonynt yn ôl cymhareb yr oriau maen nhw wedi gweithio.

12 Roedd tua 350 o'r gynulleidfa mewn cyngerdd yn ferched.
Roedd 200 yn ddynion a 150 yn blant.
   a Ysgrifennwch gymhareb merched : dynion : plant.
       Symleiddiwch y gymhareb.
   b Pa ffracsiwn o'r gynulleidfa i gyd oedd yn blant?

13 Mae 8 casét fideo wedi eu gosod ochr yn ochr
ar silff sy'n mesur 20 cm. Sawl centimetr
fyddai lled 11 casét fideo wedi eu gosod ochr
yn ochr?

14 Mae awyren yn hedfan ar fuanedd o 450 milltir yr awr am 3 awr a 15 munud.
Pa mor bell mae'r awyren yn hedfan?

15 Mae cerddwr yn cerdded ar fuanedd cyfartalog o $2\frac{1}{2}$ milltir yr awr.
   a Faint o amser fydd hi'n ei gymryd i'r cerddwr gerdded 14 milltir?
   b Mae eich ateb i **a** yn cynnwys degolyn o awr.
       Sawl munud sydd mewn awr?
       Lluoswch ran ddegol yr amser â'r rhif yma.
   c Ysgrifennwch yr amser mae'r cerddwr yn ei gymryd mewn oriau a munudau.

1   Pa ganran yw X o Y os yw:

  a   X yr un faint ag Y.

  b   X ddwywaith cymaint ag Y.

  c   X hanner cymaint ag Y.

  ch   X un a hanner gwaith cymaint ag Y?

2   Mae Alison yn rhoi £125 mewn cyfrif cynilo sy'n talu llog o 5.9% y flwyddyn.
Mae'r llog yn cael ei ychwanegu ar ddiwedd pob blwyddyn.
Nid yw Alison yn bwriadu tynnu arian allan ohono.
Cyfrifwch faint o arian fydd ganddi yn y cyfrif ar ôl:

  a   1 flwyddyn   **b**   2 flynedd

3   Mae hufen ymladd pryfed yn cynnwys 15% o
elfen weithredol ac mae'r gweddill yn eli.

  a   Pa ganran o'r cynnyrch yw'r eli?

  b   Ysgrifennwch gymhareb yr elfen weithredol i
eli.

  c   Ysgrifennwch gymhareb yr elfen weithredol i
eli yn y ffurf 1 : n.
Rhowch eich ateb yn gywir i
3 ffigur ystyrlon.

4   Mae Siwan yn gwneud diod lemon a cyrens duon.
Mae hi'n defnyddio tair rhan o ddiod lemon, un rhan o ddiod cyrens duon a deg
rhan o ddŵr.
Mae Siwan wedi gwneud 3.5 litr o'r ddiod.

  a   Faint o ddiod lemon ddefnyddiodd Siwan?

  b   Faint o ddiod cyrens duon ddefnyddiodd hi?

  c   Mae Siwan yn gwneud mwy o'r ddiod.
Mae hi'n defnyddio 450 ml o ddiod lemon.
Beth yw cyfanswm cyfaint yr ail ddiod?

5   **a**   Mae trên yn teithio ar fuanedd o 110 milltir yr awr am $2\frac{1}{2}$ awr.
Pa mor bell mae'r trên yn teithio yn yr amser yma?

  b   Mae'r trên yn dal i deithio am hanner awr arall ar fuanedd o 50 milltir yr awr.
Pa mor bell mae'r trên yn teithio yn yr amser yma?

  c   Darganfyddwch y buanedd cyfartalog ar gyfer yr holl daith.

$$\left(\text{Buanedd cyfartalog} = \frac{\text{cyfanswm pellter}}{\text{cyfanswm amser}} \right)$$

- Er mwyn darganfod pa ganran yw un rhif o rif arall:
  - (1) Ysgrifennwch y rhif fel ffracsiwn.
  - (2) Newidiwch y ffracsiwn yn ganran.

  Enghraifft Mae tafell 35 g o fara cyflawn yn cynnwys 3 g o ffibr.
  Pa ganran o'r bara sy'n ffibr?

  $$\frac{3}{35} \times 100 = 3 \div 35 \times 100 = 8.5714 \ldots = 8.6\% \text{ yn gywir i 1 lle degol.}$$

- *Enghreifftiau* **1** Newidiwch y rhain yn ganrannau: **a** 0.65 **b** $\frac{3}{5}$

  $\boxed{\times 100}$

  a $0.65 \times 100 = 65\%$

  b $\frac{3}{5} \times 100 = 3 \div 5 \times 100 = 60\%$

  2 Newidiwch 14% yn: **a** ddegolyn **b** ffracsiwn yn ei ffurf symlaf

  $\boxed{\div 100}$

  a $14\% = 14 \div 100 = 0.14$ **b** $14\% = \frac{14}{100} = \frac{7}{50}$ (÷2)

  Cofiwch: $50\% = \frac{1}{2}$ $25\% = \frac{1}{4}$ $10\% = \frac{1}{10}$ $20\% = \frac{1}{5}$ $75\% = \frac{3}{4}$

- *Enghreifftiau* Mae Siân yn prynu cyfrifiadur. Mae'n costio £960
  Mae'r siop yn gostwng y pris 12%. Faint mae Siân yn ei arbed?

  Cam 1 Cam 2 Cam 3

  Mae'n rhaid i Siân gyfrifo 12% o 960. $\frac{12}{100} \times 960$

  Cam 1 Cam 2 Cam 3

  $\boxed{1}\ \boxed{2}\ \boxed{\div}\ \boxed{1}\ \boxed{0}\ \boxed{0}\ \boxed{\times}\ \boxed{9}\ \boxed{6}\ \boxed{0}\ \boxed{=}$ £115.20

- **Cymhareb** **Cymhareb** yw mesur meintiau neu niferoedd cymharol pethau.

  Enghreifftiau Rhannwch £60 yn ôl cymhareb oedrannau Carl, Rani a Catrin. Dyma'u hoedrannau: 15, 10 a 5 oed.

  Mae cymhareb eu hoedrannau yn $15 : 10 : 5 = \frac{15}{5} : \frac{10}{5} : \frac{5}{5} = 3 : 2 : 1$

  Mae angen $3 + 2 + 1 = 6$ rhan.   Mae Carl yn cael £$10 \times 3 = $£30
  Mae un rhan yn £$60 \div 6 = $£10   Mae Rani yn cael £$10 \times 2 = $£20
  Mae Catrin yn cael £$10 \times 1 = $£10

  Gwiriwch: £$30 + $£$20 + $£$10 = $£60

- Weithiau ysgrifennir y cymarebau ar y ffurf $1 : n$

  Enghreifftiau Trawsnewidiwch y gymhareb $2 : 9$ i'r ffurf $1 : n$
  Er mwyn trawsnewid $2 : 9$ i'r ffurf $2 : 9 = \frac{2}{2} : \frac{9}{2} = 1 : 4.5$
  $1 : n$ mae angen i chi rannu â 2.

1 Mae Sam wedi defnyddio 46% o dâp fideo.
Pa ganran sydd ar ôl?

2 Mae 250 o ddisgyblion mewn ysgol gynradd.
Mae 35 o ddisgyblion yn ymweld ag ysgol uwchradd leol.
Pa ganran yw hyn?

3 Newidiwch y rhain yn ganrannau.
a $\frac{4}{5}$ **b** 0.39

4 Trawsnewidiwch 16% yn:
a ddegolyn   **b** ffracsiwn yn ei ffurf symlaf.

5 Mae gwerthwr mewn siop yn ennill £240 yr wythnos.
Mae'n cael codiad cyflog o 5%.
Beth yw ei gyflog newydd?

6 Mae cyfanswm gwobr ariannol am
ennill marathon yn £360.
Mae'r arian yn cael ei rannu rhwng y
wobr gyntaf, yr ail a'r drydedd yn ôl y
gymhareb 5 : 3 : 1. Beth yw gwerth
pob gwobr?

7 Mae tri o geir model yn costio £2.61.
Faint mae 7 o geir yn costio?

8 Mae 5 cm³ o arian byw yn pwyso 67.7 g.
a Darganfyddwch beth yw dwysedd arian byw.
b Darganfyddwch beth yw màs 12 cm³ o arian byw.

9 Mae awyren yn teithio 2320 km ar fuanedd o 580 km yr awr.
Faint o amser mae'r awyren yn ei gymryd i deithio'r pellter yma?

10 Mae gan olau fuanedd o tua 300 000 km yr eiliad.
Pa mor bell fydd golau yn teithio mewn 6 eiliad?

8 Algebra

Mewn 3 blynedd bydd tad Naomi 4 gwaith yn hŷn na Nishi.

Mewn 3 blynedd bydd tad Naomi yn 40.

Faint yw oed Naomi yn awr?

1 Cromfachau

'Drycha beth mae'r daearolyn wedi ei roi i ni.

Algebra?

parhad ar tudalen 161

◄◄AILCHWARAE►

Casglu termau	$a + a + a + a + a = 5a$ Yr enw ar hyn yw **casglu termau**. *Cofiwch:* $5a = 5 \times a$
Pŵer	$a \times a \times a = a^3$ Mae'r **pŵer** '3' yn dweud wrthych sawl a sy'n cael eu lluosi â'i gilydd.

Ymarfer 8:1

Ysgrifennwch bob un o'r mynegiadau hyn mewn ffurf fwy cryno drwy gasglu termau neu drwy ddefnyddio pŵer.

1 $b + b + b + b + b + b$

2 $m \times m$

3 $g + g + g + g$

4 $y \times y \times y \times y \times y$

5 $t + t + t$

6 $n + n + n + n + n + n + n$

7 $k + k$

8 $r \times r \times r \times r$

9 $j \times j \times j \times j \times j \times j \times j$

10 $p + p + p + p + p$

11 $h \times h \times h$

12 $q \times q \times q \times q \times q$

Weithiau bydd gennych fwy nag un llythyren neu rif i'w casglu.

Enghreifftiau   **1** $f + f + f + g + g = 3f + 2g$ **3** $4t + 2 + 3t = 7t + 2$

2 $2a + 4a + 3b = 6a + 3b$ **4** $3g - g + 2h + 4h = 2g + 6h$

Ymarfer 8:2

Casglwch y termau yma.

1 $j + j + k + k + k + k$

2 $p + p + q + q + q$

3 $h + h + h + h + i$

4 $5f + 2f + g + g$

5 $r + 2r + 3s + 2s$

6 $7y - 5y - y$

7 $4g + 3g + 5h + 2h$

8 $2p + 4p + 3q - 3q$

9 $3a + b + a + 2b$

10 $7r + 2s + r - s$

11 $5p + 6 + 2p - 5$

12 $3t + 6s - 4s + t$

Weithiau bydd gennych fwy nag un llythyren neu rif i'w lluosi.

Enghreifftiau   **1** $f \times g = fg$ **3** $4r \times 2s = 8rs$

2 $g \times 3h = 3gh$ **4** $(2p)^2 = 2p \times 2p = 4p^2$

Ymarfer 8:3

Symleiddiwch y mynegiadau hyn.

1 $c \times d$

2 $2 \times 4c$

3 $2 \times r \times s$

4 $5 \times 3c$

5 $4 \times 2w$

6 $3s \times 3t$

7 $4b \times 5c$

8 $2d \times 6e$

9 $4s \times 3s$

10 $3a \times 2a$

11 $(4k)^2$

12 $(2q)^2$

13 $(3p)^2$

14 $k \times 6k$

15 $j \times 3j$

● **16** $4r \times 2rs$

Lluosi cromfachau

Gallwch ddefnyddio CORLAT i'ch atgoffa beth i'w wneud gyntaf.

Rydych yn gwneud y	**Cromfachau i ddechrau**
Yna'r pwerau	**O** (flaen)
Yna rydych yn	**Rhannu**
a	**Lluosi**
Yna rydych yn	**Adio**
a	**Thynnu**

Enghraifft   Cyfrifwch y canlynol gan ddefnyddio rheolau **CORLAT**.

   a $3 \times (5 + 9)$ **b** $2 \times 4 + 3 \times 5$

   a $3 \times (5 + 9) = 3 \times 14$ **b** $2 \times 4 + 3 \times 5 = 8 + 15$
                 $= 42$ $= 23$

Ymarfer 8:4

1   Cyfrifwch ran (1) a rhan (2) yn **a** i **d** gan ddefnyddio rheolau CORLAT.

   a   (1) $2 \times (3 + 7)$ (2) $2 \times 3 + 2 \times 7$
   b   (1) $5 \times (9 - 4)$ (2) $5 \times 9 - 5 \times 4$
   c   (1) $10 \times (7 + 8)$ (2) $10 \times 7 + 10 \times 8$
   ch (1) $7 \times (6 - 5)$ (2) $7 \times 6 - 7 \times 5$
   d   (1) $4 \times (8 - 3)$ (2) $4 \times 8 - 4 \times 3$

2   Ysgrifennwch beth y sylwch arno ynglŷn â'r atebion yng nghwestiwn **1**.

Os oes gennych lythyren o fewn y cromfachau, ni allwch gyfrifo'r cromfachau i ddechrau. Mae'n rhaid i chi *luosi'r* cromfachau.

Pan fyddwch yn defnyddio rheolau algebra, mae $2(3j + 4)$ yn golygu $2 \times (3j + 4)$
Mae $2 \times (3j + 4)$ yn golygu $2 \times 3j + 2 \times 4 = 6j + 8$

Enghraifft   Lluoswch y cromfachau $7(10 - r)$

   $7(10 - r) = 7 \times 10 - 7 \times r$ Mae'r arwydd yn $7(10 - r)$ yn arwydd
            $= 70 - 7r$ minws felly mae'r arwydd yn $70 - 7r$
                                         hefyd yn arwydd minws.

3 Copïwch y mynegiadau yma a'u cwblhau.

a $4 \times (3 + a) = 4 \times 3 + 4 \times a$
$= 12 + \ldots$

ch $2 \times (s - 3) = 2 \times \ldots - 2 \times \ldots$
$= \ldots - \ldots$

b $5 \times (2 + y) = 5 \times \ldots + 5 \times \ldots$
$= \ldots + 5y$

d $5 \times (2p - 3) = 5 \times \ldots - 5 \times \ldots$
$= \ldots - \ldots$

c $7 \times (t - 3) = 7 \times \ldots - 7 \times \ldots$
$= 7t - \ldots$

dd $10 \times (2 + 3h) = 10 \times \ldots + 10 \times \ldots$
$= \ldots + \ldots$

Ymarfer 8:5

Lluoswch y cromfachau yma.

1 $4(3 + t)$

2 $6(1 - s)$

3 $4(p + q)$

4 $5(3y + 2)$

5 $9(2s - 3)$

6 $4(2t + s)$

7 $3(10j - 4k)$

8 $5(4x + 5y)$

9 $6(5 + j + k)$

10 $8(2 + m + n)$

11 $7(3 + 2a + b)$

12 $9(r - s - t)$

Mae'n bosibl cael llythrennau y tu allan i'r cromfachau.
Cofiwch: $d \times 5 = 5 \times d = 5d$ a $d \times d = d^2$

Enghraifft Lluoswch y canlynol: **a** $d(5 + c)$ **b** $f(2f + 3)$

a $d(5 + c) = d \times 5 + d \times c$
$= 5d + cd$

b $f(2f + 3) = f \times 2f + f \times 3$
$= 2f^2 + 3f$

Rydych yn ysgrifennu *cd* nid *dc*. Mae'r llythrennau yn dilyn trefn yr wyddor.

---

13 $a(5 + b)$

14 $f(g - 3)$

15 $c(c + 2)$

16 $e(5 - e)$

17 $m(2n + 5)$

18 $r(3 - 2s)$

19 $t(s + t)$

20 $x(x - y)$

21 $e(f + 2g - h)$

22 $w(7 + 3x - y)$

23 $p(p - q + 4r)$

24 $5a(3a + 4b - 7c)$

Mae'n bosibl cael mwy nag un set o gromfachau.

Enghraifft   Lluoswch y cromfachau yma: $5(3 + 2x) + 3(4 - x)$
Rhowch eich ateb yn ei ffurf symlaf.

$$5(3 + 2x) + 3(4 - x) = 15 + 10x + 12 - 3x$$
$$= 27 + 7x$$

Ymarfer 8:6

Lluoswch y setiau yma o gromfachau.
Rhowch eich atebion yn eu ffurf symlaf.

1 $2(3 + y) + 5(4 + y)$

2 $3(4 + d) + 4(2 + d)$

3 $5(3 + x) + 5(7 + x)$

4 $3(8 + f) + (4 + f)$

5 $11(5 + 3k) + 5(7 + 4k)$

6 $2(7 + 2y) + 5(4 + 3y)$

7 $2(10 + e) + (6 + e)$

8 $2(r + 9) + 6(r + 2)$

9 $2(q + 5) + 4(q + 7)$

10 $2(t + 3) + 5(2t + 5)$

11 $3(4r + 1) + 5(r + 2)$

12 $3(4r + 5) + 5(r - 2)$

13 $6(s + 1) + 5(s - 1)$

14 $12(2x + y) + 2(3x - y)$

15 $4(a + 2b) + (a - b)$

16 $3(s + 2t) + 2(2s + 3t)$

17 $6(s + t) + 3(s - t)$

18 $5(q + r) + 2(q - r)$

19 $4(3 + y) + 3(4 - y)$

● **20** $4(5 + 2y) + y(3 + y)$

● **21** $s(4 + s) + 2(3 + 2s)$

● **22** $x(x + 3) + 4(x - 2)$

160

2   Hafaliadau

...

| **Hafaliadau llinol** | Gelwir hafaliadau sy'n cynnwys llythrennau a rhifau syml yn **hafaliadau llinol**. Ni ddylai hafaliadau llinol gynnwys unrhyw dermau â phwerau fel x^2 neu x^3 |

Cofiwch: Pan rydych chi'n datrys hafaliadau mae'n *rhaid* i chi wneud yr un peth i ddwy ochr yr hafaliad.

Enghreifftiau

1 Datryswch $5x = 60$

Gwrthdro $\times 5$ yw $\div 5$ felly rhannwch y ddwy ochr â 5.

$$\frac{5x}{5} = \frac{60}{5}$$

$$x = 12$$

2 Datryswch $3x + 4 = 19$

Gwrthdro $+ 4$ yw $- 4$ felly yn gyntaf tynnwch 4 o'r ddwy ochr.

Nawr rhannwch y ddwy ochr â 3.

$$3x + 4 - 4 = 19 - 4$$

$$3x = 15$$

$$x = 5$$

◄◄AILCHWARAE►

Ymarfer 8:7

Datryswch yr hafaliadau yma.

1 $4x = 16$

2 $3x = 21$

3 $x + 6 = 12$

4 $x + 12 = 45$

5 $x - 7 = 23$

6 $\dfrac{x}{5} = 12$

7 $\dfrac{x}{7} = 2$

8 $0.5x = 3$

9 $3x + 1 = 16$

10 $5x - 3 = 27$

11 $3x + 7 = 16$

12 $\dfrac{x}{5} - 1 = 12$

13 $\dfrac{x}{3} + 2 = 10$

● **14** $4x - 6 = 16$

● **15** $\dfrac{2x}{3} = 6$

● **16** $\dfrac{3x}{2} + 5 = 26$

· ·

Edrychwch ar yr hafaliad $7x = 4x + 9$
Mae llythrennau ar y ddwy ochr.
Er mwyn datrys yr hafaliad, rydych yn cychwyn drwy ei newid fel
bo x ar un ochr yn unig.

Enghraifft   Datryswch $7x = 4x + 9$

Edrychwch i weld ar ba ochr mae'r nifer *lleiaf* o x.
Tynnwch y nifer yma o x o'r ddwy ochr.
Yn yr enghraifft yma dim ond $4x$ sydd ar yr ochr dde.
Tynnwch $4x$ o'r ddwy ochr. $7x - 4x = 4x - 4x + 9$
$$3x = 9$$
Rhannwch y ddwy ochr â 3. $x = 3$

Ymarfer 8:8

Datryswch yr hafaliadau yma.

1 $6x = 4x + 8$

5 $4x + 8 = 6x$

2 $9x = 6x + 24$

6 $12x = 6 + 10x$

3 $10x = 5x + 45$

7 $2.5x = 1.5x + 6$

4 $7x = x + 42$

● **8** $3.5x = x + 10$

Weithiau, bydd y nifer lleiaf o x ar yr ochr chwith.
Mae hi'n dal yn bosibl datrys yr hafaliad yn yr un ffordd.

Enghraifft   Datryswch $3x + 6 = 6x$

Tynnwch $3x$ o'r ddwy ochr. $3x + 6 - 3x = 6x - 3x$
$$6 = 3x$$

Rhannwch â 3. $2 = x$

Mae'n arferol ysgrifennu
hyn o chwith. $x = 2$

---

9 $4x + 3 = 5x$

12 $5x + 21 = 12x$

10 $3x + 6 = 5x$

13 $0.5x + 15 = 2.5x$

11 $2x + 17 = 4x$

● **14** $3x - 6 = 5x$

Mae rhai hafaliadau yn cynnwys llythrennau a rhifau ar y ddwy ochr.
Yn gyntaf, newidiwch yr hafaliad fel bo x ar un ochr yn unig.

Enghraifft $5x + 3 = 2x + 15$

Ar yr ochr dde mae'r nifer lleiaf o x.
Tynnwch $2x$ o'r ddwy ochr. $5x - 2x + 3 = 2x - 2x + 15$
$$3x + 3 = 15$$

Nawr tynnwch y rhifau o'r ochr lle mae'r x.
Mae 3 ar yr ochr chwith.
Tynnwch 3 o'r ddwy ochr. $3x + 3 - 3 = 15 - 3$
$$3x = 12$$

Rhannwch y ddwy ochr â 3. $x = 4$

Ymarfer 8:9

Datryswch yr hafaliadau yma.

1 $6x + 2 = 3x + 5$

2 $9x + 1 = 5x + 13$

3 $5x - 5 = 2x + 4$

4 $10x - 12 = 3x + 16$

5 $13x - 15 = 12x + 19$

6 $8x + 12 = 3x + 57$

7 $12x - 1 = 7x + 19$

8 $5x - 4 = 4x + 3$

9 $2.5x + 10 = 1.5x + 17$

● **10** $3.5x - 12 = x + 3$

Nid yw'r dull yn newid os oes gennych arwydd minws o
flaen un o'r llythrennau.
Mae rhif negatif bob amser yn llai na rhif positif.
Golyga hyn fod y nifer lleiaf o x ar yr ochr lle mae'r arwydd minws.
Er mwyn tynnu'r x o'r ochr yma, **adiwch** yr un nifer o x at y
ddwy ochr.

Enghraifft   Datryswch $5x + 3 = 21 - x$

Yn gyntaf, mae angen cael gwared ar yr x o'r ochr dde.
Er mwyn gwneud hyn, adiwch x at y ddwy ochr. $5x + x + 3 = 21 - x + x$

Nawr datryswch yr hafaliad fel o'r blaen. $6x + 3 = 21$

Tynnwch 3 o'r ddwy ochr. $6x = 18$

Rhannwch y ddwy ochr â 6. $x = 3$

---

11 $5x + 3 = 15 - x$

12 $7x + 2 = 20 - 2x$

13 $2x + 4 = 13 - x$

14 $4x - 3 = 12 - x$

15 $10x - 5 = 31 - 2x$

16 $2x - 7 = 3 - 8x$

17 $2.6x + 10 = 23 - 1.3x$

● **18** $0.5x - 5 = 15 - x$

Os yw hafaliadau yn cynnwys cromfachau, dylech ddiddymu'r cromfachau i ddechrau.

Enghraifft   Datryswch $3(2x + 1) = 27$

$$3(2x + 1) = 27$$
Diddymwch y cromfachau. $$3 \times 2x + 3 \times 1 = 27$$
Nawr datryswch yr hafaliad yn y dull arferol. $$6x + 3 = 27$$
$$6x = 24$$
$$x = 4$$

Ymarfer 8:10

Datryswch yr hafaliadau yma.

1 $3(2x + 2) = 24$

2 $5(6x - 2) = 50$

3 $4(3x - 7) = 20$

4 $6(7x - 1) = 36$

5 $10(3x - 4) = 80$

6 $12(3x + 2) = 36$

7 $2(x + 1) = 8$

8 $6(3x + 5) = 30$

9 $7(2x - 16) = 0$

10 $\frac{1}{2}(x + 5) = 20$

Ymarfer 8:11

Datryswch yr hafaliadau yma.

1 $6x = 3x + 99$

2 $3x - 4 = x + 8$

3 $6(2x - 4) = 36$

4 $5x + 10 = 2x + 16$

5 $11x + 90 = 20x$

6 $\frac{1}{2}x + 10 = 23$

7 $6 - x = 1 + 4x$

8 $\frac{x}{5} + 3 = 12$

9 $\frac{2x}{3} - 4 = 19$

10 $\frac{1}{2}x + 3 = \frac{1}{4}x + 12$

1   Symleiddiwch y mynegiadau yma.
   a $h + h + h + h + h$
   b $k \times k \times k \times k \times k \times k$
   c $a + a + a + b + b$
   ch $6v + 2w + v + 3w$
   d $5t + 4s + 2t - 3s$
   dd $5x + 7 - 4x + 3$

2   Symleiddiwch y mynegiadau yma.
   a $4 \times 3f$ **b** $3s \times 4t$ **c** $(4e)^2$ **ch** $r \times 5r$

3   Lluoswch y cromfachau yma.
   a $5(2t + 5)$ **c** $4(3 + 5f)$ **d** $4(3e - 5g)$
   b $7(3r - 1)$ **ch** $10(6x - 5y)$ **dd** $5(2r + 3s)$

4   Lluoswch y cromfachau yma.
   a $t(4t + 5)$ **c** $w\,(1 - 5w)$ **d** $r\,(3r - 2s)$
   b $a(3a + 2)$ **ch** $c(3 - 5c)$ **dd** $p(p + 2q)$

5   Lluoswch y cromfachau yma.
   Rhowch bob ateb mor syml ag sydd bosibl.
   a $2(r + 3) + 5(2r - 1)$
   b $3(4 + 2g) + 2(1 + 3g)$
   c $7(2t + 1) + 3(t - 2)$
   ch $4(e + f) + 3\ (2e + f)$
   d $3(s + 2t) + 4(s - t)$
   dd $11(3p + 2q) + 2(5p - 3q)$

6   Datryswch yr hafaliadau yma.
   a $3x = 18$ **c** $\dfrac{x}{3} = 7$ **d** $2x + 3 = 9$
   b $x - 6 = 17$ **ch** $x + 6 = 6$ **dd** $5x - 1 = 24$

7   Datryswch yr hafaliadau yma.
   a $5x + 3 = 2x + 18$
   b $12x - 4 = 7x + 31$
   c $8x + 5 = 3x + 25$
   ch $4x - 5 = x + 1$
   d $7x + 1 = 5x + 9$
   dd $10x - 17 = 6x + 3$

8   Datryswch yr hafaliadau yma.
   a $3x + 24 = 7x$
   b $2x + 16 = 6x$
   c $6x + 16 = 10x$
   ch $4.5x + 20 = 6.5x$

9   Datryswch yr hafaliadau yma.
   a $5(x + 3) = 25$
   b $6(2x + 2) = 24$
   c $3(3x - 2) = 30$
   ch $5(2x + 1) = 35$

10   Mae Vali, Sharon, Jon a Menna yn dechrau chwarae gêm gydag un neu fwy o
focsys o gownteri yr un. Mae *c* o gownteri ym mhob bocs.

| 2 focs | 1 bocs | 3 bocs | 4 bocs |
| Vali | Sharon | Jon | Menna |

Mae'r tabl yn dangos beth sy'n digwydd yn ystod y gêm.
a   Ysgrifennwch fynegiad i ddangos faint o gownteri sydd gan Jon a Menna ar
ddiwedd y gêm.
Ysgrifennwch bob mynegiad mor syml ag sydd bosibl.

	Cychwyn	Yn ystod y gêm	Diwedd y gêm
Vali	2 focs	colli 7 cownter	$2c - 7$
Sharon	1 bocs	ennill 5 cownter	$c + 5$
Jon	3 bocs	ennill 6 chownter	
Menna	4 bocs	ennill 8 cownter a cholli 4 cownter	

b   Ar ddiwedd y gêm mae gan Vali a Sharon yr un faint o gownteri.
Ysgrifennwch hafaliad i ddangos hyn.
c   Datryswch eich hafaliad i ddarganfod gwerth *c*.

11   Mae hyd ochr y sgwâr yma yn *x* cm.
a   Copïwch a llenwch y bwlch:
Mae perimedr y sgwâr yn $x + x + x + x = \ldots x$
Mae perimedr y sgwâr yn 52 cm.
b   Ysgrifennwch hafaliad $4x = \ldots$
c   Datryswch eich hafaliad i ddarganfod hyd ochr y sgwâr.

x

1 Lluoswch y cromfachau yma.
   a $3r(4r - 3s)$ **b** $7t(3r + 4s)$ **c** $5g(3g + 2)$

2 Datryswch yr hafaliadau canlynol.
   a $6x + 5 = 3x + 2$ **c** $5x - 5 = 2x + 4$
   b $9x + 1 = 5x + 13$ **ch** $10x - 12 = 3x + 16$

3 Datryswch yr hafaliadau canlynol.
   a $6(3x + 1) = 3(4x + 2)$ **c** $3(6x - 5) = 5(x + 10)$
   b $2(7x - 3) = 3(2x + 6)$ **ch** $2(5x - 9) = 3(x + 1)$

4 Mae gan bedwar o ddisgyblion gerdyn bob un.

    $\boxed{5a - 1}$ $\boxed{a + 5}$ $\boxed{a - 4}$ $\boxed{3a + 7}$
      Ann   Bob   Cath   Dafydd

   a Mae Ann a Dafydd yn penderfynu darganfod gwerth *a* fel bo'r cardiau yn
       gywerth. Maen nhw'n ysgrifennu'r hafaliad yma: $5a - 1 = 3a + 7$.
       Darganfyddwch werth *a* sy'n golygu fod cardiau Ann a Dafydd o'r un gwerth.
   b Mae Ann a Bob yn penderfynu darganfod gwerth *a* sy'n golygu fod gwerth eu
       cardiau yr un fath. Darganfyddwch beth yw gwerth *a* yn yr achos yma.
   c Fydd cardiau dau o'r disgyblion byth yr un gwerth â'i gilydd. Pa ddau
       ddisgybl ydynt?
       Eglurwch pam na all eu cardiau fod yr un fath.

5

Mae hyd injan y trên yma yn 12 m.
Mae hyd pob cerbyd yn 15 m.
   a Cyfrifwch beth yw hyd trên sy'n tynnu 8 o gerbydau.
   b Ysgrifennwch fformiwla ar gyfer hyd trên sy'n tynnu *n* o gerbydau.
   c Mae hyd trên sy'n tynnu *n* o gerbydau yn 177 m.
      (1) Ysgrifennwch hafaliad gan ddefnyddio eich ateb i **b**.
      (2) Datryswch yr hafaliad er mwyn darganfod nifer y cerbydau.

- **Casglu** $a + a + a + a + a = 5a$
  Gelwir hyn yn **gasglu termau**. *Cofiwch*: $5a = 5 \times a$

  Pŵer $a \times a \times a = a^3$
  Mae'r **pŵer** '3' yn dweud wrthych sawl a sy'n cael eu lluosi â'i gilydd.

- Weithiau bydd gennych fwy nag un llythyren neu rif i'w casglu.

  Enghreifftiau **1** $f + f + f + g + g = 3f + 2g$ **3** $4t + 2 + 3t = 7t + 2$

  2 $2a + 4a + 3b = 6a + 3b$ **4** $3g - g + 2h + 4h = 2g + 6h$

- Weithiau bydd gennych fwy nag un llythyren neu rif i'w lluosi.

  Enghreifftiau **1** $f \times g = fg$ **3** $4r \times 2s = 8rs$

  2 $g \times 3h = 3gh$ **4** $(2p)^2 = 2p \times 2p = 4p^2$

- *Enghreifftiau*   Lluoswch y cromfachau yma.

  1 $7(10 - r)$
  $7(10 - r) = 7 \times 10 - 7 \times r$
  $= 70 - 7r$

  2 $5(3 + 2x) + 3(4 - x) = 15 + 10x + 12 - 3x$
  $= 27 + 7x$

- *Enghreifftiau*   Datryswch yr hafaliadau yma.

1 $7x = 4x + 9$
$$7x - 4x = 4x - 4x + 9$$
$$3x = 9$$
Rhannwch y ddwy ochr â 3. $x = 3$

3 $5x + 3 = 21 - x$
Yn gyntaf, mae angen cael gwared ar yr x o'r ochr dde. Er mwyn gwneud hyn, adiwch x at y ddwy ochr.
$$5x + x + 3 = 21 - x + x$$
$$6x + 3 = 21$$
$$x = 3$$

2 $3x + 6 = 6x$
Tynnwch $3x$ o'r ddwy ochr.
$$3x + 6 - 3x = 6x - 3x$$
$$6 = 3x$$
Rhannwch â 3.
Ysgrifennwch hyn o chwith.
$$2 = x$$
$$x = 2$$

4 $3(2x + 1) = 27$
Diddymwch y cromfachau.
$$3 \times 2x + 3 \times 1 = 27$$
$$6x + 3 = 27$$
$$6x = 24$$
$$x = 4$$

1   Symleiddiwch y mynegiadau yma.
    a $e + e + e + e$
    b $f \times f \times f$
    c $g + g + g + g + g + g$

    ch $q \times q \times q$
    d $h \times h \times h \times h \times h$
    dd $k + k$

2   Casglwch y termau sy'n debyg.
    a $2f + 3g + 5f + g$
    b $8r + s + 3r - s$
    c $4u + 5u + 7v - 5v$

    ch $4g + 4 - 3g - 2$
    d $5x + 4y - 3y + 2x$
    dd $5r + 2r - 4r + 6$

3   Symleiddiwch y mynegiadau yma.
    a $4 \times 3a$
    b $5r \times 2r$

    c $3 \times c \times d$
    ch $(3y)^2$

4   Lluoswch y cromfachau yma.
    a $3(2r - 5)$
    b $t(t + 4)$

    c $d(2e - 5)$
    ch $6r(s + 2r)$

5   Lluoswch bob un o'r setiau yma o gromfachau.
    Rhowch eich atebion mor syml ag sydd bosibl.
    a $7(f + 3) + 2(5f - 4)$ **b** $4(p + 2q) + 3(p - 2q)$

6   Datryswch yr hafaliadau yma.
    a $x + 5 = 17$
    b $5x = 35$

    c $\dfrac{x}{3} = 11$
    ch $x - 5 = 22$

7   Datryswch yr hafaliadau yma.
    a $3x + 15 = 8x$

    b $5x - 7 = 18$

8   Datryswch yr hafaliadau yma.
    a $6x - 3 = 4x + 5$

    b $4x + 6 = 21 - x$

9   Datryswch yr hafaliadau yma.
    a $5(x + 4) = 35$

    b $3(x - 2) = 18$

9 Ystadegaeth

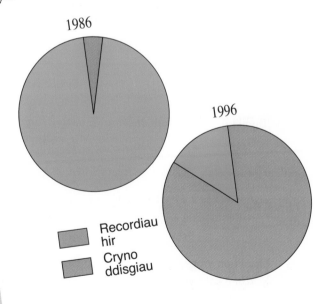

Cyfran gymharol ffigurau manwerthu yn y Deyrnas Unedig ar gyfer recordiau hir a chryno ddisgiau (albymau yn unig) ym 1986 a 1996.

1986

1996

Recordiau hir

Cryno ddisgiau

Ffynhonnell: data heb eu cyhoeddi.

1 Diagramau gwasgariad

Mae hyd oes cyfartalog pob mamal yn wahanol.
Disgwylir i geffyl fyw tua 20 mlynedd.
Disgwylir i gi fyw tua 12 mlynedd.
Mae mamaliaid yn 'feichiog' am wahanol gyfnodau.
Gelwir y cyfnod hwn yn gyfnod cyfebru.
Mae perthynas rhwng hyd oes a'r cyfnod cyfebru.

Mae Ffion wedi darganfod hyd oes a chyfnodau cyfebru gwahanol anifeiliaid anwes.
Mae hi wedi defnyddio'i data i lunio'r graff yma.

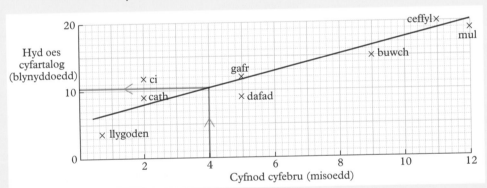

Cydberthyniad	Mae graff Ffion yn dangos fod y cyfnod cyfebru yn cynyddu wrth i'r hyd oes gynyddu. Mae **cydberthyniad** rhwng y ddau.
Graffiau gwasgariad	Gelwir graffiau fel hyn yn **graffiau gwasgariad**.
Llinell ffit orau	Mae'r pwyntiau fel petaent yn fras ar linell syth. Mae Ffion wedi llunio'r llinell sy'n ffitio'r pwyntiau orau. Gelwir y llinell hon yn **llinell ffit orau**.

Mae Ffion yn gwybod fod cyfnod cyfebru mochyn yn 4 mis.
Mae hi'n defnyddio'i llinell ffit orau i amcangyfrif hyd oes cyfartalog mochyn.
Mae'r llinell goch yn cychwyn ar 4 mis. Dilynwch y llinell goch i gael amcangyfrif o hyd oes cyfartalog mochyn.
Mae'r amcangyfrif yn $10\frac{1}{2}$ o flynyddoedd.

Ymarfer 9:1

1 Mae Mr Dafis wedi plotio marciau arholiadau diwedd tymor ei grŵp mathemateg.
   Safodd y disgyblion ddau bapur.

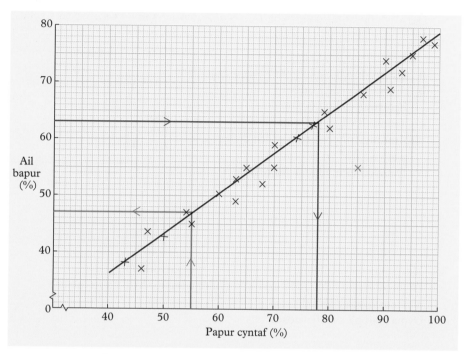

a Sgoriodd Gwydion 55% yn y papur cyntaf ond roedd yn absennol pan safwyd
   yr ail bapur. Defnyddiwch y llinell ffit orau i amcangyfrif pa farc fyddai wedi ei
   gael yn yr ail bapur.
   Mae'r llinell goch yn cychwyn yn 55% ar echelin y papur cyntaf.
   Dilynwch y llinell goch i ddarganfod y marc amcan ar gyfer yr ail bapur.

b Roedd Mari yn absennol pan safwyd y papur cyntaf ond sgoriodd 63% yn yr
   ail bapur.
   Defnyddiwch y llinell ffit orau i amcangyfrif ei marc ar gyfer y papur cyntaf.
   Dilynwch y llinell las i'ch helpu.
   A fyddech chi'n disgwyl i Mari gael y marc yma petai hi'n sefyll y papur?
   Eglurwch eich ateb.

c Pa bapur, yn eich tyb chi, oedd yr un anoddaf? Eglurwch eich ateb.

ch Doedd un o'r disgyblion ddim yn teimlo'n dda pan safodd yr ail bapur.
   Mae'r groes werdd yn dangos ei farciau.
   Eglurwch pam y mae'r groes yma yn is o lawer na'r llinell ffit orau.
   Ysgrifennwch y marc a gafodd y disgybl yn y papur cyntaf.
   Defnyddiwch y llinell ffit orau i amcangyfrif y marc y disgwylid iddo ei gael yn
   yr ail bapur.

2 Mae Alan yn edrych a oes cydberthyniad rhwng hyd a lled dail mewn llwyn arbennig.
Dyma'i fesuriadau mewn centimetrau.

Hyd	7.4	6.9	5.0	6.3	6.6	6.5	5.0	6.3
Lled	3.5	3.2	2.1	2.8	2.9	3.0	1.8	2.5

a Defnyddiwch bapur graff i blotio data Alan.
b A oes cydberthyniad?
   Eglurwch eich ateb.
c Tynnwch y llinell ffit orau.
ch Amcangyfrifwch beth yw lled deilen
   pan yw'r hyd yn 6.0 cm.
   Defnyddiwch y llinell ffit orau.

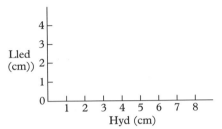

3 Mae Sinita yn ysgrifennu canlyniadau arbrawf gwyddonol.
Yn ystod rhan o'r arbrawf roedd hi'n cynhesu bicer o hylif ac yn mesur y tymheredd bob munud.
Dyma graff o'i chanlyniadau.

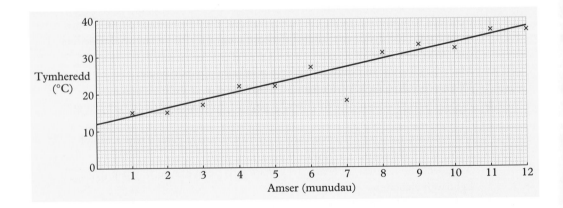

a Camddarllenodd Sinita'r tymheredd yn ystod un darlleniad.
   Nodwch beth oedd yr amser ar gyfer y darlleniad yma.
b Pa dymheredd fyddech chi'n ei ddisgwyl am $10\frac{1}{2}$ munud?
c Ysgrifennwch beth yw tymheredd yr hylif ar ddechrau'r arbrawf.

4 Mae meddyg yn gwirio pwysau babanod mewn clinig.
Mae'n defnyddio'r graff gwasgariad yma i'w helpu i ddarganfod a oes unrhyw faban yn rhy ysgafn neu'n rhy drwm mewn perthynas â'i daldra.

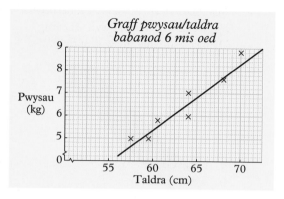

Graff pwysau/taldra babanod 6 mis oed

Ar gyfer pob babi ysgrifennwch pa un ai yw'n rhy ysgafn neu'n rhy drwm neu oddeutu'r pwysau cywir yn eich tyb chi.

Babi	Rheinallt	Jane	Llinos	Sam
Taldra (cm)	66	63	69	65
Pwysau (kg)	7.2	5.0	7.9	8.4

Mae gwahanol fathau o gydberthyniad yn y graffiau yma.

Cydberthyniad positif

Mae'r graff gwasgariad yma yn dangos pwysau a thaldra 10 o blant.
Wrth i'r pwysau gynyddu mae'r taldra hefyd yn cynyddu.
Gelwir hyn yn **gydberthyniad positif**.

Taldra / Pwysau

Cydberthyniad negatif

Mae'r graff gwasgariad yma yn dangos gwerthiant menyg a thymereddau dyddiol.
Wrth i'r tymheredd godi mae gwerthiant y menyg yn gostwng.
Gelwir hyn yn **gydberthyniad negatif**.

Gwerthiant menyg / Tymheredd

Dim cydberthyniad

Mae'r graff gwasgariad yma yn dangos cyflogau a thaldra athrawon. Nid oes perthynas rhwng y ddau.
Mae'r pwyntiau ar wasgar.
Yma **nid oes cydberthyniad**.

Cyflog / Taldra yr athro/athrawes

Gall cydberthyniad fod yn gryf neu'n wan.

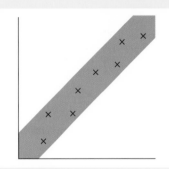

Cydberthyniad positif cryf
Mae'r croesau mewn band cul.

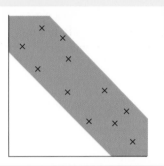

Cydberthyniad negatif gwan
Mae'r croesau mewn band llydan.

5 Edrychwch ar bob un o'r graffiau gwasgariad yma.
Disgrifiwch y math o gydberthyniad yr ydych yn ei weld.

a

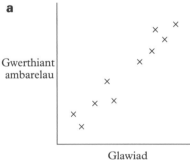

Gwerthiant ambarelau

Glawiad

c

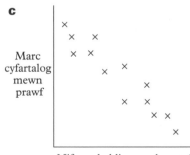

Marc cyfartalog mewn prawf

Nifer y dyddiau yn absennol

b

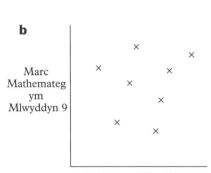

Marc Mathemateg ym Mlwyddyn 9

Taldra ym Mlwyddyn 9

ch

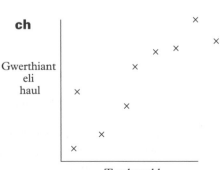

Gwerthiant eli haul

Tymheredd

6 Mae Lowri yn gwneud arolwg. Mae hi'n gofyn i wyth o'i ffrindiau am faint o amser y buont yn gwneud gwaith cartref neithiwr ac am faint o amser y buont yn gwylio'r teledu. Dyma'i chanlyniadau. Rhoddir yr amseroedd mewn munudau.

Gwaith cartref	65	120	85	35	160	100	70	95
Teledu	190	90	150	210	85	250	150	140

  a Lluniwch ddiagram gwasgariad i ddangos data Lowri.
  b A yw eich graff yn dangos unrhyw gydberthyniad?
     Os ydyw, disgrifiwch pa fath o gydberthyniad yw hwn.

7 Mae Jac a Sara yn rheoli wyth o siopau papur newydd.
  Mae Jac yn meddwl fod gwerthiant wythnosol y papurau yn dibynnu ar faint y siop.
  Mae Sara yn meddwl fod y gwerthiant yn dibynnu ar nifer y tai o fewn 3 milltir.

  Aethant ati i ddefnyddio'u ffigurau gwerthu i lunio'r ddau graff gwasgariad yma.

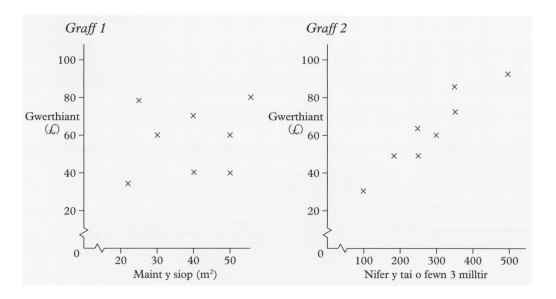

  a Beth mae graff 1 yn ei ddangos ynglŷn â'r berthynas rhwng gwerthiant wythnosol a maint y siop?
  b Beth mae graff 2 yn ei ddangos?
  c Gofynnir i Jac a Sara reoli siop bapur arall.
     Mae arwynebedd y llawr yn 28 m² a cheir 450 o dai o fewn 3 milltir.
     Defnyddiwch un o'r graffiau i amcangyfrif gwerthiant tebygol y siop.
     Nodwch pa graff wnaethoch chi ei ddefnyddio. Eglurwch sut yr aethoch ati i amcangyfrif.

2 Siartiau cylch

Mae rhan fwyaf o dir yr Iseldiroedd yn fflat.
Mae ychydig o fryniau ond nid ydynt yn uchel iawn.
Mae'r siart cylch yn dangos sut mae'r tir wedi ei rannu: tir dan lefel y môr, tir ar lefel y môr, a thir uwch na lefel y môr.

Ymarfer 9:2

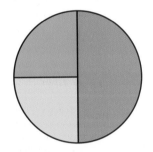

1 Mae'r cylch cyfan yn 100%.
  a Pa ganran o'r cylch sy'n oren?
  b Pa ganran o'r cylch sy'n wyrdd?
  c (1) Pa ffracsiwn o'r cylch sy'n oren neu felyn?
    (2) Pa ganran yw hyn?

Efallai y bydd yn rhaid i chi *amcangyfrif* y canrannau a ddangosir gan *rannau'r* siartiau cylch.

Enghraifft   Mae'r siart cylch yma'n dangos beth mae gwahanol ddisgyblion yn ei wneud amser cinio.

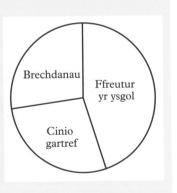

  a Amcangyfrifwch pa ganran ohonynt sy'n prynu cinio yn ffreutur yr ysgol.
  b Amcangyfrifwch pa ganran ohonynt sy'n dod â brechdanau.

  a Mae'r 'rhan' ar gyfer ffreutur yr ysgol ychydig yn llai na'r hanner.
    Mae ychydig yn llai na 50%.
    Mae amcangyfrif yn 45%.
  b Mae'r 'rhan' ar gyfer brechdanau ychydig yn fwy na'r chwarter.
    Mae ychydig yn fwy na 25%.
    Mae amcangyfrif yn 30%.

2 Amcangyfrifwch pa ganran o bob un o'r siartiau cylch yma sydd wedi ei liwio'n oren.

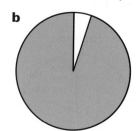

3 Mae'r siart cylch yma'n dangos cydbwysedd y bwyd a argymhellir ar gyfer diet iach.

   a Copïwch y tabl isod.

   b Amcangyfrifwch beth yw'r canran ym mhob rhan o'r siart cylch.
Defnyddiwch eich amcangyfrifon i lenwi'r tabl.

   c Darganfyddwch beth yw cyfanswm eich amcangyfrifon.
A ydynt yn adio i 100%?

Cydbwysedd y bwyd ar gyfer diet iach

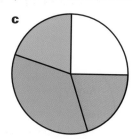

Eitem yn y diet	Canran
ffrwythau/llysiau	
bara/grawnfwydydd/tatws	
llaeth/cynnyrch llaeth	
bwydydd sy'n cynnwys braster/siwgr	
cig/pysgod/arall	

4 Mae'r siart cylch yma'n dangos cynnwys math arbennig o gaws.

Cynnwys	Canran
braster	31%
dŵr	38%
protein	25%
carbohydrad	

Cynnwys math arbennig o gaws

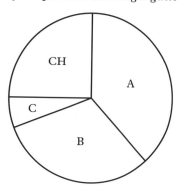

   a Beth mae rhan A o'r siart cylch yn ei gynrychioli?
Defnyddiwch y tabl cynnwys i'ch helpu.

   b Beth mae rhan CH yn ei gynrychioli?

   c Defnyddiwch y tabl cynnwys i ddarganfod y canran mae rhan C yn ei gynrychioli.

5 Mae'r siartiau cylch yma'n dangos y canrannau o ferched a bechgyn Blwyddyn 9 Ysgol Abergwynant sy'n mynd adref i gael cinio.

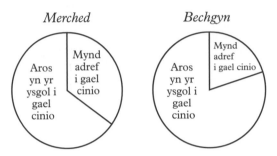

Merched   Bechgyn

a Amcangyfrifwch pa ganran o'r merched sy'n mynd adref i gael cinio.

b Amcangyfrifwch pa ganran o'r bechgyn sy'n mynd adref i gael cinio.

c Mae nifer y merched sydd ym Mlwyddyn 9 yn hafal, yn fras, i nifer y bechgyn. Gwnewch fraslun o siart cylch newydd ar gyfer Blwyddyn 9 i gyd, i ddangos pa ganran sy'n mynd adref i gael cinio.

◄◄AILCHWARAE►

Enghraifft

Mae'r tabl yma yn dangos pa bysgod a brynwyd gan 60 o gwsmeriaid siop bysgod a sglodion un noson.

Math o bysgodyn	penfras	lleden	sgampi	hadog
Nifer y cwsmeriaid	28	9	6	17

Dangoswch y canlyniadau yma mewn siart cylch.

1 Mae 60 o bobl yn yr arolwg, a $360° ÷ 60 = 6°$
Mae hyn yn golygu fod pob un yn cael $6°$ o'r cylch.

2 Darganfyddwch beth yw'r ongl ar gyfer pob pysgodyn. Mae hyn yn hawdd i'w wneud mewn tabl.

Pysgodyn	Nifer y bobl	Gwaith cyfrifo	Ongl
penfras	28	$28 × 6°$	168°
lleden	9	$9 × 6°$	54°
sgampi	6	$6 × 6°$	36°
hadog	17	$17 × 6°$	102°
Cyfanswm	60		360°

3 Gwiriwch fod yr onglau yn adio i $360°$.

4 **a** Lluniwch gylch. Marciwch y canol.
Tynnwch linell i ben y cylch.
Lluniwch yr ongl gyntaf (168°).

b Mesurwch yr ongl nesaf o'r
llinell rydych chi newydd ei
thynnu (54°).

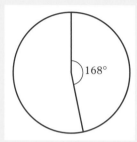

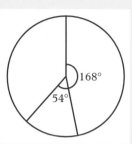

Pysgod a brynwyd gan 60 o gwsmeriaid

c Daliwch ati nes byddwch
wedi llunio pob ongl.
Labelwch y siart cylch.

Ymarfer 9:3

1 Mae Nerys yn gofyn i 9W i ba glybiau ysgol maen nhw'n perthyn.
a Copïwch y tabl yma.

Clwb	Nifer y disgyblion	Gwaith cyfrifo	Ongl
gwyddbwyll	5	5 × ...°	
gymnasteg	12	12 × ...°	
drama	10		
dim	3		
Cyfanswm			

b Sawl disgybl holodd Nerys?
c Copïwch a llenwch y bylchau:
Mae .... o ddisgyblion a 360° ÷ ... = ...°
Mae pob disgybl yn cael ... ° o'r cylch..
ch Llenwch y colofnau 'gwaith cyfrifo' ac 'ongl' yn y tabl.
d Lluniwch a labelwch siart cylch.

2 Cofnododd goruchwylwraig ffreutur yr ysgol sawl pryd llysieuol oedd yn cael ei werthu mewn wythnos. Dangosir y canlyniadau yn y tabl.

Pryd	fflan gaws	byrgyr llysieuol	cyri llysieuol	caserol ffa
Nifer a werthwyd	31	12	22	25

a Faint o brydau llysieuol gafodd eu gwerthu?
b Cyfrifwch pa ongl o'r cylch fydd bob pryd yn ei gael.
c Lluniwch siart cylch i ddangos y prydau sy'n cael eu gwerthu.
   Cofiwch labelu'r siart cylch.

3 Gofynnodd y cylchgrawn *Arddegau Ardderchog* i'w ddarllenwyr beth oedd eu hoff bynciau yn y cylchgrawn. Dangosir eu canlyniadau yn y tabl.

Pwnc	ffuglen	ffasiwn	iechyd	chwaraeon	teithio
Nifer y darllenwyr	270	216	42	123	69

a Ysgrifennwch faint o ddarllenwyr gymerodd ran yn yr arolwg.
b Darganfyddwch yr ongl ar gyfer pob sector yn y siart cylch.
c Lluniwch siart cylch ar gyfer y data.

4 Mae Ryan yn gwneud arolwg o geir sydd wedi methu prawf MOT.
   Mae o wedi casglu data ceir sydd wedi methu am un rheswm yn unig.

Rheswm	breciau neu oleuadau	teiars	problem fecanyddol	nwy o'r bibell wacáu
Nifer y ceir	33	21	51	9

a Ysgrifennwch faint o geir oedd yn yr arolwg i gyd.
b Darganfyddwch yr ongl ar gyfer pob sector o'r siart cylch.
   Talgrynnwch bob ongl i'r radd agosaf.
c Lluniwch siart cylch ar gyfer y data.

3 Diagramau camarweiniol

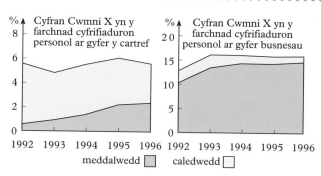

%▲ Cyfran Cwmni X yn y farchnad cyfrifiaduron personol ar gyfer y cartref

%▲ Cyfran Cwmni X yn y farchnad cyfrifiaduron personol ar gyfer busnesau

meddalwedd ☐ caledwedd ☐

Weithiau defnyddir siartiau i gamarwain pobl. Gall newid graddfa diagram gael effaith fawr ar ei ymddangosiad. Pan fyddwch yn darllen diagramau ystadegol, dylech edrych yn ofalus bob amser ar y raddfa.

Ymarfer 9:4

1 Mae Robert yn gwerthu beiciau mynydd. Mae o eisiau ehangu ei fusnes.
Mae arno angen benthyg arian gan y banc. Mae o eisiau dangos i reolwr y banc fod ei werthiant yn cynyddu'n gyflym. Dyma'r gwerthiant ar gyfer y 6 mis diwethaf.

Mis	Ion	Chwef	Mawrth	Ebrill	Mai	Mehef
Nifer y beiciau a werthwyd	26	27	29	34	44	55

Mae Robert yn llunio dau siart bar. Mae siart A yn defnyddio'r raddfa gyfan.
Yn siart B mae'r raddfa'n cychwyn ar 25.
Mae'r ddau graff yn dangos yr un wybodaeth yn union.
Maen nhw'n edrych yn wahanol iawn gan fod y graddfeydd yn wahanol.

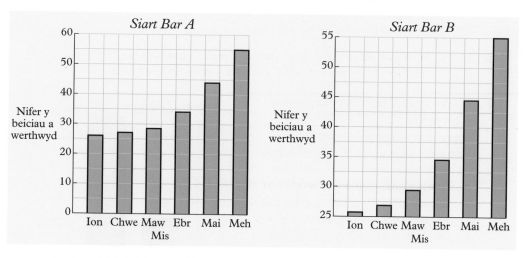

Pa siart ddylai Robert ei ddangos i'w reolwr banc?
Eglurwch eich ateb.

2   Mae'r tabl yma'n dangos gwerthiant cwmni sy'n darparu prydau parod. Mae'n rhestru nifer y prydau a werthwyd yn ystod yr wyth wythnos ddiwethaf.

Wythnos 1	440	Wythnos 5	465
Wythnos 2	455	Wythnos 6	485
Wythnos 3	450	Wythnos 7	490
Wythnos 4	460	Wythnos 8	495

Mae rheolwraig y cwmni eisiau cyflogi mwy o staff. Mae hi eisiau dangos fod y gwerthiant yn cynyddu.

Nid yw perchennog y cwmni eisiau talu am fwy o staff.
Mae o eisiau dangos fod y gwerthiant wedi aros, fwy neu lai, ar yr un lefel.

Lluniwch graff ar gyfer y rheolwraig ac un arall ar gyfer y perchennog.
Dewiswch eich graddfa yn ofalus a dywedwch pwy fyddai'n defnyddio pob graff.

3   Sefydlodd Rhisiart fusnes glanhau ffenestri rhan amser wyth mlynedd yn ôl. Nawr, mae o eisiau gwerthu'r busnes. Mae o eisiau i'r busnes ymddangos mor llwyddiannus ag sydd bosibl. Dyma'r elw a wnaeth yn ystod yr wyth mlynedd.

Blwyddyn	1	2	3	4	5	6	7	8
Elw	£200	£225	£235	£270	£290	£330	£370	£335

Lluniwch siart bar a fyddai'n helpu i ddangos fod cwmni Rhisiart yn llwyddiannus iawn.

4   Mae cwmni cyfrifiaduron yn hysbysebu ei gynnyrch.
Mae'n defnyddio'r graff yma yn ei hysbyseb i ddangos pa mor llwyddiannus yw'r cwmni.
Pam y mae'r graff yn gamarweiniol?

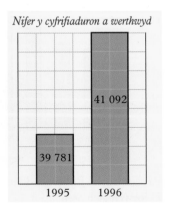

Nifer y cyfrifiaduron a werthwyd

41 092

39 781

1995   1996

5 Mae'r siart yma yn dangos beth oedd elw cwmni ym 1995 a 1996.
Pam y mae'r siart yn gamarweiniol?

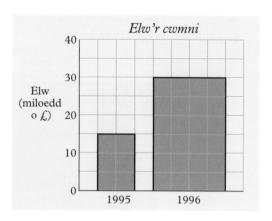

Elw'r cwmni

6 Mae cwmni gwyliau Heulwen yn defnyddio'r diagramau yma i ddangos sut mae'r gwerthiant yn cynyddu.

Blwyddyn	1995	1996
Gwerthiant	42 000	80 000

1995

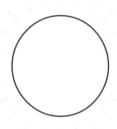

1996

Mesurwch ddiamedrau'r cylchoedd yma.
Pam y mae'r diagramau yma yn gamarweiniol?

7 Mae fferm sy'n gwerthu cawsiau yn defnyddio'r diagramau yma i ddangos fod gwerthiant caws wedi dyblu yn ystod y flwyddyn ddiwethaf.
Pa sylwadau allwch chi eu gwneud ynglŷn â'r diagramau yma?

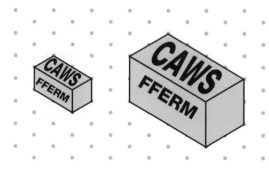

Amser gwario

Mae gan Melissa ddiddordeb yn y ffordd mae plant yn eu harddegau yn treulio'u hamser. Mae hi'n dyfalu *po fwyaf o arian mae plant yn eu harddegau yn ei gael po fwyaf o amser maen nhw'n ei dreulio yn siopa.*
Gelwir y dyfaliad yma'n ddamcaniaeth.

Ymchwiliwch i'r ffordd mae plant yn eu harddegau yn treulio'u hamser.
Yn eich data cynhwyswch wybodaeth i brofi damcaniaeth Melissa gyda golwg ar siopa.

Gwnewch ddamcaniaeth eich hun ac ewch ati i'w phrofi.

Ysgrifennwch adroddiad ar sut mae plant yn eu harddegau yn treulio'u hamser.
Dylech gynnwys diagramau a chyfrifiadau.

Cofiwch am y rheolau canlynol ar gyfer holiaduron a gawsoch y flwyddyn diwethaf.

- Ni ddylai cwestiynau fod yn dueddol na gwneud i bobl deimlo'n annifyr.

- Dylai cwestiynau fod yn glir ac o ddefnydd i'r arolwg.

- Peidiwch â gofyn cwestiynau fydd yn rhoi cyfle i bobl roi nifer o wahanol atebion.

- Rhowch eich cwestiynau mewn trefn synhwyrol.

1 Mae Steffan yn gwerthu diodydd oer yn y parc.
Cofnododd dymheredd a nifer y diodydd a werthodd bob dydd am bythefnos.
Dyma'r data sydd ganddo.

Nifer y diodydd a werthwyd	40	50	85	90	100	125	115
Tymheredd °C	8	9	10	11	11	12	12

Nifer y diodydd a werthwyd	150	160	200	255	250	275	290
Tymheredd °C	13	14	16	18	18	19	20

  a Defnyddiwch bapur graff i blotio data Steffan.
  b Disgrifiwch y cydberthyniad.
  c Tynnwch y llinell ffit orau.
  ch Amcangyfrifwch y gwerthiant ar ddiwrnod pan fydd y tymheredd yn 15°C.
    Defnyddiwch y llinell ffit orau.

2 Mae'r siart cylch yma'n dangos beth wnaeth Meical dros gyfnod o 24 awr y penwythnos diwethaf.

  a Pa ffracsiwn o'i amser dreuliodd o'n chwarae gyda'i ffrindiau?
  b Sawl awr dreuliodd o'n chwarae gyda'i ffrindiau?
  c Treuliodd tua'r un faint o amser yn gwneud gweithgaredd arall. Pa weithgaredd?
  ch Amcangyfrifwch pa ganran o'i amser dreuliodd o'n cysgu.

Sut y treuliodd Meical 24 awr

3 Cofnododd caffi faint o ddiodydd a werthwyd mewn un diwrnod.
Dangosir y canlyniadau yn y tabl.

Diod	Nifer y bobl
te	38
coffi	43
diodydd oer (ffisiog)	23
diodydd oer (llonydd)	16

Lluniwch siart cylch i ddangos y data yma.

4 Gwnaeth Jason arolwg o yrwyr tacsi.
Lluniodd y graffiau yma i ddangos ei ganlyniadau.

a Beth mae'r graff yma'n ei ddangos ynglŷn â'r berthynas rhwng y nifer o oriau a weithiwyd a faint o arian a enillwyd?

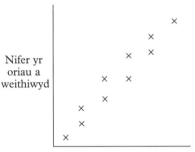

Nifer yr oriau a weithiwyd

Arian a enillwyd (£)

b Beth mae'r graff yma'n ei ddangos ynglŷn â'r berthynas rhwng y nifer o oriau a weithiwyd a nifer yr oriau a dreuliwyd yn gwylio'r teledu?

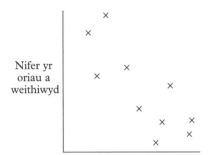

Nifer yr oriau a weithiwyd

Nifer yr oriau a dreuliwyd yn gwylio'r teledu

c Mae'r tabl yma'n dangos data Jason gyda golwg ar nifer yr oriau a weithiwyd a nifer y milltiroedd a deithiwyd. Lluniwch graff gwasgariad i ddangos y data yma.

Oriau a weithiwyd	23	29	20	33	35	25
Milltiroedd a deithiwyd	690	826	640	974	980	763

Oriau a weithiwyd	28	32	30	24
Milltiroedd a deithiwyd	850	928	1020	672

Tynnwch y llinell ffit orau ar eich graff.
Amcangyfrifwch nifer y milltiroedd a deithiwyd gan yrrwr sy'n gweithio 27 awr.
Defnyddiwch eich llinell ffit orau.

5 Mae rhieni Siwan wedi dweud wrthi y byddant yn prynu gêm gyfrifiadurol iddi os bydd ei marciau prawf yn gwella'n sylweddol. Dyma farciau Siwan yn ei phum prawf misol diwethaf.

Ion	Chwef	Mawr	Ebrill	Mai
50%	58%	61%	66%	69%

a Mae Siwan yn penderfynu defnyddio graff i ddangos y cynnydd yn ei marciau. Lluniwch graff addas ar gyfer Siwan. Dewiswch eich graddfa'n ofalus.

b Nid yw brawd annifyr Siwan eisiau ei gweld yn cael gêm gyfrifiadurol. Mae o'n llunio graff gwahanol i ddangos marciau Siwan.
Lluniwch y graff fyddai brawd Siwan yn ei lunio.

6 Mae Clwb Golff Y Twyni yn trefnu twrnamaint bob blwyddyn.
Y flwyddyn ddiwethaf roedd y wobr ariannol yn £2000. Eleni mae'r wobr yn £4000. Mae'r clwb yn defnyddio'r poster yma i hysbysebu'r twrnamaint.
Pam y mae'r poster yma'n gamarweiniol?

7 Mae'r graff yma'n dangos elw misol cwmni menter yr ysgol.
Eglurwch pam y mae'r graff yn gamarweiniol.

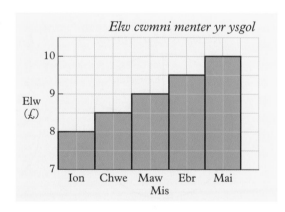

8 Mae'r tabl yma'n dangos sut mae gwerth car yn newid wrth iddo heneiddio.

Oed (blynyddoedd)	1	2	3	5	6	7
Gwerth (£)	9500	7800	7100	4000	3100	1700

a Lluniwch graff gwasgariad i ddangos y data yma.

b Disgrifiwch y cydberthyniad.

c Tynnwch y llinell ffit orau.

ch Amcangyfrifwch werth y car pan yw'n 4 oed.

1 Mae'r tabl yn dangos faint o danwydd mae gwahanol geir yn ei ddefnyddio, mewn milltiroedd y galwyn.

Tanwydd a ddefnyddir (myg)	Peiriant (cc)	Tanwydd a ddefnyddir (myg)	Peiriant (cc)	Tanwydd a ddefnyddir (myg)	Peiriant (cc)
33	1250	35	1300	32	1400
30	1500	32	1500	29	1600
30	1600	27	1800	28	1800
24	1900	25	1900	22	2000
25	2000	23	2000	20	2200
22	2200	20	2500		

a Defnyddiwch bapur graff i lunio diagram gwasgariad o'r data yma.

b Disgrifiwch y cydberthyniad.

c Tynnwch y llinell ffit orau.

ch Defnyddiwch y llinell ffit orau i amcangyfrif y tanwydd mae peiriant 1700 cc yn ei ddefnyddio.

2 Gwnaeth Helen arolwg o'r traffig y tu allan i'r ysgol.
Cofnododd faint o bobl oedd ym mhob car.
Mae'r siartiau cylch yma'n dangos ei data ar gyfer dau amser yn ystod y dydd.

Rhwng 8.15 a 9.00 am

Ceir gyda gyrrwr yn unig

Ceir gyda mwy o deithwyr

Rhwng 9.00 a 9.45 am

Ceir gyda mwy o deithwyr

Ceir gyda gyrrwr yn unig

a Amcangyfrifwch pa ganran o geir rhwng 8.15 a 9.00 am oedd yn cynnwys gyrrwr yn unig.

b Gwnaeth Helen arolwg o 80 car rhwng 8.15 a 9.00 am. Tua sawl car oedd yn cynnwys gyrrwr yn unig?

c Gwnaeth Helen arolwg o 80 car arall rhwng 9.00 a 9.45 am.
Amcangyfrifwch pa ganran o'r ceir oedd yn cynnwys gyrrwr yn unig.

ch Sut y newidiodd y nifer o geir gyda gyrrwr yn unig rhwng y ddau amser?
Allwch chi awgrymu beth oedd y rheswm am hyn?

d Lluniwch siart cylch newydd yn dangos canran y ceir sy'n cynnwys gyrrwr yn unig ar gyfer yr holl amser o 8.15 i 9.45 am.

- **Cydberthyniad**
  Mae'r graff yma yn dangos fod
  cyfnod cyfebru yn cynyddu wrth i
  hyd oes gynyddu. Mae
  cydberthyniad rhwng y ddau.

  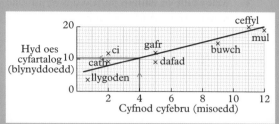

  Graffiau gwasgariad
  Gelwir graffiau fel hyn yn
  graffiau gwasgariad. Mae'r pwyntiau
  fel petaent yn fras ar linell syth.

  Llinell ffit orau   Gelwir y llinell yn **llinell ffit orau**.

- Gall cydberthyniad
  fod yn gryf neu'n wan.

  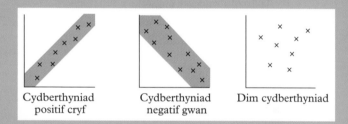

- Gallwch ddefnyddio siart cylch i ddangos canlyniadau arolwg.

  Enghraifft

Math o bysgodyn	penfras	lleden	sgampi	hadog
Nifer y cwsmeriaid	28	9	6	17

  Dangoswch y canlyniadau yma mewn siart cylch.

1 Mae 60 o bobl yn yr arolwg, a $360° ÷ 60 = 6°$
Mae hyn yn golygu fod pob un yn cael 6° o'r cylch.

2 Darganfyddwch beth yw'r ongl ar gyfer pob
pysgodyn. Mae hyn yn hawdd i'w wneud mewn tabl.
e.e. Yr ongl ar gyfer penfras yw $28 × 6° = 168°$

3 Gwiriwch fod yr onglau yn adio i 360°.

4 Lluniwch a labelwch y siart cylch.

- Weithiau defnyddir siartiau i gamarwain pobl.
  Gall newid graddfa diagram gael effaith fawr ar ei ymddangosiad.
  Pan fyddwch yn darllen diagramau ystadegol, dylech edrych yn ofalus bob amser
  ar y raddfa.

1 Mae'r tabl yn rhoi marciau 12 o ddisgyblion yn eu harholiadau mathemateg ym Mlwyddyn 9. Mae'r ddau bapur wedi eu marcio allan o 50.

   a Ar bapur graff lluniwch echelin ar gyfer Papur 1 ar draws y tudalen ac echelin ar gyfer Papur 2 i fyny'r tudalen.
       Trefnwch fod y ddwy echelin yn mynd hyd at 50.

Papur 1	14	36	25	48	39	28	47	40	26	34	18	32
Papur 2	12	37	20	46	40	23	41	35	19	21	19	29

   b Plotiwch y data. Tynnwch y llinell ffit orau.
   c Pa bapur yw'r un mwyaf hawdd yn eich tyb chi?
  ch Cafodd Myfyr farc gwaeth na'r disgwyl ym Mhapur 2.
       Beth oedd marc Myfyr ym Mhapur 2?
   d Roedd Brenda yn absennol pan safwyd Papur 1 ond cafodd 30 ym Mhapur 2.
       Rhowch farc amcan i Brenda ar gyfer Papur 1.

2 Gofynnodd Penny i'w dosbarth i ble fydden nhw'n hoffi mynd ar eu gwyliau. Lluniodd y siart cylch yma i ddangos ei chanlyniadau.

I ble mae fy nosbarth i eisiau mynd ar eu gwyliau

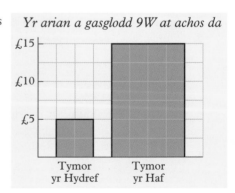

   a Pa ffracsiwn o'i dosbarth a ddewisodd Awstralia?
   b Tua pa ganran o'i dosbarth a ddewisodd Ewrop?
   c Mae 28 o ddisgyblion yn nosbarth Penny. Sawl disgybl a ddewisodd America?
  ch Gwnaeth Emlyn arolwg tebyg yn ei ddosbarth yntau.

Dewis o wyliau	Ewrop	Awstralia	America	Affrica	Asia
Nifer y disgyblion	10	6	8	2	4

    Lluniwch siart cylch i ddangos canlyniadau Emlyn.

3 Mae Sandra wedi llunio'r graff yma i ddangos faint o arian a gasglodd 9W at achos da yn Nhymor yr Hydref a Thymor yr Haf.
Pam y mae graff Sandra yn gamarweiniol?

Yr arian a gasglodd 9W at achos da

10 Tebygolrwydd

Storm drofannol gref, ddinistriol yw corwynt a achosir gan system dywydd gwasgedd isel. Ceir corwyntoedd mewn ardaloedd trofannol fel arfer rhwng mis Gorffennaf a mis Hydref.

Bydd proffwydi tywydd yn ceisio rhybuddio pobl pan fydd corwynt yn agosáu. Byddant yn defnyddio tebygolrwyddau i fesur pa mor debygol y bydd corwynt yn taro ardal arbennig.

1 ◀◀AILCHWARAE▶

Mae Ifor wedi prynu tocyn raffl.
Gwyliau yw'r wobr.
Mae'r archfarchnad wedi gwerthu
miloedd o docynnau.
Mae Ifor yn gwybod fod ei siawns ef o
ennill y gwyliau yn fychan iawn.

Tebygolrwydd	Mae **tebygolrwydd** yn dweud wrthym pa mor debygol yw rhywbeth o ddigwydd. Mae'n rhaid i bob tebygolrwydd fod rhwng 0 ac 1.

Enghreifftiau

1 Gwerthwyd 100 o docynnau mewn raffl.
Beth yw'r tebygolrwydd y bydd Alex yn ennill y wobr gyntaf os yw hi
wedi prynu:

    a 1 tocyn   **b** 5 tocyn?

    a Tebygolrwydd o ennill $= \dfrac{1}{100}$

    b Tebygolrwydd o ennill $= \dfrac{5}{100}$

                                     $= \dfrac{1}{20}$

2 Mae Arwel yn taflu dis.
    a Beth yw'r tebygolrwydd y bydd
        Arwel yn taflu tri?
    b Dangoswch y tebygolrwydd o gael
        tri ar raddfa tebygolrwydd.

    a Tebygolrwydd o gael tri $= \dfrac{1}{6}$

    b

Ymarfer 10:1

1 Gwerthwyd 500 o docynnau mewn raffl.
Beth yw'r tebygolrwydd y bydd Brian yn ennill y wobr gyntaf os yw wedi prynu:
a 1 tocyn **b** 5 tocyn **c** 10 tocyn?

2 Mae Sahid yn dewis un llythyren ar hap o'r gair Saesneg SUCCESS.
a Beth yw'r tebygolrwydd y bydd y llythyren fydd ef yn ei dewis yn:
(1) E (2) S?
b Copïwch y raddfa tebygolrwydd yma.

Dangoswch y tebygolrwydd o ddewis C ar y raddfa.

3 Mae Sam yn dewis rhif ar hap o'r rhestr yma.
5, 6, 7, 8, 9, 10, 11, 12
a Beth yw'r tebygolrwydd y bydd y rhif fydd o'n ei ddewis yn
(1) rhif dau ddigit (2) rhif llai na 7?
b Copïwch y raddfa tebygolrwydd yma.

Marciwch y tebygolrwydd y bydd Sam yn dewis eilrif ar y raddfa.

4 Mae bocs yn cynnwys 3 phensil goch, 5 pensil werdd a 4 pensil las.
Mae Pat yn dewis pensil ar hap. Beth yw'r tebygolrwydd:
a y bydd y bensil yn goch **c** y bydd y bensil yn wyrdd neu las
b y bydd y bensil yn wyrdd **ch** na fydd y bensil yn goch nac yn wyrdd?

5 Mae'r tabl yn dangos aelodau clwb ieuenctid.
a Faint o aelodau sydd dan 16 oed?
b Faint o aelodau sy'n ferched?
c Faint o aelodau sydd i gyd?
ch Dewisir aelod ar hap.
Beth yw'r tebygolrwydd y bydd yr aelod:
(1) yn ferch (2) dan 16 oed
(3) yn fachgen a thros 16 oed?

	Dan 16 oed	16 oed a throsodd
Bechgyn	18	26
Merched	21	25

6 Mae Catrin wedi gwneud arolwg o hoff chwaraeon ei ffrindiau.
Mae hi wedi llunio siart bar i ddangos ei data.

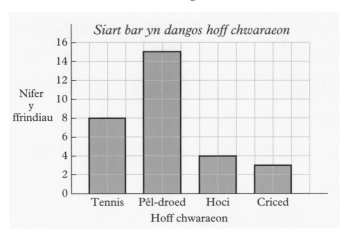

Siart bar yn dangos hoff chwaraeon

a Faint o ffrindiau Catrin a gymerodd ran yn yr arolwg?
b Dewisir un o ffrindiau Catrin ar hap.
Beth yw'r tebygolrwydd y bydd hoff chwaraeon y ffrind yn:
(1) tennis (2) hoci neu griced?
c Copïwch y raddfa tebygolrwydd yma.

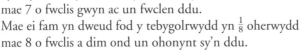

0   1

Ar eich graddfa, marciwch y tebygolrwydd y bydd hoff chwaraeon y ffrind
yn bêl-droed.

7 Mae gan Meical 7 o fwclis gwyn ac 1 fwclen ddu
mewn bag.
Mae'n tynnu mwclen o'r bag heb edrych.

Mae ei dad yn dweud fod y tebygolrwydd y
bydd y fwclen yn un ddu yn $\frac{1}{7}$ oherwydd
mae 7 o fwclis gwyn ac un fwclen ddu.
Mae ei fam yn dweud fod y tebygolrwydd yn $\frac{1}{8}$ oherwydd
mae 8 o fwclis a dim ond un ohonynt sy'n ddu.

a Ateb pwy sy'n gywir?
Pam y mae'r ateb arall yn anghywir?
b Mae Meical yn rhoi nifer gwahanol o fwclis yn y bag.
Nawr mae'r tebygolrwydd o ddewis mwclen ddu yn $\frac{3}{11}$.
Faint o fwclis du a faint o fwclis gwyn all fod yn y bag nawr?
Ai hwn yw'r unig ateb posibl? Rhowch eich rhesymau.

Mae tebygolrwyddau bob amser yn rhoi cyfanswm o 1.

Enghraifft

Mae'r tebygolrwydd y bydd Pedr yn mynd i fowlio rywbryd yr wythnos yma yn $\frac{3}{5}$.

Beth yw'r tebygolrwydd na fydd Pedr yn mynd i fowlio?

Tebygolrwydd na fydd Pedr yn mynd i fowlio $= 1 - \dfrac{3}{5}$

$$= \dfrac{2}{5}$$

Ymarfer 10:2

1 Mae'r tebygolrwydd y bydd y teulu Williams yn mynd i Ffrainc ar eu gwyliau yn $\frac{8}{9}$. Beth yw'r tebygolrwydd na fyddant yn mynd i Ffrainc ar eu gwyliau?

2 Mae 13 o bob 100 o bobl yn llawchwith.
Beth yw'r tebygolrwydd:
a y bydd rhywun a ddewisir ar hap yn llawchwith?
b na fydd rhywun a ddewisir ar hap yn llawchwith?

3 Mae Liam yn gorfod penderfynu pa chwaraeon i'w dewis fel gweithgaredd yn y prynhawn.
Rhoddir tebygolrwydd pob un o'i ddewisiadau yn y tabl.

Pêl-droed	Dringo	Nofio
0.40	0.25	0.35

a Ysgrifennwch y tebygolrwydd y bydd yn dewis
  (1) pêl-droed
  (2) dringo neu nofio.
b Beth yw'r tebygolrwydd na fydd yn dewis nofio?

4 Mae Marc yn dweud fod y tebygolrwydd y bydd ei dîm yn ennill eu gêm yn 0.6
Mae'r tebygolrwydd y byddant yn colli yn 0.3
Beth yw'r tebygolrwydd y bydd y tîm yn dod yn gyfartal?

5 Mae'r tebygolrwydd y bydd Samina yn mynd adref o'r disgo ar y bws yn 0.35 ac mewn tacsi yn 0.45.
Beth yw'r tebygolrwydd y bydd Samina yn mynd adref mewn unrhyw ffordd arall?

Mae Katie yn rhedeg ras 100 metr.
Mae chwech o redwyr yn y ras.

Nid yw pob un o'r rhedwyr **yr un mor debygol o ennill.**

Nid yw'r tebygolrwydd y bydd Katie yn ennill yn $\frac{1}{6}$

Mae'r tebygolrwydd yn dibynnu ar pa mor gyflym y gall Katie redeg.

Ymarfer 10:3

Penderfynwch a yw pob un o'r gosodiadau yma yn gywir neu'n anghywir.
Ysgrifennwch eich rheswm ym mhob achos.

1 Mae ffreutur yr ysgol yn gwerthu llaeth a cola.

Mae dewis o 2 ddiod felly mae'r tebygolrwydd y bydd rhywun yn prynu cola yn $\frac{1}{2}$

2 Mae gan ddarn arian 2 ochr, pen neu gynffon.

Mae'r tebygolrwydd o gael cynffon os byddwch yn taflu'r darn arian yn $\frac{1}{2}$

3 Yn yr haf, mae disgyblion Blwyddyn 9 yn cael dewis gwneud athletau, criced neu dennis.

Mae 3 math o chwaraeon, felly mae'r tebygolrwydd y bydd disgybl yn dewis tennis yn $\frac{1}{3}$

4 Mae 3 rhan ar y troellwr yma.

Mae'r tebygolrwydd y bydd yn glanio ar las yn $\frac{1}{3}$

5 Mae siop yn gwerthu peli coch, peli glas a pheli melyn.

Mae'r tebygolrwydd y bydd rhywun yn dewis prynu pêl goch yn $\frac{1}{3}$

6 Mae caffi yn gwerthu 2 fath o fyrbryd poeth: cŵn poeth a byrgyrs.
Mae Dafydd eisiau fyrbryd poeth.

Mae'r tebygolrwydd y bydd yn dewis byrgyr yn $\frac{1}{2}$

2 Amlder cymharol

Mae bag yn cynnwys 10 o fwclis. Mae rhai o'r mwclis yn goch a'r gweddill yn ddu. Mae Dafydd a Pavneet yn gorfod darganfod faint o fwclis o bob lliw sydd yn y bag, heb edrych. Maen nhw'n tynnu un fwclen o'r bag, yn cofnodi'r lliw ac yn ei rhoi'n ôl. Maen nhw'n gwneud hyn amryw o weithiau.

Sialens

Dyma weithgaredd i 2 neu fwy o bobl.

Bydd arnoch angen bag sy'n cynnwys 10 o fwclis. Peidiwch ag edrych i mewn i'r bag.

Tynnwch fwclen o'r bag heb edrych.

Nodwch liw'r fwclen ar gopi o'r tabl marciau rhifo yma. Rhowch y fwclen yn ôl. Mae'r ail 'chwaraewr' yn cael cynnig arni, yn nodi'r lliw ac yn rhoi'r fwclen yn ôl. Gwneir hyn 10 o weithiau.

Lliw	Marciau rhifo	Cyfanswm

Defnyddiwch y data a gasglwyd i ddyfalu beth yw cynnwys y bag.

Nawr dilynwch y camau samplu 10 o weithiau eto. Defnyddiwch y ddwy set o ddata i wella eich dyfaliad.

Gwnewch yr arbrawf nifer o weithiau nes tybiwch eich bod wedi darganfod gwir gynnwys y bag.
A yw eich ateb terfynol yn fwy dibynadwy na'r ateb cyntaf? Rhowch reswm am hyn.

Gwiriwch eich ateb drwy edrych ar gynnwys y bag.

Gofynnwch i'ch athro/athrawes am fag arall.
Darganfyddwch gynnwys y bag gan ddefnyddio'r dull uchod.

Mae Jên wedi taflu ei dis 100 o weithiau.
Mae hi wedi cofnodi'r rhif bob tro gan
ddefnyddio marciau rhifo.

Rhif	Marciau rhifo	Amlder
1	‖‖ ‖‖ ‖‖ ‖‖	19
2	‖‖ ‖‖ ‖‖	15
3	‖‖ ‖‖ ‖‖ ‖	16
4	‖‖ ‖‖ ‖‖ ‖‖‖	18
5	‖‖ ‖‖ ‖‖ ‖‖	17
6	‖‖ ‖‖ ‖‖	15

Mae Jên wedi galw'r golofn cyfanswm yn 'Amlder'.

Amlder

Amlder digwyddiad yw'r nifer o weithiau y ceir
y digwyddiad.

Mae Jên yn meddwl fod y dis yn un teg.
Os yw'n deg, mae'r tebygolrwydd o gael pob rhif yn $\frac{1}{6}$

Mae hi'n gwirio ei data i weld a yw'r dis yn un teg.
Mae hi'n defnyddio'r amlder cymharol o'i harbrawf.

**Amlder
cymharol**

Amlder cymharol digwyddiad $=$ $\dfrac{\text{amlder y digwyddiad}}{\text{amlder cyfan}}$

Mae amlder cymharol yn rhoi *amcangyfrif* o'r tebygolrwydd.

Mae data Jên yn dangos fod yr amlder o gael 1 ar ei dis yn 19.
Mae cyfanswm yr holl amlderau yn 100.

Amlder cymharol o gael $1 = \dfrac{19}{100}$

Mae Jên eisiau gweld a yw gwerth $\frac{1}{6}$ a $\frac{19}{100}$ yr un fath yn fras.

Mae hi'n trawsnewid y ddau yn ddegolion.

$\dfrac{1}{6} = 0.17$ (2 le degol) $\dfrac{19}{100} = 0.19$

Mae'r ddau werth yn agos iawn.

Mae'n bosibl i Jên gael gwell amcangyfrif o'r tebygolrwydd drwy wneud yr
arbrawf yn amlach.

Ymarfer 10:4

1 Taflodd Ceri ddau ddarn o arian 100 o weithiau.
Dyma'i data.

Canlyniad	Marciau rhifo	Amlder
2 ben	||||| ||||| ||||| ||||| ||	22
2 gynffon	||||| ||||| ||||| ||||| ||||| ||||| ||	27
pen, cynffon	||||| ||||| ||||| ||||| |||||	
																												51

Darganfyddwch amlder cymharol
a 2 ben **b** 2 gynffon **c** pen a chynffon
Rhowch eich atebion fel degolion.

2 Casglodd Seimon ddata yn ymwneud â lliwiau ceir oedd yn mynd heibio giât yr ysgol.
Dangosir ei ganlyniadau yn y tabl.

Lliw	Marciau rhifo	Amlder
du	||||| ||||	9
coch	||||| ||||| ||||| ||||| ||||| |||||	30
gwyn	||||| ||||| ||||| ||||| |||||		26
glas	||||| ||||| ||	12
gwyrdd	||||| ||||| ||||| ||||	19
arall	||||	4

a Faint o geir oedd yn arolwg Seimon?
b Beth yw amlder cymharol y lliw gwyn?
   Rhowch eich ateb fel (1) ffracsiwn (2) degolyn (3) canran.
c Beth yw amlder cymharol y lliw du?
   Rhowch eich ateb fel (1) ffracsiwn (2) degolyn (3) canran.
ch Beth yw lliw mwyaf tebygol y car nesaf fydd yn mynd heibio giât yr ysgol?
d Ysgrifennwch amcangyfrif ar gyfer y tebygolrwydd y bydd y car nesaf yn wyrdd.
   Rhowch eich ateb fel ffracsiwn.
dd Sut y gellir gwneud yr amcangyfrif o'r tebygolrwydd o wyrdd yn fwy dibynadwy?

3 Mae Alwena wedi gwneud arbrawf i weld sut mae pin bawd yn disgyn pan fydd yn cael ei ollwng ar y llawr. Dyma'r data sydd ganddi.

Lleoliad	Marciau rhifo	Amlder
pigyn i fyny	ЖН ЖН ЖН ЖН ЖН ЖН ЖН I	36
pigyn i lawr	ЖН ЖН ЖН ЖН IIII	24

a Faint o weithiau mae Alwena wedi gollwng y pin?
b Cyfrifwch amlderau cymharol y ddwy ffordd bosibl y gall y pin ddisgyn.
   Rhowch eich atebion fel degolion.
c Sut mae'r pin fwyaf tebygol o ddisgyn?
ch Sut gallai Alwena fod yn sicrach fyth o'i rhagfynegiad?

4 Mae Jason yn cynllunio gêm er mwyn codi arian at achos da yn yr ysgol. Mae disgyblion yn talu i gael chwarae'r gêm. Maen nhw'n rholio ceiniog ar y bwrdd yma ac yn ennill gwobrau, yn dibynnu ymhle mae'r geiniog yn glanio.
Os yw'r geiniog yn glanio yn union o fewn sgwâr coch mae'r disgybl yn ennill y swm o arian a nodir yn y sgwâr hwnnw.

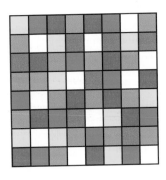

Mae angen i Jason wybod pa mor aml y bydd disgyblion yn ennill.
Yna gall benderfynu pa bris mynediad i'w godi a beth fydd gwerth y gwobrau.
Mae'n penderfynu rholio ceiniogau a chofnodi'r canlyniadau.
Dyma'r data sydd ganddo.

Canlyniad	Marciau rhifo	Amlder
ennill	ЖН ЖН II	12
colli	ЖН ЖН ЖН ЖН ЖН ЖН ЖН III	38

a Rhowch amcangyfrif ar gyfer y siawns y bydd disgybl yn ennill gydag un cynnig.
b Mae Jason yn penderfynu codi 5c ar ddisgyblion i gymryd rhan yn ei gêm.
   Faint o arian ddylai o gynnig fel gwobr?
   Cofiwch ei fod yn ceisio codi arian at achos da.

3 Rhestru canlyniadau

Mae Iwan a Mair wedi trefnu gêm ar gyfer ffair yr ysgol.
Mae'n rhaid i ddisgyblion daflu dau ddis.
Os byddant yn cael dau chwech byddant yn ennill car model.
Mae angen i Iwan a Mair gyfrifo beth yw'r tebygolrwydd y bydd rhywun yn ennill gwobr.
Maen nhw'n gwneud hyn drwy ddefnyddio diagram gofod sampl.

◀◀AILCHWARAE▶

| **Gofod sampl** | Rhestr o'r holl ganlyniadau posibl yw **gofod sampl**. |
| **Diagram gofod sampl** | Yr enw ar dabl sy'n dangos yr holl ganlyniadau posibl yw **diagram gofod sampl**. |

Enghraifft Mae Ifan yn taflu'r darn arian yma ac yn troelli'r troellwr yma.

a Lluniwch ddiagram gofod sampl.
b Ysgrifennwch y tebygolrwydd y bydd Ifan yn cael cynffon a 3.

a

		Rhif ar y troellwr			
		1	2	3	4
Darn arian	P	P, 1	P, 2	P, 3	P, 4
	C	C, 1	C, 2	C, 3	C, 4

b Dangosir wyth o ganlyniadau posibl yn y diagram.
Mae C,3 yn ymddangos unwaith. Mae'r tebygolrwydd o gael cynffon a 3 yn $\frac{1}{8}$

Ymarfer 10:5

1 Copïwch y diagram gofod sampl yma.
Llenwch y diagram i ddangos yr holl ganlyniadau posibl wrth daflu dau ddarn arian.

		darn 50c	
		P	C
darn 20c	P	...	...
	C	C, P	...

2 Mae darn arian a dis yn cael eu taflu.
Copïwch a chwblhewch y diagram gofod sampl yma i ddangos yr holl ganlyniadau posibl.

		Dis					
		1	2	3	4	5	6
Darn arian	P						
	C						

  a Beth yw nifer y canlyniadau posibl?
  b Beth yw'r tebygolrwydd o gael pen a thri?
  c Beth yw'r tebygolrwydd o gael cynffon ac eilrif?

3 Mae Alan a Fatima yn gwneud arbrawf tebygolrwydd.
Mae Alan yn tynnu mwclen o'i fag ar hap.
Mae bag Alan yn cynnwys 2 o fwclis coch a 4 o fwclis glas.
Mae Fatima yn tynnu mwclen ar hap o'i bag hithau.
Mae bag Fatima yn cynnwys 1 fwclen goch a 2 fwclen las.
  a Copïwch a chwblhewch y diagram gofod sampl yma.

		Alan					
		C	C	G	G	G	G
Fatima	C						
	G						
	G						

  b Beth yw nifer y canlyniadau posibl?
  c Beth yw'r tebygolrwydd o gael dwy fwclen las?
  ch Beth yw'r tebygolrwydd o gael un fwclen las ac un fwclen goch?

4 Mae Melanie yn defnyddio'r ddau ddroellwr yma.

  a Lluniwch ddiagram gofod sampl i ddangos yr holl ganlyniadau posibl.
  b Beth yw'r tebygolrwydd y bydd Melanie yn cael gwyn a 2?

5 Mae Cynan yn gweld gêm yn ffair yr ysgol.
"Taflwch ddau chwech i gael car model yn wobr".
Mae Cynan yn penderfynu rhoi cynnig arni.
Mae'n taflu'r ddau ddis.

a Lluniwch ddiagram gofod sampl i ddangos yr holl ganlyniadau posibl.
b Defnyddiwch eich diagram i ysgrifennu'r tebygolrwydd y bydd Cynan yn cael:
  (1) dau chwech   (3) dau eilrif
  (2) chwech a phedwar   (4) dau rif sy'n adio i wyth

Enghraifft Mae Peter yn gorfod tynnu dau gownter o fag
sy'n cynnwys y pedwar cownter lliw yma.
  a Rhestrwch yr holl ffyrdd posibl y gall Peter
  dynnu dau gownter o'r bag.
  b Os yw Peter yn tynnu'r cownteri heb edrych,
  beth yw'r tebygolrwydd y bydd yn cael coch
  a melyn?

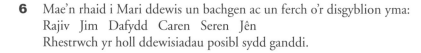

a coch, glas   coch, gwyrdd   coch, melyn
  glas, gwyrdd   glas, melyn   gwyrdd, melyn

b Gall Peter dynnu'r cownteri mewn chwe ffordd bosibl.
Mae'r tebygolrwydd o dynnu cownteri coch a melyn yn $\frac{1}{6}$

---

6 Mae'n rhaid i Mari ddewis un bachgen ac un ferch o'r disgyblion yma:
Rajiv Jim Dafydd Caren Seren Jên
Rhestrwch yr holl ddewisiadau posibl sydd ganddi.

7 Mae Catrin, Pam a Wendy yn cymryd rhan mewn cwis. Er mwyn penderfynu ym
mha drefn maen nhw'n ateb y cwestiynau, rhoddir eu henwau mewn bag.
Tynnir yr enwau o'r bag fesul un.
  a Rhestrwch yr holl ffyrdd posibl y gellir tynnu'r enwau o'r bag.
  b Ysgrifennwch y tebygolrwydd y bydd Wendy yn olaf.

8 Mae Andrew yn dewis pryd o fwyd a
diod o'r fwydlen yma.
  a Ysgrifennwch yr holl ddewisiadau sydd gan Andrew.
  b Eglurwch pam nad yw'r tebygolrwydd y bydd
  Andrew yn dewis pysgodyn a sglodion a the yn $\frac{1}{6}$

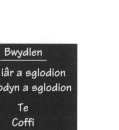

Bwydlen
Cyw iâr a sglodion
Pysgodyn a sglodion
Te
Coffi
Cola

4 Dulliau tebygolrwydd

Mae Caren a Rob eisiau amcangyfrif o'r tebygolrwydd y bydd yn glawio ar ddiwrnod ffair yr ysgol ym mis Mehefin.

Mae angen iddynt edrych ar *ddata*'r tywydd ym mis Mehefin yn ystod y blynyddoedd diwethaf.

Mae tri dull o ddarganfod tebygolrwyddau.

Dull 1   Defnyddio canlyniadau sydd yr un mor debygol
e.e. mae'r tebygolrwydd o gael 4 ar ddis yn $\frac{1}{6}$

Dull 2   Defnyddio arolwg neu wneud arbrawf
e.e. er mwyn darganfod y tebygolrwydd y bydd car sy'n mynd heibio'r ysgol yn goch, gwnewch arolwg o liwiau ceir sy'n mynd heibio'r ysgol.

Dull 3   Edrych ar ddata o'r gorffennol.
e.e. er mwyn darganfod y tebygolrwydd y bydd hi'n glawio ar ddiwrnod ym mis Mehefin, edrychwch ar nifer y dyddiau glawog ym mis Mehefin yn y gorffennol.

Ymarfer 10:6

Edrychwch ar bob un o'r sefyllfaoedd yng nghwestiynau **1–10**.
Penderfynwch pa un ai *dull 1, dull 2* ynteu *ddull 3* fyddech chi'n ei ddefnyddio i amcangyfrif y tebygolrwyddau.

Os byddwch yn dewis *dull 1*, ysgrifennwch y tebygolrwydd.
Os byddwch yn dewis *dull 2*, disgrifiwch yr arolwg neu'r arbrawf fyddech chi'n ei wneud.
Os byddwch yn dewis *dull 3*, disgrifiwch y data fyddai ei angen arnoch.

1   Y tebygolrwydd y byddwch yn ennill raffl os byddwch yn prynu un tocyn a
    100 o docynnau wedi cael eu gwerthu.

2   Y tebygolrwydd y bydd tost yn glanio
    â'r menyn i fyny.

3   Y tebygolrwydd y bydd disgybl sy'n cael ei ddewis ar hap o'ch ysgol
    chi yn cael grawnfwyd i frecwast.

4   Y tebygolrwydd y bydd hi'n bwrw eira yn Llundain ar
    25 Rhagfyr eleni.

5   Y tebygolrwydd y bydd y
    troellwr yma'n glanio ar goch.

6   Y tebygolrwydd y bydd y car nesaf fydd yn dod i lawr ffordd yn un gwyrdd.

7   Y tebygolrwydd y bydd disgybl yn dewis tennis pan fydd yn cael cynnig
    gwneud athletau, criced neu dennis.

8   Y tebygolrwydd na fydd yr un darn o sbwriel yn neuadd eich ysgol chi ar
    ddiwedd y prynhawn.

9   Y tebygolrwydd y bydd disgybl a ddewisir ar hap o'ch ysgol chi yn dweud mai
    mathemateg yw ei hoff bwnc.

10 Y tebygolrwydd y bydd epidemig
    ffliw y gaeaf nesaf.

1 Mae Harriet yn gosod y mwclis yma mewn bag.
Mae hi'n tynnu mwclen o'r bag heb edrych.

a Pa liw mae Harriet fwyaf tebygol o'i
dynnu?

b Pa liw mae Harriet leiaf tebygol o'i
dynnu?

c Mae Harriet eisiau i'r holl liwiau gael siawns hafal.
Pa fwclis sydd angen i Harriet eu
hychwanegu at y mwclis sydd yn ei bag?

2 Mae gan Dafydd 14 o hosanau yn ei ddrôr. Mae wyth ohonynt yn ddu a'r
gweddill yn wyn. Mae Dafydd yn tynnu hosan ar hap. Beth yw'r tebygolrwydd y
bydd yr hosan yn un

a ddu **b** wen **c** las?

3 Mae Carol yn rhoi 12 o gownteri mewn bag.
Mae hi'n tynnu un cownter o'r bag ar hap ac yn cofnodi'r lliw.
Yna mae Carol yn rhoi'r cownter yn ôl.
Mae hi'n gwneud hyn 12 o weithiau.
Dyma dabl marciau rhifo Carol:

Lliw	Marciau rhifo	Cyfanswm
gwyrdd	Жɪ l	6
melyn	llll	4
coch	ll	2

a Mae Carol yn dweud, "Mae'n rhaid fod 6 o gownteri gwyrdd yn fy mag
oherwydd mae 6 gwyrdd yn fy nhabl".
Eglurwch pam y mae Carol yn anghywir.

b Beth yw'r nifer lleiaf o gownteri coch a all fod yn y bag?

c Mae Carol yn dweud, "Mae'n amhosibl fod yr un cownter glas yn fy mag
oherwydd nid oes unrhyw las yn fy nhabl".
Eglurwch pam y mae Carol yn anghywir.

4 Gnewch dri chopi o'r troellwr yma.

a Lliwiwch y copïau fel bo gan bob rhan sydd wedi ei
lliwio y tebygolrwydd a roddir.

(1) Mae gan y rhan sydd wedi ei thywyllu ddwbl siawns
y rhan sydd heb ei thywyllu.

(2) Mae tebygolrwydd y rhan sydd wedi ei thywyllu yn 75%.

(3) Mae tebygolrwydd y rhan sydd wedi ei thywyllu tua 40%.

b Copïwch y raddfa tebygolrwydd yma.

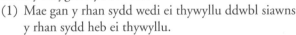

```
0                                        1
├─────────────────────────────────────────┤
```

Ar eich graddfa dangoswch debygolrwydd y rhan sydd wedi ei thywyllu ar
gyfer pob un o'r tri throellwr.

5 a Mae'r tebygolrwydd o gael 6 ar ddis tueddol yn $\frac{1}{4}$
Ysgrifennwch y tebygolrwydd o beidio â chael 6.

b Mae'r tebygolrwydd y bydd o leiaf un disgybl yn 9M yn anghofio ei lyfr mathemateg yn 90%.
Beth yw'r tebygolrwydd y bydd pob un o ddisgyblion 9M yn cofio dod â'u llyfrau mathemateg?

6 Mae siop yr ysgol yn gwerthu'r creision canlynol: halen a finegr, bacwn, caws a nionyn.
Gan fod 3 blas gwahanol mae Chris yn dweud fod y tebygolrwydd y bydd rhywun yn prynu creision caws a nionyn yn $\frac{1}{3}$
Eglurwch pam y mae Chris yn anghywir.

7 Mae Hywel wedi gwneud arolwg ar y math o gerbydau sy'n mynd heibio'r ysgol. Rhoddir ei ganlyniadau yn y tabl.

Cerbyd	Amlder
car	64
lori	12
bws	15
beic modur	9

a Faint o gerbydau i gyd sydd yn yr arolwg?
b Ysgrifennwch amlder cymharol pob math o gerbyd fel:
(1) ffracsiwn   (2) degolyn   (3) canran.
c Mae Hywel yn clywed sŵn cerbyd arall yn agosáu. Pa fath o gerbyd fydd hwn yn ôl pob tebyg?

8 Mae Pam yn cymysgu pecyn o gardiau. Mae hi'n dewis cerdyn, yn nodi'r siwt ac yn rhoi'r cerdyn yn ei ôl. Yna mae Pam yn cynnig y pecyn i Gwion sydd hefyd yn dewis cerdyn.
a Copïwch y diagram gofod sampl yma a'i lenwi.

		Cerdyn Pam			
		M	D	C	R
Cerdyn	R				
Gwion	C				
	D				
	M				

b Ysgrifennwch y tebygolrwydd:
(1) y bydd y cardiau yn cynnwys cerdyn calonnau a cherdyn mwyar duon
(2) y bydd y ddau gerdyn yn goch
(3) y bydd lliw y ddau gerdyn yr un fath
(4) y bydd siwt y ddau gerdyn yr un fath

1 Mae gan Manon 20 o fwclis tri gwahanol liw mewn bag.
Mae hi eisiau darganfod faint o fwclis o bob lliw sydd yn y bag,
heb edrych.
Mae Manon yn tynnu mwclen o'r bag ac yn nodi'r lliw.
Yna mae Manon yn rhoi'r fwclen yn ôl yn y bag.
Mae hi'n gwneud hyn 60 o weithiau.

Mae'r tabl yn dangos canlyniadau Manon.

Lliw	Amlder
coch	29
gwyn	11
melyn	20

  a Ysgrifennwch beth yw amlder cymharol pob lliw fel ffracsiwn.
  b Sawl mwclen o bob lliw sydd gan Manon yn eich tyb chi?
  c Sut gall Manon wella'i siawns o fod yn gywir ynglŷn â nifer
    y mwclis?

2 Mae'r peiriant diodydd yma wedi torri.
Ni allwch ddewis pa ddiod fydd yn dod allan!

Mae Jên yn hoffi pob un o'r diodydd.
Dim ond cawl cyw iâr mae Paul yn hoffi.

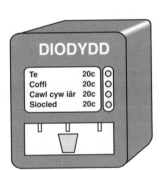

Mae Jên a Paul yn prynu un ddiod yr un.

  a Ysgrifennwch y tebygolrwydd:
    (1) y bydd Jên yn cael diod mae hi'n hoffi.
    (2) y bydd Paul yn cael diod mae o'n hoffi.

  b Copïwch y raddfa tebygolrwydd yma.

    Marciwch y tebygolrwyddau o ran **a** ar eich graddfa.

  c Mae Ann yn prynu diod. Mae'r saeth yn dangos y tebygolrwydd y bydd
    Ann yn cael diod mae hi'n ei hoffi.

    (1) Faint o'r diodydd mae Ann yn hoffi?
    (2) Lluniwch raddfa tebygolrwydd newydd.
       Marciwch y tebygolrwydd y bydd Ann yn cael diod nad yw'n ei hoffi.

- **Tebygolrwydd** Mae **tebygolrwydd** yn dweud wrthym pa mor debygol yw rhywbeth o ddigwydd. Mae'n rhaid i bob tebygolrwydd fod rhwng 0 ac 1.

Enghraifft Gwerthwyd 100 o docynnau mewn raffl.
Beth yw'r tebygolrwydd y bydd Alex yn ennill y wobr gyntaf os yw hi wedi prynu:
a 1 tocyn **b** 5 tocyn?

a Tebygolrwydd o ennill $= \dfrac{1}{100}$ **b** Tebygolrwydd o ennill $= \dfrac{5}{100} = \dfrac{1}{20}$

Mae tebygolrwyddau bob amser yn rhoi cyfanswm o 1.

Enghraifft Mae'r tebygolrwydd y bydd Pedr yn mynd i fowlio rywbryd yr wythnos yma yn $\frac{3}{5}$

Beth yw'r tebygolrwydd na fydd Pedr yn mynd i fowlio?

Tebygolrwydd na fydd Pedr yn mynd i fowlio $= 1 - \dfrac{3}{5} = \dfrac{2}{5}$

- **Amlder cymharol** **Amlder cymharol** digwyddiad $= \dfrac{\text{amlder y digwyddiad}}{\text{amlder cyfan}}$

Mae amlder cymharol yn rhoi *amcangyfrif* o'r tebygolrwydd.
Mae Jên wedi taflu dis 100 o weithiau.
Mae data Jên yn dangos fod yr amlder o gael 1 ar ei dis yn 19.
Mae cyfanswm yr holl amlderau yn 100.

Amlder cymharol o gael 1 $= \dfrac{19}{100}$

- **Gofod sampl** Rhestr o holl ganlyniadau posibl arbrawf yw **gofod sampl**.

Diagram gofod sampl Yr enw ar dabl sy'n dangos yr holl ganlyniadau posibl yw **diagram gofod sampl**.

Enghraifft Mae Ifan yn taflu'r darn arian yma ac yn troelli'r troellwr yma. Lluniwch ddiagram gofod sampl.

		Rhif ar y troellwr			
		1	2	3	4
Darn arian	P	P, 1	P, 2	P, 3	P, 4
	C	C, 1	C, 2	C, 3	C, 4

1 Rhoddir y mwclis yma yn y bag.
   Yna mae Morfudd yn tynnu mwclen
   o'r bag heb edrych.

   a Beth yw'r tebygolrwydd y bydd
         Morfudd yn cael:
         (1) mwclen goch
         (2) mwclen werdd
         (3) mwclen ddu?

   b Mae Morfudd eisiau i'r holl liwiau gael siawns hafal.
         Pa fwclis sydd angen iddi eu hychwanegu i'r bag?

2 Penderfynwch pa un ai yw'r gosodiadau canlynol yn gywir ynteu'n anghywir:
   a Mae Blwyddyn 9 yn gallu dewis astudio Ffrangeg neu Almaeneg.
         Mae 2 ddewis felly mae'r tebygolrwydd y bydd disgybl yn dewis Ffrangeg yn $\frac{1}{2}$
   b Mae dis cyffredin yn cael ei daflu. Mae 6 o rifau felly mae'r tebygolrwydd o
         gael 5 yn $\frac{1}{6}$

3 Mae'r tebygolrwydd fod gan ddisgybl Blwyddyn 9, sydd wedi ei ddewis ar hap,
   gyfrifiannell gwyddonol yn 0.8. Ysgrifennwch y tebygolrwydd nad oes gan y
   disgybl Blwyddyn 9 yma gyfrifiannell gwyddonol.

4 Cofnododd siop prydau parod y 100 pryd cyntaf a brynwyd un nos Sadwrn.
   Dyma'r canlyniadau:

Pryd	Amlder
cyw iâr a sglodion	35
pysgodyn a sglodion	31
cyri cyw iâr	14
corgimwch a reis wedi ei ffrio	20

   a Ysgrifennwch amlder cymharol pysgodyn a sglodion fel:
         (1) ffracsiwn   (2) degolyn   (3) canran
   b Mae cwsmer newydd yn dod i mewn i brynu pryd.
         Pa bryd mae'r cwsmer fwyaf tebygol o'i brynu?

5 Mae Betsan yn troelli'r troellwr yma.
   Mae hi hefyd yn taflu dis.

   a Lluniwch ddiagram gofod sampl i ddangos
         y canlyniadau posibl.
   b Defnyddiwch eich diagram i ysgrifennu'r
         tebygolrwydd o gael:
         (1) coch a 6   (2) gwyrdd ac 1

11 Algebra: agosáu at yr ateb

Pan fydd roced yn cael ei lansio, mae'n rhaid iddi fynd o afael disgyrchiant y Ddaear. Er mwyn gwneud hyn, mae'n rhaid i'r roced gyflymu i gyrraedd cyflymder dianc, sy'n 11 km/s. Mae'n rhaid iddi wneud hyn yn raddol, er mwyn osgoi cael ei llosgi gan y gwres a gynhyrchir gan wrthiant aer.

1 Cynnig a gwella

Mae Paul yn gwneud cyri.
Mae o'n ychwanegu'r powdr cyri.
Nid yw Paul eisiau i'r cyri fod yn rhy ddi-flas nag yn rhy boeth.
Gall Paul flasu'r cyri i weld a yw'n ddigon poeth.
Gall ychwanegu mwy o bowdr cyri os oes angen.
Os yw'n rhy boeth gall wneud cyri gwannach y tro nesaf.

Gallwch ddatrys hafaliadau drwy gynnig gwerthoedd gwahanol er mwyn agosáu at yr ateb cywir.
Yr enw ar hyn yw cynnig a gwella.

Enghraifft

$x^2 + x = 37$
Mae gwerth x rhwng pâr o rifau 1 lle degol.
Darganfyddwch y rhifau yma gan ddefnyddio'r dull cynnig a gwella.

Gwerth x	Gwerth x^2	Gwerth $x^2 + x$	
5	25	30	rhy fach
6	36	42	rhy fawr
5.5	30.25	35.75	rhy fach
5.6	31.36	36.96	rhy fach
5.7	32.49	38.19	rhy fawr

Mae x rhwng 5.6 a 5.7

Ymarfer 11:1

1 Edrychwch ar yr hafaliad $x^2 + x = 60$
Mae gwerth x rhwng pâr o rifau 1 lle degol.
Darganfyddwch y rhifau yma gan ddefnyddio'r dull cynnig a gwella. Defnyddiwch y tabl yma.

Gwerth x	Gwerth x^2	Gwerth $x^2 + x$	

2 Edrychwch ar yr hafaliad $x^2 + x = 95$

Mae gwerth x rhwng pâr o rifau 1 lle degol. Darganfyddwch y rhifau yma gan ddefnyddio'r dull cynnig a gwella. Defnyddiwch y tabl yma.

Gwerth x	Gwerth x^2	Gwerth $x^2 + x$	

Ar gyfer pob un o'r hafaliadau yng nghwestiynau **3–6**:

Mae gwerth x rhwng pâr o rifau 1 lle degol.

Darganfyddwch y rhifau yma gan ddefnyddio'r dull cynnig a gwella.

3 $x^2 + x = 53$ **5** $x^2 + x = 134$

4 $x^2 + x = 18$ **6** $x + x^2 = 77$

Enghraifft   Datryswch $x^2 + 3x = 82$

Defnyddiwch y dull cynnig a gwella.

Rhowch eich ateb yn gywir i 1 lle degol.

Gwerth x	Gwerth x^2	Gwerth $3x$	Gwerth $x^2 + 3x$	
8	64	24	88	rhy fawr
7.5	56.25	22.5	78.75	rhy fach
7.6	57.76	22.8	80.56	rhy fach
7.7	59.29	23.1	82.39	rhy fawr: x rhwng 7.6 a 7.7

Rhowch gynnig ar 7.65 i weld a yw x rhwng 7.6 a 7.65 ynteu rhwng 7.65 a 7.7

| 7.65 | 58.5225 | 22.95 | 81.4725 | rhy fach |

Mae x rhwng 7.65 a 7.7

Mae x yn talgrynnu i 7.7

Ateb: $x = 7.7$ i 1 lle degol.

Datryswch yr hafaliadau yng nghwestiynau **7–11** gan ddefnyddio'r dull cynnig a gwella. Rhowch bob ateb yn gywir i 1 lle degol.

7 $x^2 + 2x = 82$ **9** $x^2 + 3x = 145$

8 $2x + x^2 = 115$ **10** $x^2 + 4x = 71$

11 $x(x + 1) = 48$ *Cofiwch:* $x(x + 1) = x \times (x + 1)$

Defnyddiwch y tabl yma:

Gwerth x	Gwerth $x + 1$	Gwerth $x(x + 1)$	
6	7	42	rhy fach

● **12** Mae Carwyn yn ymchwilio i betryalau â pherimedrau o 20 cm.

   a Mae Carwyn yn llunio un o'r petryalau.
      Mae hyd y petryal yn 7 cm.
      (1) Beth yw lled y petryal?
      (2) Beth yw ei arwynebedd?

      ? cm

      7 cm

   b Mae Carwyn yn llunio petryal arall â pherimedr o 20 cm.
      Mae hyd y petryal yn 9 cm.
      (1) Beth yw lled y petryal?   (2) Beth yw ei arwynebedd?

   c Copïwch y tabl yma i ddarganfod mwy o betryalau Carwyn.
      Llenwch y tabl.

Lled (cm)	Hyd (cm)	Arwynebedd (cm²)
1	9	9
2		
3	7	
4		
5		

  ch Beth yw cyfanswm y lled a'r hyd bob amser?

Mae Carwyn eisiau petryal gyda pherimedr o 20 cm ac arwynebedd o 22 cm².
Mae Carwyn yn galw lled ei betryal yn x. Mae'r hyd yn $10 - x$.
Mae Carwyn yn ysgrifennu'r hafaliad $x(10 - x) = 22$

   d Darganfyddwch x gan ddefnyddio'r dull cynnig a gwella.
      Rhowch werth x yn gywir i 1 lle degol.

Gwerth x	Gwerth $10 - x$	Arwynebedd	
3	7	21	

  dd Ysgrifennwch hydoedd dwy ochr y petryal ar gyfer y gwerth x yma.

Gallwch ddatrys hafaliadau gan ddefnyddio'r dull cynnig a gwella yn gywir i gymaint o leoedd degol ag sydd angen.

Enghraifft $x^2 + x = 49$ Mae x rhwng 6 a 7.
Mae gwerth x rhwng pâr o rifau 2 le degol.
Darganfyddwch y rhifau yma gan ddefnyddio'r dull cynnig a gwella.

Gwerth x	Gwerth x^2	Gwerth $x^2 + x$	
7	49	56	rhy fawr
6.5	42.25	48.75	rhy fach
6.6	43.56	50.16	rhy fawr: x rhwng 6.5 a 6.6
6.55	42.9025	49.4525	rhy fawr
6.52	42.5104	49.0304	rhy fawr
6.51	42.3801	48.8901	rhy fach

Mae x rhwng 6.51 a 6.52

Ymarfer 11:2

Ar gyfer pob un o'r hafaliadau yng nghwestiynau **1–4**:
Mae gwerth x rhwng pâr o rifau 2 le degol.
Darganfyddwch y rhifau yma gan ddefnyddio'r dull cynnig a gwella.

1 $x^2 + x = 79$

2 $x^2 + 2x = 19$

3 $x^2 + 4x = 93$

4 $x^2 + 3x = 39$

5 Edrychwch ar yr hafaliad yma: $x(24 + x) = 110$
Mae gwerth x rhwng pâr o rifau 2 le degol.
Darganfyddwch y rhifau yma gan ddefnyddio'r dull cynnig a gwella.

Gwerth x	Gwerth $24 + x$	Gwerth $x(24 + x)$	

6 Edrychwch ar yr hafaliad yma: $x^2 + x = 65$
Mae gwerth x rhwng pâr o rifau 3 lle degol.
Darganfyddwch y rhifau yma gan ddefnyddio'r dull cynnig a gwella.

Ymarfer 11:3

1 Mae'r botwm 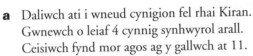 ar gyfrifiannell Kiran wedi torri.
Mae Kiran yn defnyddio'r dull cynnig a gwella i ddarganfod $\sqrt{11}$.
Dyma waith cyfrifo Kiran:

Cynnig 1 $3 \times 3 = 9$
Cynnig 2 $3.4 \times 3.4 = 11.56$
Cynnig 3 $3.3 \times 3.3 = 10.89$

a Daliwch ati i wneud cynigion fel rhai Kiran.
Gwnewch o leiaf 4 cynnig synhwyrol arall.
Ceisiwch fynd mor agos ag y gallwch at 11.
b Datryswch yr hafaliad $x^2 - 3 = 8$.
Gallwch ddefnyddio'r gwaith cyfrifo yn rhan **a** i'ch helpu.

2 Mae Lesley eisiau darganfod y gwerthoedd x sy'n gwneud yr hafaliad
$x^2 = 5x - 3$ yn gywir.
Mae Lesley yn cyfrifo gwerthoedd x^2 a $5x - 3$.
Mae hi'n tynnu gwerth $5x - 3$ o werth x^2.
Fel hyn mae Lesley yn cael y *gwahaniaeth* rhwng y ddau bâr o werthoedd.
Mae Lesley yn ysgrifennu pa un ai yw'r gwahaniaeth yn bositif neu'n negatif.

x	x^2	$5x - 3$	Gwahaniaeth	
-2	4	-13	17	positif
-1	1	-8	9	positif
0	0	-3	3	positif
1	1	2	-1	negatif
2	4	7	-3	negatif

a Mae Lesley yn gwybod fod yna werth x rhwng 0 ac 1 sy'n gwneud yr
hafaliad yn gywir.
Defnyddiwch dabl Lesley i egluro pam.
b Mae Lesley yn rhoi cynnig ar rifau 1 lle degol ar gyfer x.

x	x^2	$5x - 3$	Gwahaniaeth	
0.1	0.01	-2.5	2.51	positif
0.2	0.04	-2	2.04	positif

Copïwch dabl Lesley.
Mae gwerth x rhwng pâr o rifau 1 lle degol.
Daliwch ati i ychwanegu at dabl Lesley er mwyn darganfod y rhifau yma.

2 Anhafaleddau

Mae wyau yn cael eu pacio yn ôl eu maint.
Dyma'r meintiau: bach iawn, bach, canolig, mawr, mawr iawn.
Mae wy mawr iawn yn pwyso o leiaf 73 g.
Gallwch ysgrifennu 'màs wy mawr iawn ≥ 73 g'.

◄◄AILCHWARAE►

Anhafaleddau gan ddefnyddio rhifau cyfan

Anhafaleddau Gelwir yr arwyddion yma $< \leq > \geq$ yn arwyddion **anhafaledd**.

Enghreifftiau **1** Ysgrifennwch bum gwerth posibl cyntaf x os yw x yn rhif cyfan ac $x < 2$

Golyga $x < 2$ fod x yn llai na 2
Nid yw x yn hafal i 2, felly nid yw 2 yn cael ei gynnwys
Ateb: $-3, -2, -1, 0, 1$

2 Ysgrifennwch werthoedd posibl x os yw x yn rhif cyfan a $-2 < x \leq 4$

Mae -2 yn *llai nag x*, felly nid yw -2 yn cael ei gynnwys   Gwerthoedd posibl x yw
Gall x fod yn hafal i 4, felly mae 4 yn yr ateb $-1, 0, 1, 2, 3, 4$

Ymarfer 11:4

Ysgrifennwch bum gwerth posibl cyntaf x os yw x yn rhif cyfan.

1 $x > 4$ **3** $x \leq 7$ **5** $x \geq -4$ **7** $x < 3$

2 $x \geq 5$ **4** $x < 0$ **6** $x \leq -3$ **8** $x \leq -10$

Ysgrifennwch holl werthoedd x os yw x yn rhif cyfan.

9 $-4 \leqslant x < 2$ **11** $0 \leqslant x \leqslant 6$ **13** $-7 < x \leqslant -3$

10 $-5 < x < 4$ **12** $-10 < x < -5$ **14** $-1 < x < 1$

15 Ysgrifennwch werth isaf posibl x os yw $x > -1$ ac x yn rhif cyfan.

16 Ysgrifennwch werth uchaf posibl x os yw $x \leqslant -3$ ac x yn rhif cyfan.

17 $-12 \leqslant x < 16$ ac mae x yn rhif cyfan.
a Ysgrifennwch werth isaf posibl x.
b Ysgrifennwch werth uchaf posibl x.

Anhafaleddau lle gall x fod yn unrhyw rif

Mae Jason yn ysgrifennu gwerthoedd x ar gyfer yr anhafaledd $\geqslant 3$
Mae Jason yn gwybod fod hyn yn anodd gan nad yw x yn rhif cyfan.

Dyma rai o'r rhifau mae Jason yn eu hysgrifennu:

3, 3.1, 3.25, 3.33333…, $3\frac{1}{2}$, 4.6

Mae Jason yn llunio llinell rif oherwydd mae'n cynnwys holl werthoedd x *rhwng* 3 a 4, a holl werthoedd x *rhwng* 4 a 5 ac yn y blaen.

Dyma linell rif Jason.

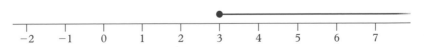

Mae Jason wedi lliwio'r cylch sydd uwchben y 3.
Mae hyn yn dangos fod 3 yn werth x posibl.

Enghraifft   Lluniwch linell rif i ddangos $-1 \leq x < 4$

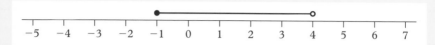

Nid yw'r cylch sydd uwchben y 4 wedi ei liwio.
Mae hyn yn dangos nad yw 4 yn un o werthoedd posibl x.

Ymarfer 11:5

Ysgrifennwch yr anhafaledd a ddangosir ar bob un o'r llinellau rhif yma.

1
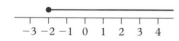

5
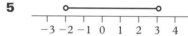

2

6
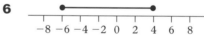

3
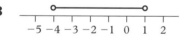

7
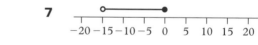

4
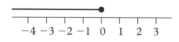

8

Lluniwch linellau rhif i ddangos yr anhafaleddau yma.

9 $x > 0$

11 $-2 \leq x < 1$

13 $x \geq 3$

10 $x \leq 2$

12 $0 < x < 5$

14 $-3 \leq x \leq 1$

Efallai y bydd angen i chi ddatrys anhafaledd.
Rydych yn gwneud hyn yn yr un modd ag a ddefnyddiwn i ddatrys hafaliad.

Enghreifftiau   Datryswch yr anhafaleddau yma.

1 $\dfrac{x}{3} \geqslant 5$ **2** $2x + 13 < 21$

1 $\dfrac{x}{3} \geqslant 5$

Lluoswch y ddwy ochr â 3 $\dfrac{x}{3} \times 3 \geqslant 5 \times 3$

                                    $x \geqslant 15$

2 $2x + 13 < 21$

Tynnwch 13 o'r ddwy ochr $2x + 13 - 13 < 21 - 13$

                                    $2x < 8$

Rhannwch y ddwy ochr â 2 $\dfrac{2x}{2} < \dfrac{8}{2}$

                                    $x < 4$

Ymarfer 11:6

Datryswch yr anhafaleddau yma.

1 $x + 4 < 6$ **7** $5x > 20$ **13** $2x + 1 < 5$

2 $x - 1 \geqslant 1$ **8** $x + 3 \geqslant 12$ **14** $3x - 4 < 20$

3 $\dfrac{x}{5} \geqslant 2$ **9** $x + 11 < 16$ **15** $5x + 1 \leqslant 26$

4 $\dfrac{x}{2} \geqslant 10$ **10** $\dfrac{x}{10} \leqslant 7$ **16** $3x - 10 > 5$

5 $3x < 9$ **11** $x + 25 < 30$ **17** $4x + 3 > 27$

6 $x - 6 > 0$ **12** $6x > 12$ ● **18** $2(3x - 1) \geqslant 10$

Ymarfer 11:7

1 Mae cogydd yn torri pizza yn chwe darn.
Mae'n rhaid fod pob rhan yn pwyso o leiaf 250 g.
Datryswch yr anhafaledd yma i ddarganfod pwysau
lleiaf y pizza cyfan.

$$\frac{\text{pwysau'r pizza}}{6} \geq 250$$

2 Mae lwfans bagiau Sinita ar gyfer ei gwyliau yn 20 kg.
Mae cês dillad Sinita yn pwyso 2.8 kg pan yw'n wag.
Datryswch yr anhafaledd yma i ddarganfod beth yw'r
pwysau mwyaf y gall Sinita ei bacio yn ei chês.

pwysau cynnwys bag Sinita $+ 2.8 \leq 20$

3 Mae'r car yma'n cario llwyth ar y
rhesel do.
Mae uchder y car heb y rhesel yn 1.5 m.
Datryswch yr anhafaledd i ddarganfod
uchder mwyaf posibl y rhesel a'r llwyth
fel y gall y car fynd i mewn i'r maes
parcio

$1.5 +$ uchder y rhesel a'r llwyth < 2.2

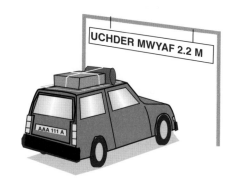

4 Mae Alec yn ffensio cae sgwâr i gadw defaid.
Mae Alec eisiau i arwynebedd y cae fod
o leiaf 576 m².
Dyma waith cyfrifo Alec:

Arwynebedd y cae $=$ hyd $\times$ lled
$= x \times x$
$= x^2$

Arwynebedd y cae ≥ 576
$x^2 \geq 576$

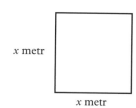

Datryswch yr anhafaledd i ddarganfod gwerth lleiaf posibl x.
Gallwch ddefnyddio'r dull cynnig a gwella.

1 Datryswch yr hafaliadau yma gan ddefnyddio'r dull cynnig a gwella.
Rhowch bob ateb yn gywir i 1 lle degol.
a $x^2 + x = 26$ **b** $x^2 + 2x = 37$ **c** $x^2 + 5x = 61$

2 Mae gwerth x rhwng pâr o rifau 2 le degol.
Darganfyddwch y rhifau yma gan ddefnyddio'r dull cynnig a gwella.
a $x^2 + x = 15$ **b** $x^2 + 2x = 105$ **c** $x^2 + 3x = 34$

3 Edrychwch ar yr hafaliad yma: $x(17 + x) = 75$
Mae gwerth x rhwng pâr o rifau 2 le degol.
Darganfyddwch y rhifau yma gan ddefnyddio'r dull cynnig a gwella.

Gwerth x	Gwerth $17 + x$	Gwerth $x(17 + x)$	

4 Mae Jên yn ceisio datrys yr hafaliad $x^3 = 50$
Dyma waith cyfrifo Jên:
    Cynnig 1 $3 \times 3 \times 3 = 27$
    Cynnig 2 $4 \times 4 \times 4 = 64$
    Cynnig 3 $3.5 \times 3.5 \times 3.5 = 42.875$
Daliwch ati i wneud cynigion fel rhai Jên.
Gwnewch o leiaf 4 cynnig synhwyrol arall.
Ceisiwch fynd mor agos at 50 ag y gallwch.

5 Mae Colin eisiau darganfod radiws y cylch yma.
Mae o'n gwybod fod arwynebedd y cylch yn 73 cm².
Mae Colin yn gwybod fod y fformiwla ar gyfer arwynebedd
cylch yn: Arwynebedd $= \pi r^2$.
Mae Colin yn defnyddio 3.14 fel gwerth π.
Dyma waith cyfrifo Colin:
    Cynnig 1 $3.14 \times 4 \times 4 = 50.24$
    Cynnig 2 $3.14 \times 5 \times 5 = 78.5$
    Cynnig 3 $3.14 \times 4.5 \times 4.5 = 63.585$

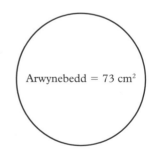

Arwynebedd = 73 cm²

a Daliwch ati i wneud cynigion fel rhai Colin.
Darganfyddwch radiws cylch Colin yn gywir i un lle degol.
b Mae Ffion eisiau darganfod radiws cylch, arwynebedd 138 cm².
Defnyddiwch y dull cynnig a gwella i ddarganfod radiws cylch Ffion, yn
gywir i 1 lle degol.

6 Ysgrifennwch bum gwerth cyntaf posibl x os yw x yn rhif cyfan.

    a $x > -9$ **b** $x \leqslant 1$ **c** $x \geqslant -8$ **ch** $x < -4$

7 Ysgrifennwch holl werthoedd x os yw x yn rhif cyfan.

    a $-3 < x < 4$ **b** $-1 \leqslant x \leqslant 6$ **c** $-2 \leqslant x < 1$

8 Tynnwch linell rif i ddangos pob un o'r anhafaleddau hyn.

    a $x \leqslant 1$ **b** $-5 \leqslant x \leqslant 0$ **c** $x > -3$ **ch** $-1 < x \leqslant 4$

9 Datryswch yr anhafaleddau yma.

    a $x + 5 > 7$ **c** $\dfrac{x}{4} \geqslant 8$ **d** $3x < 21$ **e** $\dfrac{x}{6} > 4$

    b $x - 7 \leqslant 1$ **ch** $8x < 16$ **dd** $x - 4 \geqslant 3$ **f** $x + 12 < 20$

10 Datryswch yr anhafaleddau yma.

    a $7x - 4 < 38$ **b** $5x + 9 > 24$ **c** $4x - 13 \leqslant 23$

11 Pa rai o'r gwerthoedd x yma sy'n gwneud yr anhafaledd $3x + 4 > 10$ yn gywir?

    a $x = 2$ **b** $x = 15$ **c** $x = 0$ **ch** $x = 3.5$

12 Ysgrifennwch werth x sy'n gwneud y ddau anhafaledd yma'n gywir.

    $x + 5 < 17$ $3x > 33$

13 Ysgrifennwch werth x sy'n gwneud y ddau anhafaledd yma'n gywir.

    $x - 16 > 7$ $4x < 96$

14 Mae Siôn yn dosbarthu papurau newydd.
Mae'n cael £9.45 yr wythnos.
Mae Siôn yn mynd i gael codiad cyflog.
Bydd ei gyflog newydd o leiaf £10.37.
Datryswch yr anhafaledd yma i ddarganfod y
codiad cyflog lleiaf posibl mae Siôn yn debyg
o'i gael.

    $9.45 + \text{codiad} \geqslant 10.37$

1 Darganfyddwch werth x yn yr hafaliadau yma yn gywir i 2 le degol.
Gwnewch dabl a defnyddiwch y dull cynnig a gwella.
a $x^2 + 5x = 75$ **b** $x^2 + 3x = 17$

2 Mae gwerth x rhwng pâr o rifau 2 le degol.
Darganfyddwch y rhifau yma gan ddefnyddio'r dull cynnig a gwella.
Lluniwch dabl a defnyddiwch y dull cynnig a gwella.
a $x^3 = 95$ $(x^3 = x \times x \times x)$ **b** $x^2 + \sqrt{x} = 30$

3 Dyma'r rhifau triongl.

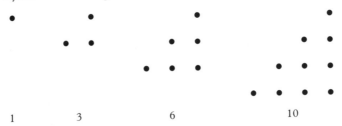

1   3   6   10

   a Lluniwch ddiagramau i ddarganfod y 5ed a'r 6ed rhif triongl.
   b Y fformiwla ar gyfer y rhifau triongl yw $\frac{1}{2}(n^2 + n)$.
      Profwch fod y fformiwla yn gweithio ar gyfer y 6ed rhif triongl.
   c Defnyddiwch eich fformiwla i ddarganfod beth yw'r 31fed rhif triongl.
   ch Defnyddiwch y dull cynnig a gwella i ddarganfod y rhif triongl cyntaf sy'n fwy na
       1000.

4 Mae gwerth x rhwng pâr o rifau 3 lle degol yn yr hafaliad
$x(20 + x) = 58$
Darganfyddwch y rhifau yma gan ddefnyddio'r dull cynnig a gwella.
Defnyddiwch y tabl yma.

Gwerth x	Gwerth $20 + x$	Gwerth $x(20 + x)$	

5 Mae Steffan wedi llunio petryal sy'n 8 cm
o hyd a 5 cm o led.
Mae Steffan yn penderfynu fod yn rhaid i'r petryal
fod yn fwy. Mae o eisiau i arwynebedd y petryal
fod o leiaf 68 cm².
Mae Steffan yn ysgrifennu:
     Arwynebedd $= 8 \times (5 + x)$
     $8(5 + x) \geqslant 68$
Datryswch anhafaledd Steffan i ddarganfod
yr hyd ychwanegol sydd ei angen arno.

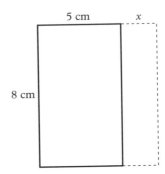

- *Enghraifft* Datryswch $x^2 + 3x = 82$
  Defnyddiwch y dull cynnig a gwella.
  Rhowch eich ateb yn gywir i 1 lle degol.

Gwerth x	Gwerth x^2	Gwerth $3x$	Gwerth $x^2 + 3x$	
8	64	24	88	rhy fawr
7.5	56.25	22.5	78.75	rhy fach
7.6	57.76	22.8	80.56	rhy fach
7.7	59.29	23.1	82.39	rhy fawr: x rhwng 7.6 a 7.7

Rhowch gynnig ar 7.65 i ddarganfod a yw x rhwng 7.6 a 7.65 ynteu rhwng 7.65 a 7.7

| 7.65 | 58.5225 | 22.95 | 81.4725 | rhy fach |

Mae x rhwng 7.65 a 7.7   felly mae x yn talgrynnu i 7.7
Ateb: $x = 7.7$ i 1 lle degol.

- *Enghraifft* Ysgrifennwch werthoedd posibl x os yw x yn rhif cyfan a
  $-2 < x \leqslant 4$

  Gwerthoedd posibl x yw $-1, 0, 1, 2, 3, 4$
  (Mae -2 yn llai nag x, felly nid yw -2 yn cael ei gynnwys. Gall x fod
  yn hafal i 4, felly mae 4 yn yr ateb)

- Gallwch dynnu llinell rif i ddangos anhafaledd.

  Enghraifft Tynnwch linell rif i ddangos $-1 \leqslant x < 4$

  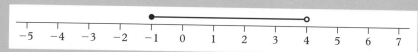

  Nid yw'r cylch uwchben y 4 yn cael ei liwio.
  Mae hyn yn dangos nad yw 4 yn un o werthoedd posibl x.

- *Enghraifft* Datryswch yr anhafaledd $2x + 13 < 21$

  $$2x + 13 < 21$$

  Tynnwch 13 o'r ddwy ochr $$2x + 13 - 13 < 21 - 13$$

  $$2x < 8$$

  Rhannwch y ddwy ochr â 2 $$\frac{2x}{2} < \frac{8}{2}$$

  $$x < 4$$

1 Datryswch yr hafaliadau hyn gan ddefnyddio'r dull cynnig a gwella.
Rhowch bob ateb yn gywir i 1 lle degol.

  a $x^2 + x = 46$ **b** $x^2 + 3x = 21$

2 Edrychwch ar yr hafaliad yma: $x(x + 5) = 34$
Mae gwerth x rhwng pâr o rifau 2 le degol.
Darganfyddwch y rhifau yma gan ddefnyddio'r dull cynnig a gwella.

Gwerth x	Gwerth $x + 5$	Gwerth $x(x + 5)$	

3 Mae Rachel yn defnyddio'r dull cynnig a gwella i ddarganfod $\sqrt{19}$.
Dyma waith cyfrifo Rachel:

    Cynnig 1 $4 \times 4 = 16$
    Cynnig 2 $4.3 \times 4.3 = 18.49$
    Cynnig 3 $4.4 \times 4.4 = 19.36$

  a Daliwch ati i wneud cynigion fel rhai Rachel.
    Gwnewch o leiaf 4 cynnig synhwyrol arall.
    Ceisiwch fynd mor agos at 19 ag y gallwch.
  b Datryswch yr hafaliad $x^2 + 4 = 23$
    Gallwch ddefnyddio'ch gwaith cyfrifo yn rhan **a** i'ch helpu.

4 Ysgrifennwch y pum gwerth cyntaf posibl x ar gyfer yr anhafaleddau yma.
Mae x yn rhif cyfan.

  a $x > -8$ **b** $x < -5$ **c** $x \geqslant -6$ **ch** $x \leqslant 7$

5 Ysgrifennwch holl werthoedd x ar gyfer yr anhafaleddau yma.
Mae x yn rhif cyfan.

  a $-3 < x < 6$ **b** $-3 \leqslant x \leqslant 1$ **c** $0 \leqslant x < 5$

6 Tynnwch linell rif i ddangos pob un o'r anhafaleddau yma.

  a $x \leqslant 3$ **c** $x > -5$
  b $-4 \leqslant x \leqslant 1$ **ch** $-1 \leqslant x < 2$

7 Datryswch yr anhafaleddau yma.

  a $x + 1 > 7$ **ch** $4x < 16$

  b $\dfrac{x}{7} > 4$ **d** $2x + 5 \leqslant 17$

  c $3x < 21$ **dd** $4x - 12 \geqslant 20$

12 Degolion

Mewn mathemateg printiedig nid ydym yn defnyddio'r coma mewn rhifau. Beth yw'r rheswm am hyn?

1 Defnyddio cyfrifiannell

Nid bracedi fel 'na oeddwn i'n feddwl ...

Y botwm cromfachau

Enghraifft

Cyfrifwch y canlynol: 35 (14 + 9)

Mae arnoch angen y botymau cromfachau i wneud hyn.
Cofiwch: Mae 35 (14 + 9) yn golygu $35 \times (14 + 9)$

$$\boxed{3}\ \boxed{5}\ \boxed{\times}\ \boxed{(}\ \boxed{1}\ \boxed{4}\ \boxed{+}\ \boxed{9}\ \boxed{)}\ \boxed{=}$$

Ateb: 805

Ymarfer 12:1

Gwnewch y canlynol gan ddefnyddio'r botymau cromfachau.

1 $6(24 + 11)$

2 $67 - (76 - 34)$

3 $24(45 + 57)$

4 $(34 \times 5) - (23 + 44)$

5 $102 \div (38 + 13)$

6 $(86 - 21) \times (45 - 39)$

7 $25(22 - 9)$

8 $(87 - 63) - (54 - 49)$

Ymarfer 12:2

Rhowch gynnig ar bob un o'r dilyniannau botymau yn yr ymarfer yma.
Defnyddiwch gyfrifiannell gwyddonol.

1   Mae Paul a Catrin yn cyfrifo $25 - 8 \times 2$

Mae Paul yn gwneud y sym yn ei ben fel hyn: $25 - 8 \times 2 = 17 \times 2 = 34$

Mae Catrin yn defnyddio'i chyfrifiannell gwyddonol.

2 **5** **–** **8** **×** **2** **=**   Ateb: 9

a   Ateb pwy sy'n gywir?
b   Beth mae'r llall wedi ei wneud yn anghywir?

2   Mae Gari a Rita yn cyfrifo $\dfrac{12 + 15}{3}$

Mae Gari yn cyfrifo'r ateb ar ei gyfrifiannell gwyddonol.

1 **2** **+** **1** **5** **÷** **3** **=**   Ateb: 17

Mae Rita yn gwneud y cwestiwn yn ei phen fel hyn: $\dfrac{12 + 15}{3} = \dfrac{27}{3} = 9$

a   Ateb pwy sy'n gywir?
b   Beth mae'r llall wedi ei wneud yn anghywir?

3   Mae Jason a Sali yn gorfod cyfrifo'r canlynol $\dfrac{12}{2 \times 3}$

Mae Jason yn gwneud y sym yn ei ben fel hyn: $\dfrac{12}{2 \times 3} = \dfrac{12}{6} = 2$

Mae Sali yn defnyddio cyfrifiannell.

1 **2** **÷** **2** **×** **3** **=**   Ateb: 18

a   Ateb pwy sy'n gywir?
b   Beth mae'r llall wedi ei wneud yn anghywir?

Efallai y bydd angen i chi roi cromfachau mewn cyfrifiad cyn mynd ati i'w gyfrifo.

Enghraifft   Gwnewch y canlynol: **a** $\dfrac{12 + 15}{3}$ **b** $\dfrac{12}{2 \times 3}$

a Rhowch gromfachau o amgylch y rhan uchaf. $\dfrac{12 + 15}{3} = \dfrac{(12 + 15)}{3}$

Pwyswch y botymau:

Ateb: 9

b Rhowch gromfachau o amgylch y rhan isaf. $\dfrac{12}{2 \times 3} = \dfrac{12}{(2 \times 3)}$

Pwyswch y botymau:

Ateb: 2

Ymarfer 12:3

Ar gyfer pob un o'r cwestiynau yma:
a Copïwch y cwestiwn.
b Rhowch y cromfachau yn y lle cywir.
c Cyfrifwch yr ateb gan ddefnyddio cyfrifiannell.

1 $\dfrac{54 + 42}{12}$

2 $\dfrac{67 + 115}{7}$

3 $\dfrac{126 - 108}{9}$

4 $\dfrac{91}{142 - 135}$

5 $\dfrac{57}{181 - 162}$

6 $\dfrac{81}{157 + 167}$

7 $\dfrac{345 - 263}{8}$

8 $\dfrac{98}{136 - 87}$

9 $\dfrac{3.7 - 2.9}{0.16}$

10 $\dfrac{0.72}{0.31 + 1.13}$

11 $\dfrac{7.29 + 4.71}{18.8 + 5.2}$

12 $\dfrac{5.6 - 3.2}{2.5 + 2.3}$

Rhowch eich atebion yn gywir i 1 lle degol pan fydd angen talgrynnu.

13 $\dfrac{75}{7 \times 12}$

15 $\dfrac{7.3 + 5.8}{2.9^2}$

17 $\dfrac{314 - 142}{3.9 \times 9.6}$

14 $\dfrac{15^2}{12 \times 2.5}$

16 $\dfrac{5.65^2}{9.3 - 6.17}$

18 $\dfrac{26^2 - 49}{13 + 14^2}$

Enghraifft   Mae $m = \dfrac{I}{v - u}$ yn fformiwla a ddefnyddir mewn ffiseg.

Defnyddiwch y fformiwla i ddarganfod m pan yw $I = 300$, $v = 125$, $u = 85$.

Ysgrifennwch werth pob llythyren sydd yn y fformiwla. $m = \dfrac{300}{125 - 85}$

Rhowch gromfachau yn y lle cywir. $m = \dfrac{300}{(125 - 85)}$

Cyfrifwch yr ateb. $m = 7.5$

Ymarfer 12:4

1   Defnyddiwch y fformiwla yn yr enghraifft i ddarganfod m pan yw
$I = 450$, $v = 63$, $u = 48$.

2   Mae'r fformiwla $l = \dfrac{P - 2h}{2}$ yn rhoi lled
petryal. P yw'r perimedr a h yw'r hyd.
Darganfyddwch l yn y petryal yma.

Perimedr = 42 cm

Hyd = 14.8 cm

3   Mae'r fformiwla $6r(r + u)$ yn rhoi amcangyfrif ar
gyfer *cyfanswm* arwynebedd arwyneb silindr. u yw
uchder y silindr ac r yw'r radiws. Defnyddiwch y
fformiwla i amcangyfrif beth yw arwynebedd y
petryal tenau o alwminiwm a ddefnyddiwyd i
wneud y tun yma. Mae uchder y tun yn 11.5 cm,
ac mae'r radiws yn 3.8 cm.

4 Mae Peredur yn taflu pêl yn syth i fyny i'r awyr ar fuanedd o u m/s.

t eiliad yn ddiweddarach mae'r buanedd yn v m/s.

Rhoddir t gan y fformiwla $t = \dfrac{u - v}{9.8}$

Beth yw gwerth t pan yw $u = 22$ m/s a $v = 17.1$ m/s?

5 Mae $u = \dfrac{2A}{a + b}$ yn rhoi uchder trapesiwm.

A yw'r arwynebedd ac a a b yw'r ochrau paralel. Darganfyddwch beth yw u yn y trapesiwm yma. Mae arwynebedd y trapesiwm yma yn 273 cm².

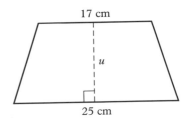

6 Gelwir ABCD yn betryal aur. Mae artistiaid yn hoff o'r siâp yma.

Darganfyddir hyd petryal aur drwy luosi'r lled â $\dfrac{2}{\sqrt{5} - 1}$

Darganfyddwch hyd petryal aur â lled o 7 cm. Rhowch eich ateb yn gywir i 1 lle degol.

Mae defnyddio cromfachau o gymorth os oes gennych fwy nag un term o dan yr ail isradd:

Enghraifft

Cyfrifwch $7\sqrt{4^2 + 3^2}$

Ychwanegwch gromfachau o dan yr ail isradd:

$7\sqrt{4^2 + 3^2} = 7\sqrt{(4^2 + 3^2)}$

Rydych yn cychwyn drwy gyfrifo'r cromfachau:

| √ | (| 4 | x^2 | + | 3 | x^2 |) | × | 7 | = |

Ateb: 35

Ymarfer 12:5

1 Gweithiwch drwy'r enghraifft.
Sicrhewch eich bod yn gwybod sut i gael yr ateb cywir.
Efallai y bydd arnoch angen dilyniant botymau gwahanol.

Gwnewch y canlynol.
Rhowch eich atebion yn gywir i 3 ffigur ystyrlon (ffig. yst.) pan fydd angen talgrynnu.

2 $\sqrt{56 + 44}$

3 $\sqrt{236 - 40}$

4 $\sqrt{457 + 168}$

5 $\sqrt{180 - 11}$

6 $\sqrt{7^2 + 24^2}$

7 $\sqrt{1 + 34^2}$

8 $2\sqrt{6^2 - 3^2}$

9 $\frac{1}{2}\sqrt{17^2 - 12^2}$

10 $6\sqrt{61^2 - 60^2}$

11 $1 + \sqrt{4.8^2 + 3.6^2}$

12 $2\sqrt{2 + \dfrac{14^2}{2}}$

● **13** $\dfrac{16}{\sqrt{1 - 0.6^2}}$

Ymarfer 12:6

1 Mae'r fformiwla $c = \sqrt{a^2 + b^2}$ yn rhoi
hyd ochr, c, y triongl yma.
Defnyddiwch y fformiwla i
ddarganfod c yn gywir i 2 le degol.

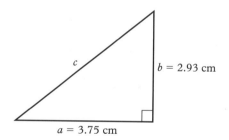

c $b = 2.93$ cm

$a = 3.75$ cm

2 Mae Anwen yn taro pêl yn syth i fyny
i'r awyr ar fuanedd, u, o 15 m/s.
Eiliad yn ddiweddarach mae uchder y
bêl, h, yn 10 m.
Mae gan Anwen fformiwla i
ddarganfod cyflymder y bêl.

$v = \sqrt{u^2 - 20h}$

Defnyddiwch fformiwla Anwen i ddarganfod v.

2 Degolion yn y pen

Weithiau bydd rhaid i ni gyfrifo heb ddefnyddio cyfrifiannell.

Degolion – adio a thynnu

Enghreifftiau	**1** $2 + 3.75 = 5.75$	**3** $5.63 + 0.04 = 5.67$
	2 $4.27 + 0.1 = 4.37$	**4** $4.6 - 1.2 = 3.4$

Ymarfer 12:7

Gwnewch y rhain yn eich pen.
Ysgrifennwch yr atebion.

1 Adiwch 3 at bob un o'r rhifau yma.
   a 4.5   **b** 7.62   **c** 18.59   **ch** 24.7   **d** 0.164

2 Adiwch 0.1 at bob un o'r rhifau yma.
   a 7.1   **b** 2.04   **c** 21.63   **ch** 12.325   **d** 0.53

3 Adiwch 0.05 at bob un o'r rhifau yma.
   a 0.7   **b** 8.04   **c** 35.2   **ch** 0.62   **d** 1.9

4 Tynnwch 2 o bob un o'r rhifau yma.
   a 5.8   **b** 2.09   **c** 19.6   **ch** 5.32   **d** 8.04

5 Tynnwch 0.5 o bob un o'r rhifau yma.
   a 0.6   **b** 2.73   **c** 21.9   **ch** 0.83   **d** 4.51

6 **a** $3 + 1.2$ **c** $2.6 + 8$ **d** $7.8 + 4$ **e** $12 + 4.7$

     b $5 + 2.4$ **ch** $0.4 + 6$ **dd** $9 + 1.8$ **f** $5.6 + 21$

7 **a** $1.2 + 0.5$ **c** $4.7 - 1.2$ **d** $6.7 - 1.5$ **e** $12.4 + 5.3$

     b $4.3 + 1.1$ **ch** $2.1 + 3.4$ **dd** $7.8 - 1.6$ **f** $14.6 - 12.3$

Enghreifftiau

1 Edrychwch ar $1 - 0.3$

    Gallwch ysgrifennu hyn fel $1.0 - 0.3$

    $10 - 3 = 7$ felly $1.0 - 0.3 = 0.7$

2 Edrychwch ar $10 - 4.3$

    Rhaid i chi 'fenthyg' 1 o'r 10 i gael 9.

    Defnyddiwch yr 1 i dynnu'r degolyn: $1 - 0.3 = 0.7$

    Nawr tynnwch y 4 o'r 9: $9 - 4 = 5$

       $10 - 4.3 = 5.7$

---

8 Tynnwch bob un o'r rhifau yma o 1.

    a 0.1 **b** 0.4 **c** 0.8 **ch** 0.9 **d** 0.2

9 Tynnwch bob un o'r rhifau yma o 10.

    a 8.5 **b** 6.8 **c** 4.9 **ch** 1.7 **d** 6.2

10 Tynnwch bob un o'r rhifau yma o 1.

    a 0.18 **b** 0.34 **c** 0.68 **ch** 0.09 **d** 0.72

Edrychwch ar y rhifau coch yn 0.5×3

Cyfrifwch y rhifau coch yn gyntaf: $5 \times 3 = 15$ felly $0.5 \times 3 = 1.5$

Mae un rhif ar ôl y pwynt degol yn y cwestiwn, felly mae un rhif ar ôl y pwynt degol yn yr ateb.

Enghreifftiau **1** $7 \times 0.2 = 1.4$ **2** $0.3 \times 8 = 2.4$

Ymarfer 12:8

Cyfrifwch y canlynol yn eich pen.
Ysgrifennwch yr atebion.

1 0.6×3 **4** 6×0.8 **7** 7×0.9 **10** 4×0.8

2 5×0.5 **5** 7×0.6 **8** 6×0.9 **11** 0.7×4

3 5×0.6 **6** 8×0.9 **9** 0.9×5 **12** 0.8×7

Enghreifftiau   **1** $0.5 \times 0.9 = 0.45$ Mae **dau** rif ar ôl y pwyntiau degol yn y cwestiynau, felly mae **dau** rif ar ôl y pwyntiau degol yn yr atebion.

           2 $1.2 \times 0.2 = 0.24$

---

13 0.6×0.3 **16** 0.5×0.8 **19** 0.7×1.2 **22** $(0.9)^2$

14 0.5×0.7 **17** 1.1×0.8 **20** 1.3×0.3 **23** $(0.8)^2$

15 0.4×0.5 **18** 0.8×0.7 **21** $(0.7)^2$ **24** $(0.6)^2$

Enghraifft $1.2 \div 3$ Gallwch wneud y sym yma fel hyn

neu gallwch ei gwneud yn eich pen.

$$\begin{array}{r} 0.4 \\ 3\overline{)1.^12} \end{array}$$

$$1.2 \div 3 = 0.4$$

Ymarfer 12:9

Gwnewch y canlynol yn eich pen os y gallwch.
Gallwch ddefnyddio papur os oes angen.
Ysgrifennwch yr atebion.

1 $1.6 \div 4$ **4** $0.08 \div 2$ **7** $0.48 \div 8$ **10** $0.21 \div 7$

2 $2.4 \div 3$ **5** $0.12 \div 4$ **8** $8.1 \div 9$ **11** $4.5 \div 9$

3 $2.5 \div 5$ **6** $0.27 \div 3$ **9** $2.4 \div 6$ **12** $5.6 \div 8$

Ymarfer 12:10   Gêm: Pedwar mewn rhes

Dyma gêm ar gyfer dau chwaraewr.
Bydd arnoch angen nifer o gownteri o ddau wahanol liw.

Uwchben y bwrdd mae set o rifau.
Gellir gwneud pob rhif sydd ar y bwrdd drwy luosi dau o'r rhifau yma
gyda'i gilydd.

Chwaraewr 1

(1) Dewiswch ddau rif o'r rhestr.
(2) Lluoswch y rhifau gyda'i gilydd.
   Peidiwch â defnyddio cyfrifiannell.
(3) Os yw eich ateb yn ymddangos ar y bwrdd, defnyddiwch gownter i'w guddio.
   Efallai na fyddwch yn cael ateb sydd ar y bwrdd.
   Os bydd hyn yn digwydd ni fyddwch yn gallu gosod cownter.

Chwaraewr 2

Yn gyntaf gwiriwch ateb Chwaraewr 1. Gallwch ddefnyddio cyfrifiannell.
Nawr rhowch gynnig arni eich hunan.
Defnyddiwch gownteri lliw gwahanol.

Yr enillydd fydd y chwaraewr cyntaf i gael pedwar cownter mewn llinell syth.
Gall y llinell fod mewn unrhyw gyfeiriad.

1	2	3	4	5	6	7	8	9
0.1	0.2	0.3	0.4	0.5	0.6	0.7	0.8	0.9

4.9	0.24	7.2	4.8	0.24	1.8
0.56	2	0.08	0.4	3	2.8
1.2	2.4	4.2	0.18	24	0.2
0.42	0.3	0.72	3.6	1.6	72
2.7	0.7	1	0.32	2.5	4
0.1	0.8	0.12	0.6	1.4	0.48

Weithiau bydd rhaid i chi roi degolion yn nhrefn maint.

◀◀AILCHWARAE▶

Enghraifft   Rhowch y rhain yn nhrefn maint. Rhowch y lleiaf yn gyntaf:
4.615   3.842   4.67

Mae **3** yn llai na **4**.   4.615   **3.842**   4.67
3.842 yw'r rhif lleiaf.

Mae'r rhifau cyntaf ar ôl   4.**6**15   4.**6**7
y pwynt degol yr un fath.

Mae 1 yn llai na 7.   4.6**1**5   4.6**7**
Mae 4.615 yn llai na 4.67

Dyma'r rhifau yn eu trefn: 3.842   4.615   4.67

Ymarfer 12:11

Yng nghwestiynau **1** i **10** rhowch y rhifau yn nhrefn maint, y lleiaf yn gyntaf.

1   5.378   5.3542

2   4.723   4.7

3   3.37   3.356

4   1.334   2.541   1.36

5   2.65   4.6781   4.651

6   5.98   5.9321   3.901

7   12.256   12.2581   12.14

8   32.1   32.12   32.103

9   26.245   26.2   26.251

10   3.2356   3.234   3.2349

11   Mae Blwyddyn 9 yn cael cystadleuaeth taflu disgen. Dyma'r pum tafliad hwyaf.

8.78 m   8.5 m   8.14 m   9.3 m   9.287 m

a   Rhowch y pellteroedd yma yn nhrefn maint. Rhowch y pellter mwyaf yn gyntaf.
b   Pa un o'r pellteroedd yma fyddai'n anodd iawn ei fesur?

3 Lluosi a rhannu degolion

Mae Llew a'i nain wedi mynd allan am dro.
Mae Llew yn awgrymu y dylent ddilyn ffordd fyrrach.
Mae'n dweud fod y ffordd fyrrach yn arbed 2 km.
Mae nain Llew eisiau gwybod pa mor bell yw hynny mewn milltiroedd.
Mae Llew yn gwybod fod 1 km tua 0.6 milltir.
Mae Llew yn cyfrifo:

$$2 \text{ km} = 2 \times 0.6 \text{ milltir}$$
$$= 1.2 \text{ milltir}$$

Mae'n dweud wrth ei nain fod y ffordd fyrrach yn arbed ychydig mwy na milltir.

Degolion – lluosi byr

◄◄AILCHWARAE►

Enghraifft   Cyfrifwch 0.25×7

Yn gyntaf
$7 \times 5 = 35$

$$
\begin{array}{r}
0.25 \\
\times 7 \\
\hline
5 \\
\scriptstyle 3
\end{array}
\qquad \rightarrow \qquad
\begin{array}{r}
0.25 \\
\times 7 \\
\hline
1.75 \\
\scriptstyle 3
\end{array}
$$

Mae'r pwynt degol yn 1.75 yn mynd o dan y pwynt yn 0.25

$7 \times 2 = 14$
Yna adiwch y 3 i roi **17**

Amcangyfrif: $0.25 \times 7 \approx 0.3 \times 7 = 2.1$ Ateb: **1.75**
Nid yw'r amcangyfrif yr un fath â'r ateb ond mae'n weddol agos.

Ymarfer 12:12

Cyfrifwch y canlynol gan ddefnyddio'r dull lluosi byr.
Gwnewch amcangyfrifon i wirio'ch gwaith cyfrifo.

1
$$
\begin{array}{r}
1.4 \\
\times 5 \\
\hline
\end{array}
$$

2
$$
\begin{array}{r}
2.4 \\
\times 4 \\
\hline
\end{array}
$$

3
$$
\begin{array}{r}
0.26 \\
\times 3 \\
\hline
\end{array}
$$

4
$$
\begin{array}{r}
4.7 \\
\times 2 \\
\hline
\end{array}
$$

Gosodwch y rhain yn yr un modd â chwestiynau **1** i **4**.
Cyfrifwch yr atebion.

5	3.4×5	**7**	2.72×7	**9**	0.637×9	**11**	40.3×7
6	0.48×4	**8**	3.62×8	**10**	0.814×6	**12**	0.246×9

Degolion – lluosi hir

Enghraifft   Cyfrifwch   **a** 1.63×42 **b** 3.64×32

a
$$
\begin{array}{r}
1.63 \\
\times\ \ 42 \\
\hline
3\ 26 \\
65\ 20 \\
\hline
68.46
\end{array}
$$
$3\ 26 \rightarrow (163 \times 2)$
$65\ 20 \rightarrow (163 \times 40)$

b
$$
\begin{array}{r}
3.64 \\
\times\ \ 32 \\
\hline
7\ 28 \\
109\ 20 \\
\hline
116.48
\end{array}
$$
$7\ 28 \leftarrow (364 \times 2)$
$109\ 20 \leftarrow (364 \times 30)$

Amcangyfrifon: **a** $1.63 \times 42 \approx 2 \times 40 = 80$ **b** $3.64 \times 32 \approx 4 \times 30 = 120$

Ymarfer 12:13

Cyfrifwch y canlynol gan ddefnyddio'r dull lluosi hir.
Gwnewch amcangyfrifon i wirio'ch gwaith cyfrifo.

1	1.42×34	**4**	6.8×82	**7**	0.67×29	**10**	0.34×27
2	2.43×52	**5**	3.08×62	**8**	5.12×38	**11**	3.65×56
3	3.12×67	**6**	4.16×91	**9**	4.06×84	**12**	0.129×36

Degolion – rhannu byr

Enghraifft $9.6 \div 4$ $4\overline{)9.6}$

Yn gyntaf gwnewch $9 \div 4$. Mae hyn yn rhoi 2 ac 1 ar ôl.
Rhowch y 2 uwchben y 9 a chario'r 1 fel hyn:
$$4\overline{)9.^16}$$
$$\overset{2}{}$$

Nawr gwnewch 16 wedi ei rannu â 4.
Mae'r pwynt degol yn mynd rhwng y 2 a'r 4,
uwchben y pwynt degol yn y 9.6
$$\overset{2.4}{4\overline{)9.^16}}$$

Felly $9.6 \div 4 = 2.4$ Amcangyfrif: $9.6 \div 4 \approx 10 \div 4 = 2.5$

Ymarfer 12:14

Gwnewch y rhain gan ddefnyddio'r dull rhannu byr.
Gwnewch amcangyfrifon i wirio'ch gwaith cyfrifo.

1 $5\overline{)6.5}$

3 $3.18 \div 2$

5 $0.738 \div 9$

7 $0.534 \div 6$

2 $3\overline{)5.7}$

4 $1.32 \div 3$

6 $0.312 \div 4$

8 $0.0535 \div 5$

Weithiau nid yw'r symiau rhannu yn gweithio'n union.

Enghraifft   **a** $13.7 \div 4$ **b** $5.3 \div 8$

Adiwch gymaint o 0au   **a** $\dfrac{3.\ 4\ 2\ 5}{4\overline{)13.^17^10^20}}$ **b** $\dfrac{0.6\ 6\ 2\ 5}{8\overline{)5.3^50^20^40}}$
ag sydd angen.

Amcangyfrifon: **a** $13.7 \div 4 \approx 12 \div 4 = 3$ **b** $5.3 \div 8 \approx 5 \div 8 \approx 0.6$

Gwnewch y canlynol.
Adiwch gymaint o 0au ag sydd angen.

9 $3.7 \div 2$

11 $14.6 \div 8$

13 $30.1 \div 8$

15 $475 \div 4$

10 $1.36 \div 5$

12 $154 \div 4$

14 $507 \div 2$

16 $829 \div 8$

Weithiau bydd angen i chi dalgrynnu.

Enghraifft   **a** $43.1 \div 6$ **b** $23 \div 7$
Talgrynnwch yr atebion yn gywir i 3 lle degol.

Bydd angen i chi ddarganfod y   **a** $\dfrac{7.\ 1\ 8\ 3\ 3}{6\overline{)43.^11^50^20^20}}$ **b** $\dfrac{3.\ 2\ 8\ 5\ 7}{7\overline{)23.^20^60^40^50}}$
pedwerydd lle degol er mwyn
talgrynnu i dri lle.

Atebion: **a** 7.183 **b** 3.286

Amcangyfrifon: **a** $43.1 \div 6 \approx 40 \div 6 \approx 7$ **b** $23 \div 7 \approx 20 \div 7 \approx 3$

Gwnewch y canlynol.
Talgrynnwch yr atebion yn gywir i 3 lle degol.

17 $4.7 \div 3$

19 $6.21 \div 11$

21 $5.47 \div 6$

23 $0.327 \div 7$

18 $1.86 \div 7$

20 $3.79 \div 6$

22 $25.3 \div 9$

24 $0.859 \div 9$

Degolion – rhannu hir

Enghraifft   60.2 ÷ 14

Ni fydd 14 yn mynd i mewn i 6 felly gwnewch 60 ÷ 14 yn gyntaf. $14\overline{)60.2}$

Bydd angen i chi ddarganfod sawl gwaith mae 14 yn mynd i mewn i 60.

$14 \times 2 = 28$
$14 \times 3 = 42$
$14 \times 4 = 56$ ←
$14 \times 5 = 70$

Bydd 14 yn mynd i mewn 4 gwaith. Rhowch y 4 uwchben y 0.

$$\begin{array}{r} 4 \\ 14\overline{)60.2} \end{array}$$

$14 \times 4 = 56$ Rhowch yr ateb yma o dan y 60.

$$\begin{array}{r} 4 \\ 14\overline{)60.2} \\ 56 \end{array}$$

Nawr tynnwch 56 o 60.

$$\begin{array}{r} 4 \\ 14\overline{)60.2} \\ 56 \\ \hline 4 \end{array}$$

Y 4 sy'n cael ei 'gario'.
Dowch â'r 2 i lawr
at y 4

$$\begin{array}{r} 4 \\ 14\overline{)60.2} \\ 56 \downarrow \\ \hline 4\,2 \end{array}$$

Nawr gwnewch 42 ÷ 14

$14 \times 2 = 28$
$14 \times 3 = 42$ ←

Bydd 14 yn mynd i mewn union 3 gwaith.
Rhowch y 3 i mewn ar ôl y 4.
Rhowch y pwynt degol yn 4.3
uwchben y pwynt degol yn 60.2

$$\begin{array}{r} 4.3 \\ 14\overline{)60.2} \\ 56 \\ \hline 4\,2 \end{array}$$

$14 \times 3 = 42$
Rhowch yr ateb o dan y 42.
Pan fyddwch yn tynnu'r tro hwn ni fydd dim ar ôl.

$$\begin{array}{r} 4.3 \\ 14\overline{)60.2} \\ 56 \\ \hline 4\,2 \end{array}$$

Dyma sut mae'r gwaith cyfrifo yn
edrych ar ôl i chi orffen!

$$\begin{array}{r} 4.3 \\ 14\overline{)60.2} \\ 56 \\ \hline 4\,2 \\ 4\,2 \\ \hline - \end{array}$$

Ateb: 4.3

Ymarfer 12:15

Cyfrifwch y rhain gan ddefnyddio'r dull rhannu hir. Dylai pob un ohonynt weithio yn union.

1 3.12 ÷ 12   **5** 48.1 ÷ 13   **9** 6.72 ÷ 14

2 55.5 ÷ 15   **6** 14.72 ÷ 32   **10** 85.1 ÷ 23

3 71.4 ÷ 21   **7** 81 ÷ 18   **11** 14.28 ÷ 42

4 6.5 ÷ 25   **8** 17.68 ÷ 34   **12** 233.7 ÷ 19

Ymarfer 12:16

1 Mae cadair yn costio £49.85
Faint mae 24 o gadeiriau yn costio?

2 Mae Jenny yn prynu bag o fariau Mars bychain.
Mae hi'n talu £2.16
Mae'r bag yn cynnwys 18 o fariau Mars.
Faint mae un bar Mars yn costio?

3 Mae Lleucu yn gwneud pyrsiau i'w gwerthu.
Mae hi'n gwerthu'r pyrsiau am **£2.65** yr un.
a Mae Lleucu'n gwerthu **27** pwrs.
Faint mae hi'n ei gael am y **27** pwrs?
Rhowch ddigon o waith cyfrifo i ddangos nad ydych wedi
defnyddio cyfrifiannell.
b Mae gan Lleucu focs o **300** o fwclis.
Mae hi'n defnyddio **14** o fwclis i wneud patrwm ar bob pwrs.
Faint o byrsiau cyfan fydd hi'n gallu eu gwneud gyda **300** o fwclis?
Rhowch ddigon o waith cyfrifo i ddangos nad ydych wedi
defnyddio cyfrifiannell.

1 Cyfrifwch y canlynol.
Rhowch eich ateb yn gywir i 3 ffig. yst. pan fydd angen talgrynnu.

a $\dfrac{6.7 + 2.4}{13}$ **b** $\dfrac{56}{7 \times 1.6}$ **c** $\dfrac{6.6 + 8.5}{9.2 - 3.9}$ **ch** $\dfrac{1.8^2 + 2.4^2}{0.85}$

2 Cyfrifwch y canlynol.
Rhowch eich ateb yn gywir i 3 ffig. yst. pan fydd angen talgrynnu.

a $\sqrt{8.5^2 + 7.2^2}$ **b** $4\sqrt{1 - 0.24^2}$ **c** $\frac{1}{2}\sqrt{5.2^2 - 2.5^2}$ **ch** $\dfrac{10}{\sqrt{14^2 - 9^2}}$

3 Gwnewch y rhain yn eich pen.
Ysgrifennwch yr atebion.
a $21.8 + 3$ **c** $2.3 + 1.6$ **d** $1.8 - 0.7$ **e** $10 - 4.8$
b $0.6 + 4.3$ **ch** $4.5 - 3.4$ **dd** $3 - 2.4$ **f** $20 - 14.1$

4 Gwnewch y rhain yn eich pen.
Ysgrifennwch yr atebion.
a 0.8×0.9 **c** 0.7×8 **d** 1.1×0.7 **e** 6×1.2
b 0.6×7 **ch** 0.7×6 **dd** $(0.4)^2$ **f** 9×0.7

5 Ysgrifennwch y degolion yma mewn trefn, y lleiaf yn gyntaf.
a 4.15, 4.1, 4.105 **c** 14.505, 14.005, 14.05
b 0.213, 0.231, 0.23 **ch** 8.97, 8.907, 8.097

6 Gwnewch y rhain.
a 7.18×7 **b** 6.25×6 **c** 9.084×4 **ch** 26.73×9

7 Gwnewch y rhain.
a 6.34×45 **b** 71.62×28 **c** 8.074×17 **ch** 84.62×39

8 Gwnewch y rhain.
Rhowch eich ateb yn gywir i 3 ffig. yst. pan fydd angen talgrynnu.
a $2.835 \div 7$ **b** $517.5 \div 9$ **c** $14.16 \div 8$ **ch** $7.13 \div 6$

9 Gwnewch y rhain.
a $105.4 \div 17$ **b** $2360.6 \div 29$ **c** $100.8 \div 32$ **ch** $180.44 \div 52$

1 Pan fydd dŵr yn syrthio dros raeadr bydd yn dechrau llifo'n gynt. Y fformiwla
ar gyfer yr egni mae'r dŵr yn ei ennill oherwydd hyn yw

$$E = \frac{m(v^2 - u^2)}{2}$$

m yw màs y dŵr
u yw buanedd y dŵr ar ben y rhaeadr
v yw buanedd y dŵr yn y gwaelod
Darganfyddwch E pan yw $m = 1000$, $v = 8$ ac $u = 2.5$

2 Dyma ffordd o ddarganfod rhifau triongl.

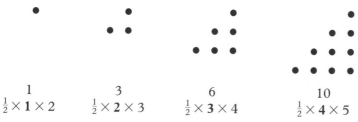

1	3	6	10
$\frac{1}{2} \times 1 \times 2$	$\frac{1}{2} \times 2 \times 3$	$\frac{1}{2} \times 3 \times 4$	$\frac{1}{2} \times 4 \times 5$

a Ysgrifennwch y mynegiannau ar gyfer y pumed a'r chweched rhif ac
ewch ati i'w cyfrifo.
b Y fformiwla ar gyfer yr $n$fed rhif triongl yw $\frac{1}{2}n(n + 1)$.
Defnyddiwch y fformiwla i gyfrifo'r rhifau triongl canlynol:
(1) 12fed   (2) 20fed   (3) 31fed   (4) 100fed

3 Gellir darganfod arwynebedd y triongl
yma drwy ddefnyddio'r fformiwla:
Arwynebedd $= \frac{1}{2}q\sqrt{p^2 - q^2}$

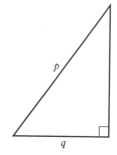

a Cyfrifwch yr arwynebedd pan yw
$p = 0.25$ m a $q = 0.07$ m
b Cyfrifwch yr arwynebedd pan yw
$p = 4.6$ cm a $q = 3.7$ cm
Rhowch yr ateb yma yn gywir
i 1 lle degol.

4 Mae gan Rob y cardiau rhifau hyn:

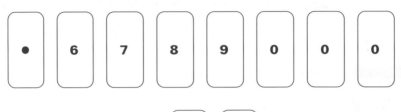

Dewisodd Rob ddau gerdyn.

Defnyddiodd ei ddau gerdyn i wneud y rhif 67.

a Yna gwnaeth Rob rif oedd 1000 gwaith yn fwy na 67.
Ysgrifennwch y rhif wnaeth Rob.

b Defnyddiodd Rob ei gardiau i wneud y rhif 69.8.
Yna gwnaeth Rob rif oedd 10 gwaith yn fwy na 69.8
Ysgrifennwch y rhif wnaeth Rob.

c Yna defnyddiodd Rob y cardiau i wneud rhif oedd 100 gwaith mwy na 69.8.
Dangoswch y rhif wnaeth Rob.

5 Mae Jenny, Helen a Tracy wedi rhoi eu henwau ar gyfer cystadleuaeth ddeifio. Bydd pob ymgais yn cael cyfraddiad. Po galetaf y gamp uchaf fydd y cyfraddiad.
Dyma'r rheolau ar gyfer cyfrifo sgôr:
(1) Anwybyddwch y marciau uchaf ac isaf.
(2) Adiwch y tri marc canol at ei gilydd.
(3) Lluoswch yr ateb i (2) â'r cyfraddiad.
Mae pob marc allan o 10.

a Mae cyfraddiad Jenny yn 3.25
Mae'r beirniaid yn rhoi'r marciau: 7.5 7.7 7.9 7.3 7.6
Cyfrifwch beth yw sgôr Jenny.

b Dyma farciau Helen: 8.2 8 8.1 7.9 7.8
Mae sgôr Helen yn 80.88.
Beth yw ei chyfraddiad?

c Mae Tracy wedi dewis deif gyda chyfraddiad o 3.34
Mae sgôr Tracy yn 81.83.
Dyma bedwar o farciau'r beirniaid: 8.2 8.2 7.9 8.3
Darganfyddwch beth yw'r marc sydd ar goll.

- Efallai y bydd angen i chi roi cromfachau mewn cyfrifiad cyn mynd ati i'w gyfrifo.

Enghreifftiau Gwnewch y canlynol: **a** $\dfrac{12 + 15}{3}$ **b** $7\sqrt{4^2 + 3^2}$

a Rhowch gromfachau o amgylch y rhan uchaf. $\dfrac{12 + 15}{3} = \dfrac{(12 + 15)}{3}$

| (| 1 | 2 | + | 1 | 5 |) | ÷ | 3 | = | Ateb 9

b Ychwanegwch gromfachau $7\sqrt{4^2 + 3^2} = 7\sqrt{(4^2 + 3^2)}$

| √ | (| 4 | x^2 | + | 3 | x^2 |) | × | 7 | = | Ateb 15

- ## Adio, tynnu, lluosi a rhannu degolion

Enghreifftiau   **1** $4.27 + 0.1 = 4.37$ **2** $4.6 + 1.2 = 3.4$

3 $0.5 \times 0.9 = 0.45$ Mae **dau** rif ar ôl y pwyntiau degol yn
                                       y cwestiynau, felly mae dau rif ar ôl y
4 $1.2 \times 0.2 = 0.24$ pwyntiau degol yn yr atebion.

5 $1.2 \div 3 = 0.4$ **6** $0.15 \div 5 = 0.03$

- ## Degolion – lluosi byr a lluosi hir

Enghreifftiau Gwnewch y canlynol: **1** 0.25×7 **2** 3.64×32

```
1      0.25              2        3.64
    ×     7                   ×     32
       1.75                       7 28   ← (364 × 2)
        3                       109 20   ← (364 × 30)
                                 1 1
                                116.48
                                   1
```

Amcangyfrifon: **1** $0.25 \times 7 \approx 0.3 \times 7 = 2.1$ **2** $3.64 \times 32 \approx 4 \times 30 = 120$

- ## Degolion – rhannu byr a rhannu hir

Enghreifftiau   **1** $43.1 \div 6$ **2** $60.2 \div 14$

Talgrynnwch yr ateb yn gywir
i 3 lle degol.

Bydd angen i chi ddarganfod y $7.\ 1\ 8\ 3\ 3$
pedwerydd lle degol er mwyn $6\overline{)43.^1 1^5 0^2 0^2 0}$
talgrynnu i dri lle.

Ateb: 7.183

Amcangyfrif: $43.1 \div 6 \approx 40 \div 6 \approx 7$

```
       4.3
  14)60.2
     56↓
     42
     42
     —
```

Ateb: 4.3

1   Gwnewch y canlynol.
Rhowch eich ateb yn gywir i 3 ffig. yst. pan fydd angen talgrynnu.

   a $\dfrac{3.4 + 5.5}{3.7}$ **b** $\dfrac{5.6}{1.4 \times 8}$ **c** $\dfrac{67 - 14.6}{4.3 + 5.9}$ **ch** $4\sqrt{4.5^2 + 6^2}$

2   Darganfyddwch werth p yn y fformiwla yma.

   $p = \dfrac{q^2 + r^2}{q - r}$ $q = 14.8$ $r = 12.3$

3   Gwnewch y canlynol yn eich pen.
Ysgrifennwch yr atebion.

   a $6.7 + 3$ **c** $3.62 - 0.5$ **d** $2 - 1.6$
   b $0.45 + 0.2$ **ch** $7.4 + 1.3$ **dd** $10 - 3.7$

4   Gwnewch y canlynol yn eich pen.
Ysgrifennwch yr atebion.

   a 3×0.7 **c** 1.2×5 **d** $3.5 \div 7$
   b 0.4×0.6 **ch** 0.3×1.1 **dd** $0.64 \div 8$

5   Ysgrifennwch y degolion yma mewn trefn, y lleiaf yn gyntaf.

   a   8.19,   8.019,   8.109   **b**   1.2,   1.02,   1.002

6   Cyfrifwch y canlynol.

   a 7.62×5 **b** 34.8×6

7   Cyfrifwch y canlynol.

   a 6.74×36 **b** 74.8×27

8   Cyfrifwch y canlynol.
Rhowch eich ateb yn gywir i 3 lle degol pan fydd angen talgrynnu.

   a $4.56 \div 8$ **b** $7.59 \div 7$

9   Gwnewch y canlynol.

   a $59.2 \div 16$ **b** $88.4 \div 26$

13 Onglau

CWESTIYNAU

ESTYNIAD

CRYNODEB

PROFWCH
EICH HUN

Mae'r dysglau lloeren hyn wedi eu gosod ar ongl godi bendant a chyfeiriad (dwyrain) i dderbyn darllediadau teledu o loeren sy'n cylchdroi o gwmpas y Ddaear.
Darganfyddwch beth yw'r ongl yma.

1 ◀◀AILCHWARAE▶

Mae'r peiriant sy'n dangos adenydd yr awyren yn erbyn llinell lorweddol yn dweud wrth y peilot pa un ai yw'r awyren yn hedfan yn syth ynteu'n troi. Mae'r offeryn yn dangos ongl lem rhwng yr adenydd a'r llinell lorweddol. Po fwyaf yw'r ongl, y culaf yw'r troad.

Gelwir y llinell lorweddol yn orwel ffug.

Onglau ar linell syth	Mae **onglau ar linell syth** yn adio i **180°**	
Enghraifft	$a = 180° - 30° - 65°$ $a = 85°$	

Onglau ar bwynt	Mae **onglau ar bwynt** yn adio i **360°**	
Enghraifft	$b = 360° - 130° - 155°$ $b = 75°$	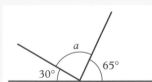

Onglau cyferbyn	Mae **onglau cyferbyn** yn **hafal**.	
Enghraifft	Mae c gyferbyn â 125° ac mae d gyferbyn â 55°. $c = 125°$ $d = 55°$ (sylwer fod c a d yn adio i 180°)	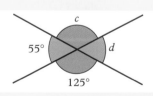

Ymarfer 13:1

Cyfrifwch yr onglau sydd wedi eu marcio â llythrennau.

1

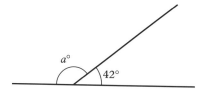

2

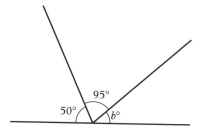

3

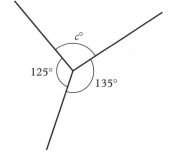

4

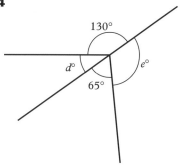

5

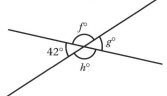

6

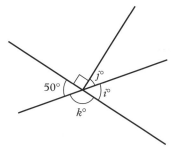

7

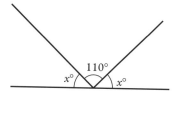

8

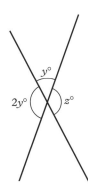

Onglau triongl	Mae **onglau triongl** yn adio i **180°**	
Enghraifft	$x = 180° - 40° - 75°$ $x = 65°$	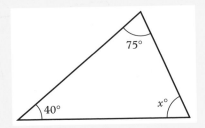

Onglau pedrochr	Mae **onglau pedrochr** yn adio i **360°**	
Enghraifft	$y = 360° - 90° - 130° - 60°$ $y = 80°$	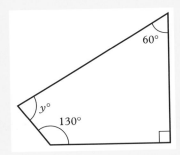

9

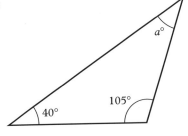

11

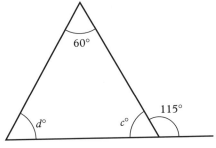

10

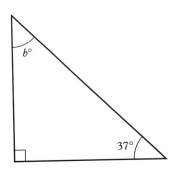

12

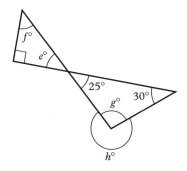

13

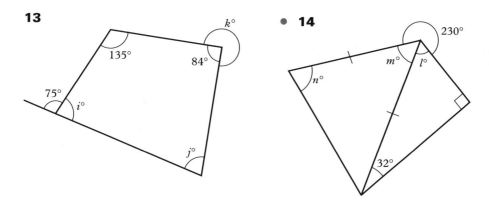

14

Onglau a llinellau paralel

Onglau eiledol	Gelwir onglau ar ochrau cyferbyn y llinell sy'n croestorri yn **onglau eiledol**. Ceir yr onglau yma mewn siapiau **Z**. **Mae onglau eiledol yn hafal.**	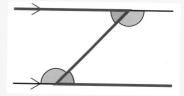
Onglau cyfatebol	Gelwir onglau sydd yn yr un lleoliad yn y setiau 'uchaf' ac 'isaf' o onglau yn **onglau cyfatebol**. Ceir yr onglau yma mewn siapiau **F**. **Mae onglau cyfatebol yn hafal.**	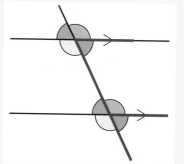
Onglau mewnol	Gelwir onglau sydd rhwng llinellau paralel **yn onglau mewnol**. **Mae onglau mewnol yn adio i 180°.**	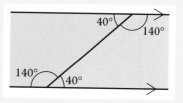

Ymarfer 13:2

1 Darganfyddwch yr onglau sydd wedi eu marcio â llythrennau.
Ysgrifennwch pa reolau rydych chi wedi eu defnyddio.

a

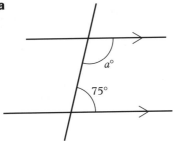

c

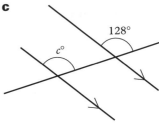

b

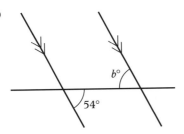

ch

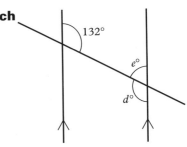

Darganfyddwch yr onglau sydd wedi eu marcio â llythrennau.

2

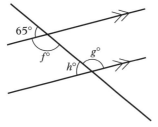

4

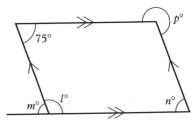

3

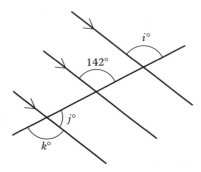

5

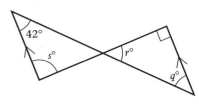

2 Polygonau

Mae'r brithwaith yma yn seiliedig ar betryal. Mae rhannau o'r petryal wedi eu torri allan a'u symud. Mae'n dal yn bosibl defnyddio'r siâp newydd i wneud brithwaith.

Tynnwyd y lluniau yma gan M. C. Escher (1898 – 1970), arlunydd a mathemategydd enwog.

M.C. Escher's 'Symmetry Drawing E 18' © 1997 Cordon Art-Baarn-Holland. Cedwir pob hawl.

Polygon	Siâp ag ochrau syth yw **polygon**.
Polygon rheolaidd	Mae ochrau **polygonau rheolaidd** i gyd o'r un hyd. Mae eu honglau i gyd hefyd yn hafal.

Ymarfer 13:3

1 Copïwch y tabl yma a'i lenwi.

Nifer yr ochrau	Enw'r polygon
3	
4	
5	
6	
7	
8	
9	
10	

Dyma'r dewis: decagon, hecsagon, triongl, heptagon, pedrochr, pentagon, octagon, nonagon.

2 Yn y cwestiwn yma rydych yn mynd i lunio pentagon rheolaidd.
Bydd arnoch angen onglydd neu fesurydd onglau.

   a Tynnwch linell lorweddol 10 cm o hyd, 5 cm ohoni'n ddi-dor a 5 cm yn doredig.
     Gadewch rywfaint o le gwag uwch ei phen.

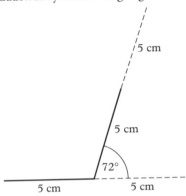

   b Gosodwch ganol eich onglydd ar ben y llinell ddi-dor.
     Mesurwch 72° o'r llinell doredig.

   c Tynnwch linell arall 10 cm o hyd,
     5 cm yn ddi-dor a 5 cm yn doredig.

  ch Dilynwch gamau **b** ac **c** eto ar y llinell newydd.

   d Daliwch ati nes byddwch yn cwblhau'r pentagon.

3 Lluniwch hecsagon rheolaidd.
Gallwch wneud hyn yn yr un ffordd, ond defnyddiwch ongl o 60°.

4 Lluniwch octagon rheolaidd.
Bydd yr ongl fydd ei hangen arnoch yn 45°.

Ongl allanol	Gelwir yr ongl a wnaethoch ei defnyddio i lunio'r siapiau yn **ongl allanol**. Mae hi y tu allan i'r siâp.

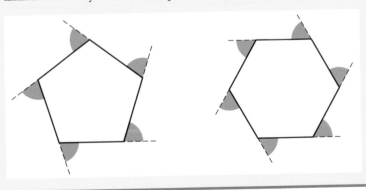

Edrychwch ar y pentagon mawr yma sydd wedi ei lunio ar lawr buarth ysgol. Mae Alun yn cerdded ar hyd yr ochr gyntaf.

Er mwyn cerdded ar hyd yr ail ochr mae'n rhaid iddo droi drwy'r ongl sydd wedi ei marcio'n goch.

Er mwyn cerdded ar hyd y drydedd ochr mae'n rhaid iddo droi drwy'r ongl sydd wedi ei marcio'n las.

Pan fydd wedi cerdded yr holl ffordd o amgylch y siâp bydd yn ôl yn wynebu i'r un cyfeiriad ag yr oedd ar y dechrau.

Mae o wedi troi trwy 360°.

Mae'n rhaid i onglau allanol pentagon adio i 360°.

Mae onglau allanol unrhyw bolygon yn adio i 360°.

Enghraifft

Cyfrifwch faint ongl allanol hecsagon rheolaidd.

Mae'r onglau yn adio i 360°.

Os yw'r hecsagon yn rheolaidd bydd pob un o'i onglau allanol yn hafal.

$$\text{Ongl allanol} = \frac{360°}{6} = 60°$$

Ymarfer 13:4

1 Cyfrifwch ongl allanol octagon rheolaidd.

2 Cyfrifwch ongl allanol nonagon rheolaidd.

3 Cyfrifwch ongl allanol decagon rheolaidd.

4 Copïwch y frawddeg yma a llenwch y bylchau.
Wrth i nifer yr ochrau fynd yn _____ mae'r onglau allanol yn
mynd yn _____ ond dylent bob amser adio i _____.

5 Cyfrifwch ongl allanol heptagon rheolaidd.
Talgrynnwch eich ateb i 2 le degol.

6 Cyfrifwch onglau allanol polygonau rheolaidd â'r nifer canlynol
o ochrau.
  a 12
  b 15
  c 20
  ch 30

7 **a** Copïwch y pentagonau yma. Nid oes raid iddynt fod yn union gywir.

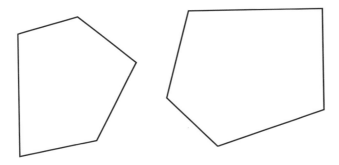

  b Marciwch onglau allanol bob pentagon.
  c Mesurwch 5 ongl allanol bob pentagon.
  ch Adiwch yr onglau a gwiriwch fod y cyfanswm yn 360°.

8 Mae pedair o onglau allanol pentagon yn 56°, 47°, 103° a 67°.
Beth yw maint y bumed ongl?

9 Mae ongl allanol polygon rheolaidd yn 36°.
Sawl ochr sydd ganddo?

Onglau mewnol

Gelwir yr onglau y tu mewn i bolygon yn **onglau mewnol**. Maen nhw bob amser yn ffurfio llinell syth â'r ongl allanol.

ongl allanol + ongl fewnol = 180°

ongl fewnol = 180° − ongl allanol

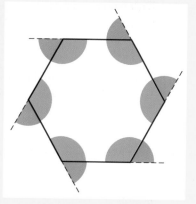

Enghraifft

Cyfrifwch ongl fewnol hecsagon rheolaidd.

$$\text{Ongl allanol} = \frac{360°}{6} = 60°$$

Ongl fewnol = 180° − 60° = 120°

Ymarfer 13:5

1 Cyfrifwch ongl fewnol pentagon rheolaidd.

2 Cyfrifwch ongl fewnol octagon rheolaidd.

3 Copïwch y tabl yma a'i lenwi.

Nifer yr ochrau	Enw'r polygon	Ongl allanol	Ongl fewnol
3	triongl hafalochrog		
4	sgwâr		
5	pentagon rheolaidd		
6	... rheolaidd		
7	... rheolaidd		
8	... rheolaidd		
9	... rheolaidd		
10	... rheolaidd		

4 Brithweithiau

Bydd arnoch angen stensil polygon neu batrymluniau o bolygonau rheolaidd.

Gellir defnyddio sgwariau i wneud brithwaith.
Maen nhw'n ffitio gyda'i gilydd heb adael bylchau.

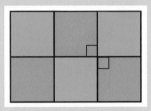

Mae'r onglau o amgylch pwynt
yn adio i 360°.

Os yw polygon rheolaidd yn ffurfio brithwaith gydag ef ei hun mae gennych
frithwaith rheolaidd.
Os yw dau bolygon rheolaidd yn ffurfio brithwaith gyda'i gilydd mae gennych
frithwaith lled-reolaidd.

a Darganfyddwch gymaint o frithweithiau rheolaidd ag y gallwch.
   Marciwch yr onglau mewnol arnynt a dangoswch eu bod i gyd yn adio i
   360° o amgylch pwynt.

b Darganfyddwch gymaint o frithweithiau lled-reolaidd ag y gallwch.
   Marciwch yr onglau mewnol a dangoswch eu bod yn adio i
   360° o amgylch pwynt.
   Ceisiwch beidio ag ailadrodd unrhyw un o'ch brithweithiau.

● **5** Eglurwch pam nad yw'n bosibl defnyddio pentagonau rheolaidd i wneud brithwaith.
   Defnyddiwch yr onglau i'ch helpu.

● **6 a** 'Mae'n bosibl defnyddio unrhyw driongl i wneud brithwaith'.
   A yw hyn yn gywir neu'n anghywir?
   Gwnewch frithweithiau o drionglau. Mesurwch a marciwch yr onglau.
   b 'Mae'n bosibl defnyddio unrhyw bedrochr i wneud brithwaith'.
   A yw hyn yn gywir neu'n anghywir?
   Gwnewch frithweithiau o bedrochrau. Mesurwch a marciwch yr onglau.

Swm yr onglau mewnol	Rydych yn gwybod eisoes fod onglau mewn triongl yn adio i 180°. Dyma **swm onglau mewnol** triongl.

Mae'n bosibl darganfod swm onglau mewnol unrhyw bolygon.

(1) Lluniwch y polygon.

(2) Marciwch bob un o'r onglau mewnol.

(3) Cysylltwch un fertig â phob un o'r lleill.
Nawr mae'r holl onglau mewnol y tu mewn i'r trionglau.

(4) Rhifwch nifer y trionglau. Lluoswch â 180° i ddarganfod y cyfanswm.

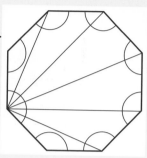

Enghraifft

Darganfyddwch swm onglau mewnol octagon.

Mae'r octagon yn rhannu yn 6 o drionglau.
Cyfanswm = 6 × 180° = 1080°

Os yw'n octagon rheolaidd, mae pob ongl fewnol = $\dfrac{1080°}{8}$

= 135°

Ymarfer 13:6

Ar gyfer pob un o'r polygonau yma:

a Gwnewch fraslun o'r polygon.

b Rhannwch ef yn drionglau.

c Cyfrifwch swm yr onglau mewnol.

ch Cyfrifwch faint pob ongl fewnol os yw'r polygon yn rheolaidd.

d Gwiriwch eich atebion i **ch** gan ddefnyddio eich tabl yn Ymarfer 13:5.

1 Sgwâr

2 Pentagon

3 Heptagon

4 Nonagon

5 Decagon (10 ochr)

6 Dodecagon (12 ochr)

3 Onglau a thrawsffurfiadau

Mae Siân wedi symud y dodrefn yn ei hystafell wely. Mae hi wedi troi'r gwely 90° fel ei fod yn ffitio yn y gornel.
Mae'r ddesg wedi cael ei symud ar hyd y wal.
Mae'r poster ar y wal yn helaethiad o lun dynnodd Siân o'i chi.
Mae'r drych yn dangos adlewyrchiad Siân.

Gelwir unrhyw symudiad siâp yn drawsffurfiad mewn mathemateg.
Ceir pedwar math o drawsffurfiad:

adlewyrchiad   trawsfudiad   cylchdro   helaethiad

◄◄AILCHWARAE►

Gwrthrych	Gelwir y siâp gwreiddiol yn **wrthrych**.
Delwedd	Gelwir y siâp wedi ei drawsffurfio yn **ddelwedd**.
Cyfath	Pan fydd siapiau yr un fath dywedir eu bod yn **gyfath**.
	Mae'r siâp yma wedi cael ei adlewyrchu.
	Mae'r gwrthrych a'r ddelwedd yn gyfath.
Llinell adlewyrchu	Gelwir y llinell ddrych yn **llinell adlewyrchu**.

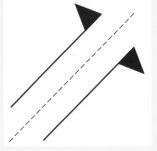

Ymarfer 13:7

Copïwch bob diagram.
Lluniwch ddelwedd bob patrwm yn y llinell adlewyrchu.

1 **a**

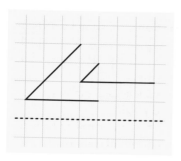

b

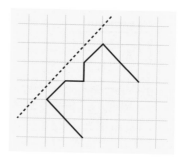

Copïwch bob diagram.
Cwblhewch y diagram fel bo'r llinell doredig yn llinell adlewyrchu.

2 **a**

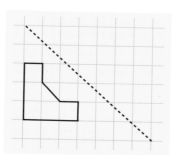

b

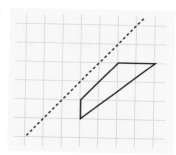

Trawsfudiad

Trawsfudiad yw symudiad mewn llinell syth.

Enghraifft

Mae'r gwrthrych a'r ddelwedd yma yn dangos trawsfudiad.
Disgrifiwch y trawsfudiad.

Marciwch bwynt P ar y gwrthrych.
Marciwch y pwynt cyfatebol ar y ddelwedd.
Labelwch y pwynt yn P'.

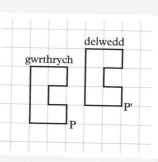

Mae P wedi symud 3 uned i'r dde ac 1 uned i fyny.
Golyga hyn fod y siâp cyfan wedi symud 3 uned i'r dde ac 1 uned i fyny.
Mae'r gwrthrych a'r ddelwedd yn gyfath.

Ymarfer 13:8

1 Disgrifiwch y trawsfudiad ar gyfer pob pâr o siapiau.

a
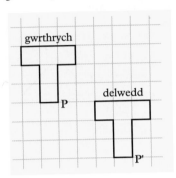

b
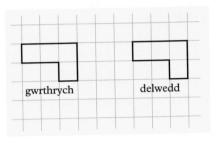

2 Yn rhannau **a** i **ch**, disgrifiwch y trawsfudiad sydd ei angen i symud y gwrthrych i guddio'r ddelwedd.

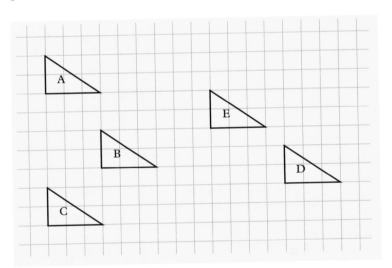

	Gwrthrych	Delwedd
a	A	B
b	C	D
c	B	E
ch	E	C

Cylchdro	Mae **cylchdro** yn symud siâp drwy ongl o amgylch pwynt sefydlog.

Canol cylchdro	Gelwir y pwynt sefydlog yn **ganol cylchdro**.

Mae Nia yn mynd i gylchdroi'r petryal yma drwy 90° yn glocwedd.
Y tarddbwynt yw'r canol cylchdro.
Mae Nia yn gosod papur dargopïo dros y diagram. Mae hi'n dargopïo'r petryal ac yn marcio croes yn y canol cylchdro.

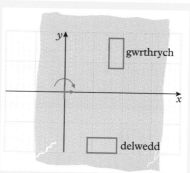

Mae Nia yn defnyddio'r groes i'w helpu i gylchdroi'r papur dargopïo drwy 90° yn glocwedd.
Mae hi'n marcio lleoliad newydd y petryal ar ei hechelinau. Mae hi'n labelu hyn yn 'delwedd'.
Mae'r gwrthrych a'r ddelwedd yn gyfath.

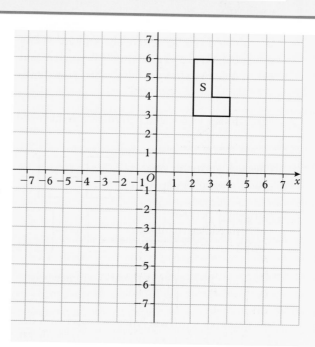

Ymarfer 13:9

1 Copïwch yr echelinau a'r siâp S ar bapur sgwariau.

2 Cylchdrowch S 90° yn glocwedd o amgylch y tarddbwynt. Defnyddiwch bapur dargopïo i'ch helpu. Labelwch y ddelwedd yn A.

3 Cylchdrowch S 180° yn wrthglocwedd o amgylch y tarddbwynt. Labelwch y ddelwedd yn B.

4 Cylchdrowch S 90° yn wrthglocwedd o amgylch y tarddbwynt. Labelwch y ddelwedd yn C.

Enghraifft

Mae'r siâp coch wedi ei adlewyrchu'n fertigol.
Mae'r siâp glas wedi ei gylchdroi 90° yn wrthglocwedd.

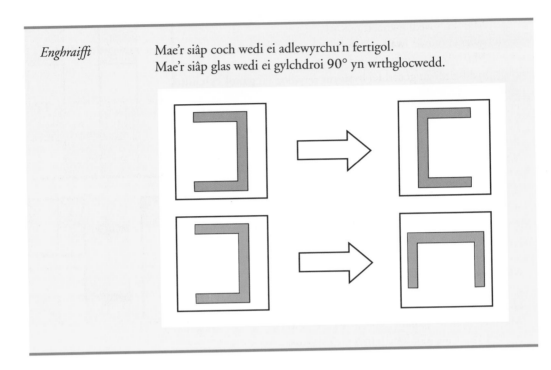

Ymarfer 13:10

1 Gwnewch ddiagram i ddangos lleoliad
y siâp yma:
 a ar ôl iddo gael ei adlewyrchu yn fertigol
 b ar ôl iddo gael ei adlewyrchu yn llorweddol
 c ar ôl iddo gael ei gylchdroi 90° yn glocwedd
 ch ar ôl iddo gael ei gylchdroi 180° yn wrthglocwedd.

2 Mae Rhisiart yn gwneud patrymau gan ddefnyddio'r siâp yma.

Gwnaeth y patrwm yma
drwy drawsfudo'r siâp.

Gwnaeth y patrwm
yma drwy adlewyrchu'r
siâp yn fertigol.

Nawr mae Rhisiart yn defnyddio siâp newydd.

 a Lluniwch y patrwm fyddai'n ei gael wrth drawsfudo'r siâp newydd.
 b Lluniwch y patrwm fyddai'n ei gael wrth adlewyrchu'r siâp newydd yn fertigol.

3 Mae Tara wedi gwneud pos ar gyfer ei brawd Iwan.
Mae'r pos yn cynnwys pedwar cerdyn sydd wedi eu gosod fel hyn.

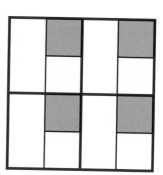

Mae Iwan yn gallu symud y cardiau mewn tair ffordd yn unig:
(1) Mae'n gallu adlewyrchu cerdyn yn fertigol.

(2) Mae'n gallu adlewyrchu cerdyn yn llorweddol.

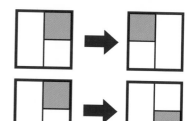

(3) Mae'n gallu cylchdroi cerdyn drwy unrhyw ongl.

Mae'n rhaid i Iwan drawsffurfio'r cardiau yn y patrwm cyntaf i wneud yr ail batrwm.

Patrwm cyntaf

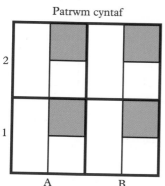

Ail batrwm

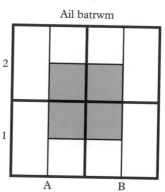

Copïwch y tabl yma. Mae'n dangos y trawsffurfiadau angenrheidiol ar gyfer cardiau A1 a B1 i wneud yr ail batrwm.
Llenwch y trawsffurfiadau angenrheidiol ar gyfer A2 a B2.

Cerdyn	Trawsffurfiad
A1	dim – mae'r cerdyn yn y lleoliad cywir
B1	adlewyrchu'n fertigol
A2	
B2	

◄◄AILCHWARAE►

Helaethiad
Mae **helaethiad** yn newid maint gwrthrych.
Mae'r newid yr un fath ym mhob cyfeiriad.

Ffactor graddfa
Mae'r **ffactor graddfa** yn dweud wrthym sawl gwaith yn fwy yw'r helaethiad.

Enghraifft
Helaethwch y triongl gan ddefnyddio ffactor graddfa o 2.

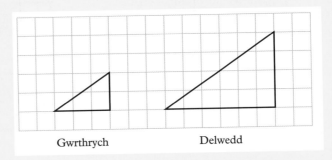

Gwrthrych   Delwedd

Mae'r ddelwedd 2 waith hyd a 2 waith uchder y gwrthrych.
Nid yw'r gwrthrych a'r ddelwedd yn gyfath gan fod maint y ddau yn wahanol.

Ymarfer 13:11

1 Copïwch y siapiau yma ar bapur sgwariau.
Helaethwch bob siâp gan ddefnyddio ffactor graddfa o 2.

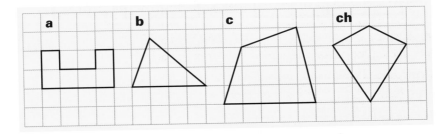

2 Helaethwch y siapiau yng nghwestiwn **1** gan ddefnyddio ffactor graddfa o 3.

Mae'r gair **helaethu** fel arfer yn golygu gwneud rhywbeth **yn fwy**.
Mewn mathemateg, gall helaethiadau wneud gwrthrychau **yn llai** hefyd!
Mae hyn yn digwydd pan yw'r ffactor graddfa yn llai nag un.

Enghraifft

Helaethwch y siâp yma gan ddefnyddio ffactor graddfa o $\frac{1}{2}$.

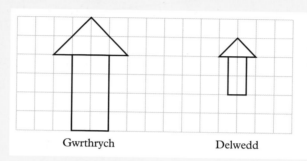

Gwrthrych   Delwedd

Mae pob hyd yn y ddelwedd yn $\frac{1}{2}$ yr hyd cyfatebol yn y gwrthrych.

3 Copïwch y siapiau yma ar bapur sgwariau.
Helaethwch bob siâp gan ddefnyddio ffactor graddfa o $\frac{1}{2}$.

a 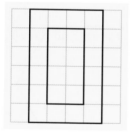   **b** 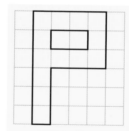   **c**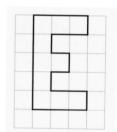

4 Ar gyfer bob un o'r parau yma o siapiau, ysgrifennwch ffactor graddfa'r
helaethiad sy'n trawsffurfio:

a S yn T   **b** T yn S

Gwnewch unrhyw fesuriadau sydd eu hangen i'ch helpu.

(1) 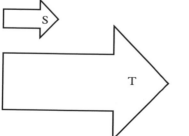   (2)

1 Cyfrifwch yr onglau sydd wedi eu marcio â llythrennau.

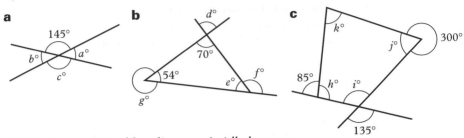

2 Cyfrifwch yr onglau sydd wedi eu marcio â llythrennau.

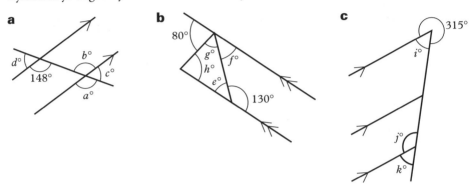

3 Cyfrifwch yr onglau sydd wedi eu marcio â llythrennau.

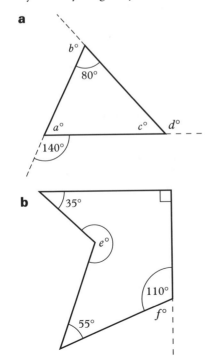

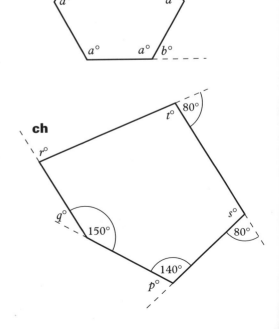

4　**a**　Lluniwch unrhyw heptagon.

　　b　Marciwch a mesurwch yr holl onglau mewnol.

　　c　Darganfyddwch gyfanswm yr holl onglau mewnol.

　　ch Rhannwch eich heptagon yn drionglau. Cyfrifwch gyfanswm yr onglau mewnol. A yw eich ateb yr un fath ag yn rhan **c**?

5　Copïwch yr echelinau a'r siâp P ar bapur sgwariau.

　　a　Cylchdrowch P 180° yn wrthglocwedd o amgylch y tarddbwynt.
　　　Labelwch y ddelwedd yn Q.

　　b　Cylchdrowch P 90° yn wrthglocwedd o amgylch y tarddbwynt.
　　　Labelwch y ddelwedd yn R.

　　c　Beth fyddai'n digwydd pe byddech chi'n cylchdroi siâp P 270° yn glocwedd o amgylch y tarddbwynt?

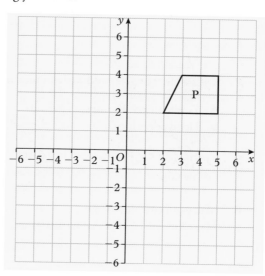

6　Helaethwch bob siâp gan ddefnyddio'r ffactor graddfa a roddir.

　　a　ffactor graddfa 2

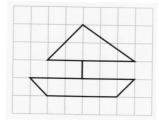

　　c　ffactor graddfa $\frac{1}{4}$

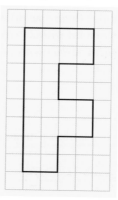

　　b　ffactor graddfa 3

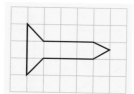

　　ch ffactor graddfa $2\frac{1}{2}$

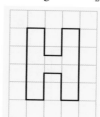

1 Cyfrifwch yr onglau sydd wedi eu marcio yn y pentagon rheolaidd yma.

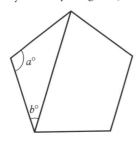

2 Mae gan bentagon rheolaidd *n* ochr.
   a Ysgrifennwch fformiwla i gyfrifo'r ongl allanol.
   b Defnyddiwch eich ateb i **a** i ysgrifennu fformiwla i ddarganfod yr ongl fewnol.

3 Pa siâp arall fydd yn ffitio gyda dau ddodecagon rheolaidd i ffurfio brithwaith?

4 Mae gan Gavin lun o'i gi.
Mae'r llun yn 14 cm o led wrth 10 cm o uchder.

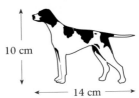

10 cm

14 cm

Mae Gavin eisiau helaethu'r llun er mwyn iddo ffitio'r ffrâm yma. Mae'r ffrâm yn mesur 35 cm o led wrth 25 cm o uchder. Pa ffactor graddfa ddylai Gavin ei ddefnyddio i helaethu ei lun?

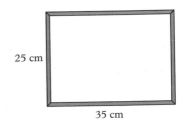

25 cm

35 cm

5 Mae Alys wedi helaethu'r petryal yma gan ddefnyddio gwahanol ffactorau graddfa. Dyma feintiau'r petryalau sydd wedi cael eu helaethu.
Ym mhob achos darganfyddwch pa ffactor graddfa ddefnyddiodd Alys.

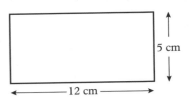

5 cm

12 cm

a

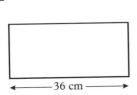

36 cm

b

$12\frac{1}{2}$ cm

c

9 cm

- **Polygon** Siâp ag ochrau syth yw **polygon**.

  Polygon rheolaidd Mae ochrau **polygonau rheolaidd** i gyd o'r un hyd. Mae'r onglau i gyd hefyd yn hafal.

- **Onglau allanol** Gelwir yr onglau y tu allan i bolygon yn **onglau allanol**.

  Mae **onglau allanol** unrhyw bolygon yn adio i 360°.

  Onglau mewnol Gelwir yr onglau y tu mewn i bolygon yn **onglau mewnol**. Maen nhw bob amser yn ffurfio llinell syth â'r ongl allanol. Golyga hyn fod

  ongl allanol + ongl fewnol = 180°

  ongl fewnol = 180° − ongl allanol

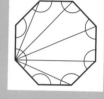

- **Swm yr onglau mewnol** Mae'n bosibl darganfod **swm onglau mewnol** unrhyw bolygon.

  Enghraifft Darganfyddwch swm onglau mewnol octagon.

  Mae'r octagon yn rhannu yn 6 o drionglau.

  Cyfanswm = 6 × 180° = 1080°

  Os yw'n octagon rheolaidd, mae pob

  ongl fewnol = $\frac{1080°}{8}$ = 135°.

- **Llinell adlewyrchu** Gelwir y llinell ddrych yn **llinell adlewyrchu.**

  Trawsfudiad **Trawsfudiad** yw symudiad mewn llinell syth.

  Cylchdro Mae **cylchdro** yn symud siâp drwy ongl o amgylch pwynt sefydlog.

  Canol cylchdro Gelwir y pwynt sefydlog yn **ganol cylchdro.**

- **Cyfath** Pan fydd siapiau yr un fath dywedir eu bod yn **gyfath**. Yn achos adlewyrchiad, trawsfudiad a chylchdro mae'r gwrthrych a'r ddelwedd bob amser yn gyfath. Yn achos helaethiad nid ydynt yn gyfath.

- **Helaethiad** Mae **helaethiad** yn newid maint gwrthrych. Mae'r newid yr un fath ym mhob cyfeiriad.

  Ffactor graddfa Mae'r **ffactor graddfa** yn dweud wrthym sawl gwaith yn fwy yw'r helaethiad.

1 Cyfrifwch yr onglau sydd wedi eu marcio â llythrennau.

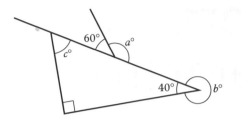

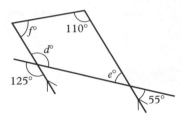

2 Cyfrifwch faint ongl allanol polygon rheolaidd gyda:
a 6 ochr **b** 9 ochr **c** 10 ochr **ch** 7 ochr

3 Copïwch y tabl yma a'i lenwi.

Nifer yr ochrau	Enw'r polygon	Ongl allanol	Ongl fewnol
3	triongl hafalochrog		
5	pentagon rheolaidd		
8	octagon rheolaidd		
12	dodecagon rheolaidd		

4 Mae swm onglau mewnol polygon yn 1620°.
Sawl ochr sydd gan y polygon?

5 **a** Copïwch yr echelinau a'r
siâp A ar bapur sgwariau.
b Adlewyrchwch A yn echelin *y*.
Labelwch y ddelwedd yn B.

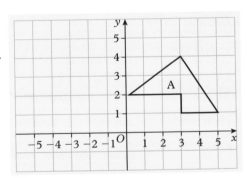

6 Helaethwch y siâp yma gan ddefnyddio
ffactor graddfa o $1\frac{1}{2}$.

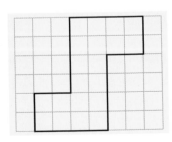

14 Algebra: dau ar y tro

Mae gan y ddau ddisg yma rif gwahanol ar yr ochr arall.

Mae adio unrhyw bâr o'r pedwar rhif yn rhoi'r cyfansymiau yma:

27, 23, 32, 18

Beth yw'r ddau rif?

1 ◄◄AILCHWARAE►

Mae'r graddiant yn dweud wrthych pa mor serth yw'r bryn.
Rydym yn defnyddio'r gair graddiant mewn mathemateg. Mae'n dweud wrthych pa mor serth yw llinellau syth.

Hafaliad

Gelwir rheol llinell yn **hafaliad** y llinell.

Mae gan y llinell yma y rheol:
cyfesuryn **y** = cyfesuryn **x** + 2
Yr hafaliad yw **y = x + 2**

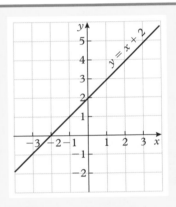

Ymarfer 14:1

1 **a** Copïwch yr echelinau ar bapur sgwariau.

b Mae'r pwynt (1, 1) ar y llinell $y = x$
Mae'r cyfesuryn y yn hafal i'r cyfesuryn x.
Mae'r pwyntiau yma hefyd ar y llinell $y = x$
(2, ...) (..., 3) (4, ...) (..., 5)
Copïwch y pwyntiau yma a llenwch y rhifau sydd ar goll.

c Marciwch y pwyntiau ar eich grid.
Cysylltwch nhw â llinell syth.
Labelwch y llinell â'i hafaliad.
y = x

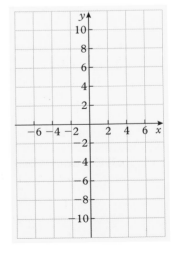

2 Tynnwch y llinellau yma ar yr un echelinau ag a ddefnyddiwyd yng nghwestiwn **1**. Labelwch bob llinell â'i hafaliad.

a cyfesuryn $y = 2 \times$ cyfesuryn x $\qquad$ $y = 2x$

b cyfesuryn $y = 3 \times$ cyfesuryn x $\qquad$ $y = 3x$

c cyfesuryn $y =$ cyfesuryn $x \div 2$

$$y = \frac{x}{2} \quad \text{neu} \quad y = \tfrac{1}{2}x$$

3 Rydych wedi tynnu'r llinellau

$y = x \qquad y = 2x \qquad y = 3x \qquad y = \tfrac{1}{2}x$

a Pa linell yw'r fwyaf serth?

b Pa linell yw'r lleiaf serth?

c Pa ran o'r hafaliad sy'n dweud wrthych pa mor serth yw'r llinell?

4 Pa linell yw'r fwyaf serth ym mhob un o'r parau yma?

a $y = 4x$ ynteu $y = 8x$ $\qquad$ **c** $y = \dfrac{x}{3}$ ynteu $y = x$

b $y = 7x$ ynteu $y = 2x$ $\qquad$ **ch** $y = \dfrac{x}{5}$ ynteu $y = \dfrac{x}{4}$

5 Mae'r diagram yn dangos tri graff. Ysgrifennwch hafaliad pob graff. Dyma'r dewis sydd gennych.

$y = 5x \quad y = 2\tfrac{1}{2}x \quad y = \dfrac{x}{3}$

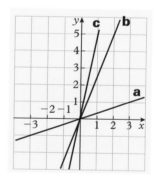

Ymarfer 14:2

Bydd arnoch angen papur sgwariau i wneud yr ymarfer yma.

1 a Copïwch yr echelinau ar bapur sgwariau.

b Tynnwch a labelwch y llinell $y = x$

c Copïwch a llenwch y tabl yma ar gyfer y llinell $y = x + 1$
Tynnwch a labelwch y llinell $y = x + 1$

x	1	2	3	4
y	2	…	4	…

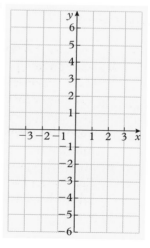

ch Copïwch a llenwch y tabl yma ar gyfer y llinell $y = x + 3$
Tynnwch a labelwch y llinell $y = x + 3$

x	1	2	3	4
y	…	5	…	…

2 Gwnewch dabl ar gyfer pob un o'r llinellau hyn.

x	1	2	3	4	5
y	...	...	...	...	...

a $y = x - 1$

b $y = x - 2$

c $y = x - 3$

ch Tynnwch a labelwch bob llinell ar yr un echelinau ag a ddefnyddiwyd yng nghwestiwn **1**.

3 Edrychwch ar y llinellau ar eich echelinau.

a Beth sy'n arbennig ynglŷn â'r holl linellau?

b Pa ran o'r hafaliad sy'n dweud wrthych ym mhle bydd y llinell yn croesi'r echelin x?

4 Ym mhle y bydd y llinellau yma'n croesi'r echelin y?

a $y = x + 7$ **c** $y = x + \frac{1}{2}$

b $y = x - 5$ **ch** $y = x - \frac{3}{4}$

Enghraifft

Tynnwch y llinell $y = 2x + 1$

Defnyddiwch eich llinell i ddarganfod gwerth x pan yw $y = -3$

Darganfyddwch werth y pan yw $x = 0$

$y = 2 \times 0 + 1$

   $= 1$

x	0	1	2
y	1	3	5

Yn yr un modd pan yw $x = 1$

$y = 2 \times 1 + 1$

   $= 3$

a phan yw $x = 2$

$y = 2 \times 2 + 1$

   $= 5$

Nawr lluniwch y graff.

Plotiwch y pwyntiau $(0, 1)$, $(1, 3)$ a $(2, 5)$.

Mae gan y pwynt ar y graff lle mae cyfesuryn y yn -3 gyfesuryn x o -2.

Felly pan yw $y = -3$, $x = -2$

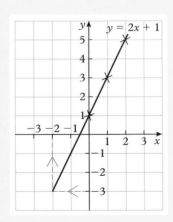

Ymarfer 14:3

1 a Copïwch a llenwch y tabl yma ar gyfer $y = x + 2$

x	0	1	2
y	...	3	...

b Lluniwch set o echelinau ar bapur sgwariau. Defnyddiwch werthoedd x o -4 i 4 a gwerthoedd y o -4 i 8.

c Tynnwch a labelwch y llinell $y = x + 2$

ch A yw'r pwynt (4, 7) uwchben neu o dan y llinell?

d Mae'r pwynt (..., -1) ar y llinell. Beth yw'r cyfesuryn x sydd ar goll?

2 a Copïwch a llenwch y tabl yma ar gyfer $y = 2x - 3$

x	0	1	2
y	...	-1	...

b Lluniwch set o echelinau ar bapur sgwariau. Defnyddiwch werthoedd x o -4 i 4 a gwerthoedd y o -8 i 6.

c Tynnwch a labelwch y llinell $y = 2x - 3$

ch A yw'r pwynt (-1, -2) uwchben neu o dan y llinell?

d Mae'r pwyntiau canlynol ar y llinell. Llenwch y cyfesurynnau sydd ar goll.
(3, ...)　　(−2, ...)　　(..., −3)　　(..., 0)

3 Dyma graff $y = \frac{1}{2}x - 1$
Defnyddiwch y graff i ateb y cwestiynau yma.

a Beth yw gwerth y pan yw $x = 4$?

b Beth yw gwerth x pan yw $y = -3$?

c Pa un o'r pwyntiau yma sydd o dan y llinell?
(2, -1)　　(3, 3)　　(1, -2)

ch Mae'r pwyntiau yma ar y llinell. Llenwch y cyfesurynnau sydd ar goll.
(..., -2)　　(0, ...)

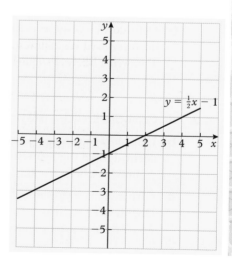

281

Enghraifft

A yw'r pwynt (2, 5) ar y llinell $y = x + 4$?
Pan yw $x = 2$ $y = 2 + 4 = 6$
Pan yw $x = 2$, $y = 6$, felly:
Mae'r pwynt (2, 6) ar y llinell.
Nid yw'r pwynt (2, 5) ar y llinell.

4 Mae gan bob un o rannau **a** i **dd** bwynt a llinell.
A yw'r pwynt ar y llinell?
  a (3, 7) $y = x + 4$
  b (2, 8) $y = 3x$
  c (2, 6) $y = 2x + 3$
  ch (1, 6) $y = 3x - 1$
  d (0, −5) $y = 2x - 5$
  dd (4, 16) $y = 5x - 3$

Ymarfer 14:4

1 **a** Lluniwch set o echelinau ar bapur sgwariau.
Defnyddiwch werthoedd x o −4 i 4 a
gwerthoedd y o −4 i 8.

x	−1	0	1	2
y	1	0	...	−2

  b Copïwch a llenwch y tabl yma ar gyfer $y = -x$

  c Tynnwch a labelwch y llinell $y = -x$

2 **a** Copïwch a llenwch y tabl yma ar gyfer $y = -2x$

x	−1	0	1	2
y	2	0	−2	...

  b Defnyddiwch yr un set o echelinau ag a
ddefnyddiwyd yng nghwestiwn **1**.
Tynnwch a labelwch y llinell $y = -2x$

3 **a** Copïwch a llenwch y tabl yma ar gyfer $y = -3x$

x	−1	0	1	2
y	...	...	−3	−6

  b Defnyddiwch yr un set o echelinau ag a
ddefnyddiwyd yng nghwestiwn **1**.
Tynnwch a labelwch y llinell $y = -3x$

  c Edrychwch ar y tri graff rydych chi wedi eu llunio.
Disgrifiwch y graffiau.
A yw'r rheol ar gyfer serthrwydd yn dal i weithio?

Graddiant

Mae **graddiant** llinell yn dweud wrthych pa mor serth yw'r llinell.
Mae'r ddwy linell yma'n cynnwys '3' sy'n dweud wrthych pa mor serth ydynt.
Mae ganddynt **raddiant** o 3.
Mae'r llinellau'n baralel gan fod ganddynt yr un graddiant.
Mae'r +2 a'r −4 yn dweud wrthych ym mhle mae'r llinellau yn croesi'r echelin y.

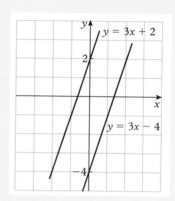

Mae graddiant y ddwy linell yma yn −2.
Maen nhw'n baralel.
Maen nhw'n croesi'r echelin y yn 0 ac yn −1.

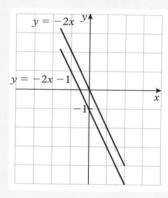

Enghraifft

Darganfyddwch hafaliad y llinell goch.
Mae'r llinell goch yn baralel i'r llinell $y = 5x + 2$
Mae'n rhaid fod rhan o'r hafaliad yn $y = 5x$ ...
Mae'r llinell goch yn croesi'r echelin y yn −**3**.
Mae'n rhaid fod hafaliad y llinell goch yn $y = 5x − 3$

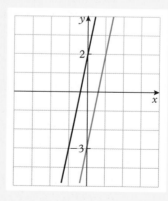

Ymarfer 14:5

Ysgrifennwch hafaliad pob llinell goch.

1

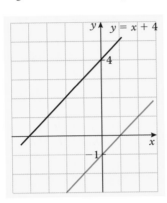

$y = x + 4$

2

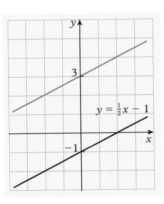

$y = \frac{1}{2}x - 1$

3

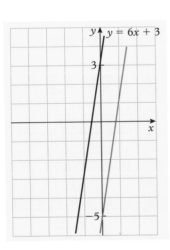

$y = 6x + 3$

4

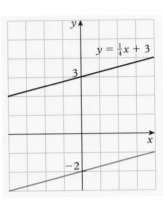

$y = \frac{1}{4}x + 3$

5

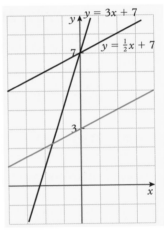

$y = 3x + 7$

$y = \frac{1}{2}x + 7$

6

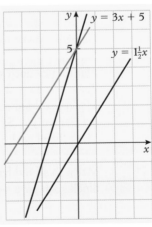

$y = 3x + 5$

$y = 1\frac{1}{2}x$

Croestorfan	Gelwir y pwynt lle mae dwy linell yn croesi yn **groestorfan**.	

Enghraifft

a Ysgrifennwch hafaliad y llinell fertigol.

b Ysgrifennwch gyfesurynnau croestorfan y ddwy linell.

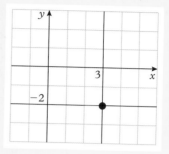

a Mae cyfesurynnau **x** yr holl bwyntiau ar y llinell fertigol yn **3**. Hafaliad y llinell yw **x = 3**

b Cyfesurynnau'r groestorfan yw (3, −2).

Ymarfer 14:6

1 a Ysgrifennwch hafaliadau'r llinellau yma.

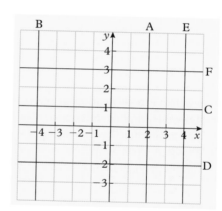

Ysgrifennwch gyfesurynnau croestorfannau'r parau yma o linellau.

b E ac C   **c** A a D   **ch** B ac F

2 Ysgrifennwch gyfesurynnau croestorfan pob pâr o linellau.

a x = 3   ac   y = 2   **ch** x = −3   ac   y = 4

b x = 8   ac   y = 1   **d** x = −7   ac   y = −2

c x = 4   ac   y = −6   **dd** x = 6   ac   y = 0

3 Gan ba linellau fertigol a llorweddol mae'r croestorfannau yma?

a (3, 5)   **c** (4, −3)   **d** (−1, −5)

b (6, 9)   **ch** (0, −5)   **dd** (−5, −6)

Nid yw hafaliadau llinellau bob amser yn cael eu hysgrifennu yn y ffurf yma.

Enghraifft   Tynnwch y llinell $2x + y = 6$

Ceir dull cyflym o dynnu llinell fel hyn.
Rydych yn darganfod y pwyntiau lle mae
$x = 0$ ac $y = 0$

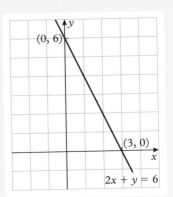

Pan yw $x = 0$	Pan yw $y = 0$
$0 + y = 6$	$2x + 0 = 6$
$y = 6$	$2x = 6$
	$x = 3$
Mae hyn yn	Mae hyn yn
rhoi $(0,\ 6)$	rhoi $(3,\ 0)$

Mae'r ddau bwynt yma ar y llinell.

Nawr plotiwch y ddau bwynt yma a'u
cysylltu i roi'r llinell $2x + y = 6$

Ymarfer 14:7

1   Copïwch yr echelinau ar bapur sgwariau.
   a Darganfyddwch gyfesurynnau dau
        bwynt ar y llinell $x + y = 3$
   b Plotiwch y pwyntiau.
        Tynnwch a labelwch y llinell $x + y = 3$

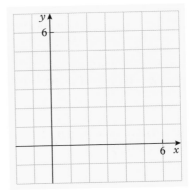

2   Gwnewch gopi arall o'r echelinau o gwestiwn **1**.
   a Darganfyddwch gyfesurynnau dau bwynt ar y llinell $x + 2y = 6$
   b Plotiwch y pwyntiau.
        Tynnwch a labelwch y llinell $x + 2y = 6$

3   Gwnewch gopi arall o'r echelinau o gwestiwn **1**.
   a Darganfyddwch gyfesurynnau dau bwynt ar y llinell $2x + 3y = 12$
   b Plotiwch y pwyntiau.
        Tynnwch a labelwch y llinell $2x + 3y = 12$

2 Hafaliadau cydamserol

Mae hi'n ddigon hawdd gweld ym mhle mae'r ddwy res yma o fabolgampwyr yn croesi ar y bocs. Mewn mathemateg mae'n rhaid i chi ddarganfod ym mhle mae dwy linell yn croesi. Gallwch wneud hyn drwy dynnu llinellau neu drwy ddefnyddio algebra.

Enghraifft

Mae Aled a Tom yn prynu bwyd yn y clwb ieuenctid.
Mae Aled yn prynu dwy fisged (**b**) ac un **d**diod am 10c.
Mae Tom yn prynu un fisged (**b**) a dwy **d**diod am 14c.
Beth yw cost **b**isged a phris **d** iod?

Dyma hafaliad Aled $2b + d = 10$
Pan yw $b = 0$ $\qquad d = 10$
Pan yw $d = 0$ $\qquad 2b = 10$
$\qquad\qquad\qquad b = 5$
Dau bwynt ar y llinell yma yw
$(0, 10)$ a $(5, 0)$.

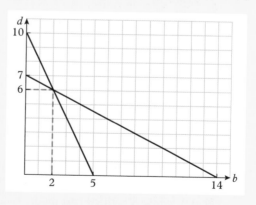

Dyma hafaliad Tom $b + 2d = 14$
Pan yw $b = 0$ $\qquad 2d = 14$
$\qquad\qquad\qquad d = 7$
Pan yw $d = 0$ $\qquad b = 14$
Dau bwynt ar y llinell yma yw $(0, 7)$ a $(14, 0)$.

Mae'r llinellau yn croestorri yn $(2, 6)$.
Golyga hyn fod $b = 2$ a $d = 6$
Felly mae bisged yn costio 2c a diod yn costio 6c.

Gwiriwch: $2b + d = 2 \times 2 + 6 = 10$ ✓ $\qquad b + 2d = 2 + 2 \times 6 = 14$ ✓

| Hafaliadau cydamserol | Pan fyddwch yn datrys dau hafaliad ar yr un pryd rydych yn datrys **hafaliadau cydamserol**. |

Ymarfer 14:8

Lluniwch graffiau i ddatrys y problemau yma.
Gwiriwch eich atebion yn y broblem wreiddiol bob tro.

1 Datryswch y parau yma o hafaliadau cydamserol.

   a $x + y = 5$
       $2x + 4y = 12$

  ● **b** $x + y = 7$
         $3x + y = 11$

2 Cymerodd Elfed ac Alys ran mewn cwis yn yr ysgol. Roedd yn rhaid iddynt ddewis cwestiwn *s*afonol a chwestiwn *a*nodd bob tro.
Atebodd Elfed 3 chwestiwn *s*afonol a 2 gwestiwn *a*nodd yn gywir a sgoriodd 12 o bwyntiau.
Atebodd Alys 1 cwestiwn *s*afonol a 4 cwestiwn *a*nodd yn gywir a sgoriodd 14 o bwyntiau.
Darganfyddwch faint o bwyntiau a roddwyd am gwestiwn *s*afonol ac am gwestiwn *a*nodd.

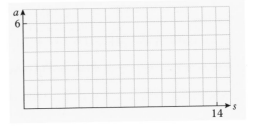

● **3** Mae ysgol yn gwerthu dau fath o gyfrifiannell. Mae un yn fodel *s*ylfaenol a'r llall yn fodel *g*wyddonol.
Mae cost un cyfrifiannell *s*ylfaenol ac un cyfrifiannell *g*wyddonol yn £10.
Mae cost 3 chyfrifiannell *s*ylfaenol a 2 gyfrifiannell *g*wyddonol yn £24.
Darganfyddwch beth yw cost model *s*ylfaenol a chost model *g*wyddonol.

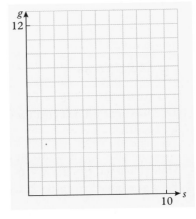

Gallwch ddatrys hafaliadau cydamserol hefyd gan ddefnyddio algebra.

Enghraifft

Datryswch y pâr yma o hafaliadau cydamserol $\quad 5x + y = 20$
$\qquad\qquad\qquad\qquad\qquad\qquad\qquad\qquad\qquad\qquad 2x + y = 11$

Rhifwch yr hafaliadau

$(1)\ 5x + y = 20$
$(2)\ 2x + y = 11$

Tynnwch i gael gwared o y
Mae hyn yn darganfod x

$3x \qquad = 9$
$\qquad x = 3$

Defnyddiwch hafaliad (1) i ddarganfod y

Rhowch $x = 3$ yn hafaliad (1)
$5 \times 3 + y = 20$
$15 + y = 20$
$y = 5$
Yr ateb yw $x = 3, y = 5$

Defnyddiwch hafaliad (2) i wirio'ch ateb
$2x + y = 2 \times 3 + 5 = 6 + 5 = 11\ \checkmark$

Ymarfer 14:9

Datryswch y parau yma o hafaliadau cydamserol.
Cychwynnwch drwy dynnu'r hafaliadau bob amser.

1 $\quad 5x + y = 13$
$\qquad x + y = 5$

5 $\quad 5x + y = 23$
$\qquad 2x + y = 14$

2 $\quad 3x + y = 22$
$\qquad x + y = 12$

6 $\quad 3x + 2y = 16$
$\qquad x + 2y = 12$

3 $\quad 5x + y = 28$
$\qquad 2x + y = 13$

7 $\quad 4x + 3y = 25$
$\qquad x + 3y = 13$

4 $\quad 7x + y = 18$
$\qquad 3x + y = 10$

8 $\quad 5x + 2y = 19$
$\qquad x + 2y = 15$

Enghraifft   Datryswch y pâr yma o hafaliadau cydamserol $3x + y = 19$
$x - y = 1$

Rhifwch yr hafaliadau   (1) $3x + y = 19$
(2) $x - y = 1$
_____
Adiwch i gael gwared o y $4x = 20$
Mae hyn yn darganfod x $x = 5$

Defnyddiwch hafaliad (1)   Rhowch $x = 5$ yn hafaliad (1)
i ddarganfod y $3 \times 5 + y = 19$
$15 + y = 19$
$y = 4$
Yr ateb yw $x = 5$, $y = 4$

Defnyddiwch hafaliad (2) i wirio'ch ateb
$x - y = 5 - 4 = 1$ ✓

Ymarfer 14:10

Datryswch y parau yma o hafaliadau cydamserol.
Cychwynnwch drwy adio'r hafaliadau bob tro.

1 $2x + y = 12$
$x - y = 3$

2 $4x + y = 7$
$5x - y = 2$

3 $3x + y = 18$
$x - y = 2$

4 $4x + y = 12$
$3x - y = 2$

5 $3x + 2y = 17$
$5x - 2y = 7$

6 $4x + 3y = 26$
$5x - 3y = 19$

Ymarfer 14:11

Datryswch y parau yma o hafaliadau cydamserol.
Bydd angen i chi benderfynu pa un ai adio ynteu dynnu'r hafaliadau fydd ei angen.

1 $2x + y = 11$
$3x - y = 9$

2 $3x + 2y = 16$
$x + 2y = 12$

3 $4x + 2y = 28$
$x - 2y = 2$

4 $4x + 2y = 38$
$3x - 2y = 11$

5 $5x + 3y = 19$
$2x + 3y = 13$

6 $5x + 3y = 27$
$4x - 3y = 0$

Weithiau bydd yn rhaid i chi luosi un o'r hafaliadau cyn adio
neu dynnu.

Enghraifft Datryswch y pâr yma o hafaliadau cydamserol $2x + 3y = 13$
$$4x - y = 5$$

Rhifwch yr hafaliadau (1) $2x + 3y = 13$
(2) $4x - y = 5$

Bydd angen i chi luosi hafaliad (2) â **3**
fel bo gennych 3y ym
mhob hafaliad
$$2x + 3y = 13$$
$(2) \times 3$ $12x - 3y = 15$

Adiwch i gael gwared o y
$$\overline{14x \quad\quad = 28}$$
Mae hyn yn darganfod x
$$x = 2$$

Defnyddiwch hafaliad (1) i ddarganfod y Rhowch $x = 2$ yn hafaliad (1)
$$2 \times 2 + 3y = 13$$
$$4 + 3y = 13$$
$$3y = 9$$
$$y = 3$$
Yr ateb yw $x = 2$, $y = 3$

Defnyddiwch hafaliad (2) i wirio'ch ateb
$$4x - y = 4 \times 2 - 3 = 8 - 3 = 5 \checkmark$$

Ymarfer 14:12

Datryswch y parau yma o hafaliadau cydamserol.
Bydd angen i chi luosi un hafaliad â rhif.

1 $3x + 2y = 16$
$x + y = 7$

4 $5x + 3y = 36$
$x + y = 10$

2 $4x - 2y = 6$
$3x + y = 17$

5 $3x + 2y = 9$
$4x - y = 1$

3 $7a - 3b = 17$
$2a + b = 16$

● 6 $f + 4g = 7$
$5f - 2g = 24$

Weithiau bydd yn rhaid lluosi'r ddau hafaliad cyn adio neu dynnu.

Enghraifft   Datryswch y pâr yma o hafaliadau cydamserol $3x + 5y = 30$
$2x + 3y = 19$

Rhifwch yr hafaliadau   (1) $3x + 5y = 30$
(2) $2x + 3y = 19$

Lluoswch hafaliad (1) â 2 $6x + 10y = 60$
Lluoswch hafaliad (2) â 3 $6x + 9y = 57$

Nawr gallwch dynnu er mwyn cael gwared o x $y = 3$
Rhowch $y = 3$ yn hafaliad (1) $3x + 15 = 30$
$3x = 15$
$x = 5$

Yr ateb yw $x = 5$, $y = 3$

Gwiriwch gan ddefnyddio hafaliad (2)
$2x + 3y = 2 \times 5 + 3 \times 3 = 10 + 9 = 19$ ✓

Ymarfer 14:13

Datryswch y parau yma o hafaliadau cydamserol.
Bydd angen i chi luosi'r ddau hafaliad.

1 $2x + 3y = 11$
$5x + 4y = 24$

2 $3x - 2y = 13$
$4x + 3y = 40$

3 $7a + 4b = 41$
$2a + 5b = 31$

4 $3x + 2y = 33$
$7x + 5y = 79$

5 $4x + 3y = 12$
$5x + 7y = 15$

6 $7p - 3q = 5$
$3p + 2q = 12$

7 $5x - 3y = 24$
$3x - 2y = 14$

8 $2c - 3d = 6$
$5c - 7d = 17$

1 Pa un yw'r mwyaf serth ym mhob un o'r parau yma?

a $y = 3x$ ynteu $y = 5x$

b $y = 6x$ ynteu $y = x$

c $y = \frac{3}{4}x$ ynteu $y = 4x$

ch $y = \frac{1}{2}x$ ynteu $y = \frac{1}{4}x$

2 Ym mhle mae pob un o'r llinellau yma'n croesi'r echelin y?

a $y = x + 6$

b $y = x - 3$

c $y = 3x + 2$

ch $y = 4x - 1$

d $y = 2x - 5$

dd $y = x + 1$

3 a Copïwch a chwblhewch y tabl yma ar gyfer $y = 2x - 1$

x	0	1	2
y	...	...	3

b Lluniwch set o echelinau ar bapur sgwariau. Defnyddiwch werthoedd x o -3 i 3 a gwerthoedd y o -7 i 5.

c Tynnwch a labelwch y llinell $y = 2x - 1$

ch A yw'r pwynt (2, 1) uwchben neu o dan y llinell?

d Mae'r pwynt (..., -3) ar y llinell. Beth yw'r cyfesuryn sydd ar goll?

dd Beth yw gwerth y pan yw $x = -2$?

e Beth yw gwerth x pan yw $y = 0$?

4 Mae gan bob un o rannau **a** i **ch** linell a phwyntiau. Mae'r pwyntiau ar y llinell. Darganfyddwch y cyfesurynnau sydd ar goll.

a $y = x + 5$ (3, ...) (0, ...) (-1, ...)

b $y = x - 3$ (5, ...) (3, ...) (1, ...)

c $y = 2x + 4$ (2, ...) (0, ...) (-1, ...)

ch $y = 3x - 4$ (4, ...) (1, ...) (-2, ...)

5 Ysgrifennwch hafaliad pob llinell goch.

a

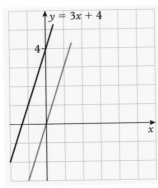

$y = 3x + 4$

4

x

c

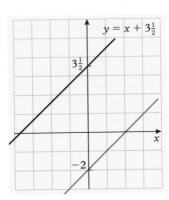

$y = x + 3\frac{1}{2}$

$3\frac{1}{2}$

-2

x

b

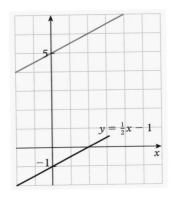

5

$y = \frac{1}{2}x - 1$

-1

x

ch

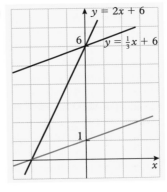

$y = 2x + 6$

6

$y = \frac{1}{3}x + 6$

1

x

6 Ysgrifennwch hafaliadau'r llinellau yma.

7 Lluniwch graff i ddatrys y broblem yma. Gwiriwch eich ateb yn y broblem wreiddiol.

Prynodd Llio ddau *a*fal ac un fisged (*b*) am 22c.
Prynodd Siwan un *a*fal a thair *b*isged am 21c.
Darganfyddwch gost un *a*fal a chost un fisged (**b**).

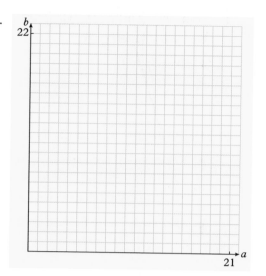

8 Datryswch y parau yma o hafaliadau cydamserol.
Cychwynnwch drwy dynnu'r hafaliadau bob tro.

a $5x + y = 17$
$4x + y = 15$

c $5x + 3y = 33$
$x + 3y = 21$

b $6x + 2y = 20$
$4x + 2y = 14$

ch $6x + 4y = 28$
$2x + 4y = 20$

9 Datryswch y parau yma o hafaliadau cydamserol.
Cychwynnwch drwy adio'r hafaliadau bob tro.

a $4x + y = 27$
$2x - y = 3$

c $7x + 3y = 65$
$4x - 3y = 23$

b $5x + 2y = 36$
$4x - 2y = 18$

ch $6x - y = 20$
$3x + y = 25$

10 Datryswch y parau yma o hafaliadau cydamserol.
Bydd angen i chi benderfynu pa un ai adio ynteu dynnu'r hafaliadau fydd ei angen.

a $2x - 3y = 4$
$x + 3y = 11$

c $7x + 3y = 13$
$4x + 3y = 10$

b $4x + 2y = 22$
$x + 2y = 10$

ch $2x - y = 4$
$x + y = 11$

1 Darganfyddwch ddau bwynt ar bob un o'r llinellau yma.
   Peidiwch â llunio'r graff.

   a $2x + 3y = 12$ **c** $3x + 4y = 24$
   b $x + 3y = 9$ **ch** $5x + 4y = 20$

2 Mae'r pwyntiau $(1, 5)$ a $(2, 7)$ ar y llinell $y = ax + b$

   a Rhowch werthoedd x ac y yn hafaliad y llinell
   $\ldots = \ldots a + b$ a $\ldots = \ldots a + b$

   Nawr mae gennych ddau hafaliad cydamserol.

   b Datryswch y ddau hafaliad cydamserol i ddarganfod gwerthoedd a a b.

3 Mae'r pwyntiau $(1, 7)$ a $(2, 12)$ ar y llinell $y = ax + b$.

   a Rhowch werthoedd x ac y yn hafaliad y llinell i gael dau hafaliad
   cydamserol.

   b Datryswch y ddau hafaliad cydamserol i ddarganfod gwerthoedd a a b.

4 Mae swm dau rif yn 12.
   Mae'r gwahaniaeth yn 2.
   Gadewch i'r ddau rif fod yn x ac y.
   Mae swm y ddau rif yn $x + y$.
   Mae'r gwahaniaeth rhwng y ddau rif yn $x - y$.
   Ysgrifennwch ddau hafaliad $x + y = \ldots$
                               $x - y = \ldots$
   Darganfyddwch y ddau rif drwy ddatrys y pâr yma o hafaliadau cydamserol.

5 Mae swm dau rif yn 22.
   Mae'r gwahaniaeth yn 4.
   Darganfyddwch y ddau rif drwy ddatrys pâr o hafaliadau cydamserol.

- **Croestorfan**

  Gelwir y pwynt lle mae dwy linell yn croesi yn **groestorfan.**

  Hafaliad

  Gelwir rheol llinell yn **hafaliad** y llinell.

- **Graddiant**

  Mae **graddiant** llinell yn dweud wrthych pa mor serth yw'r llinell. Mae'r ddwy linell yma yn cynnwys '3' sy'n dweud wrthych pa mor serth ydynt.
  Mae ganddynt **raddiant** o 3.
  Mae'r llinellau'n baralel gan fod ganddynt yr un graddiant.
  Mae'r +2 a'r −4 yn dweud wrthych ym mhle mae'r llinellau yn croesi'r echelin *y*.

  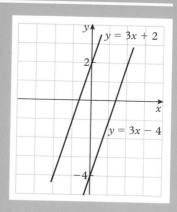

- **Hafaliadau cydamserol**

  Pan fyddwch yn datrys dau hafaliad ar yr un pryd rydych yn datrys **hafaliadau cydamserol.**

  Enghraifft

  Datryswch y pâr yma o hafaliadau cydamserol.

  $$5x + y = 20$$
  $$2x + y = 11$$

  Rhifwch yr hafaliadau

  (1) $5x + y = 20$
  (2) $2x + y = 11$

  Tynnwch i gael gwared o *y*
  Mae hyn yn darganfod *x*

  $3x \quad = 9$
  $x = 3$

  Defnyddiwch hafaliad (1) i ddarganfod *y*   Rhowch $x = 3$ yn hafaliad (1)

  $$5 \times 3 + y = 20$$
  $$15 + y = 20$$
  $$y = 5$$

  Yr ateb yw $x = 3, y = 5$

  Defnyddiwch hafaliad (2) i wirio'ch ateb
  $2x + y = 2 \times 3 + 5 = 6 + 5 = 11$ ✓

1 Edrychwch ar y tair llinell yma.

$y = 2x + 5$ $y = 5x - 2$ $y = 4x + 3$

  a Pa linell yw'r fwyaf serth?
  b Pa linell yw'r lleiaf serth?
  c Pa linell sy'n croesi'r echelin y yn 5?

2 Mae pob un o'r pwyntiau ar un o'r llinellau.
Rhowch y pwyntiau gyda'r llinellau sy'n cyfateb.

(3, 7)   (9, 5)   (3, 2)

$y = 2x - 4$ $y = x - 4$ $y = 3x - 2$

3 Ysgrifennwch hafaliad pob llinell goch.

a

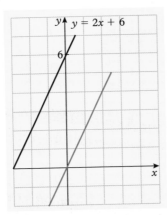

b

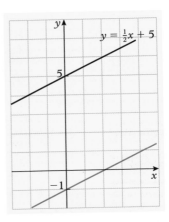

4 Lluniwch graff i ddatrys y broblem yma.
Gwiriwch eich ateb yn y broblem wreiddiol.
Mae Tim yn prynu dau **a**fal ac un
ellygen (**g**) am 20c.
Mae Andrea yn prynu un **a**fal a dwy
ellygen (**g**) am 22c.
Darganfyddwch gost un **a**fal a chost un
ellygen (**g**).

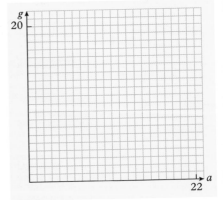

5 Datryswch y parau yma o hafaliadau cydamserol.
Bydd angen i chi benderfynu pa un ai adio neu dynnu hafaliadau fydd ei angen.

  a $2x + y = 11$
     $5x - y = 17$

  b $7x + y = 44$
     $3x + y = 20$

15 Locysau: pa lwybrau?

Mewn mathemateg mae elips yn cael ei ddiffinio fel locws pwynt sy'n symud fel bo cyfanswm ei bellteroedd o ddau bwynt sefydlog yn aros yn gyson.

Er mwyn llunio elips bydd arnoch angen dwy hoelen wedi eu gosod trwy bapur ar fwrdd, darn o linyn wedi ei glymu'n ddolen, a phensil. Gofalwch gadw'r llinyn yn dynn a symudwch y bensil o amgylch y ddwy hoelen nes cyrhaeddwch eich man cychwyn.

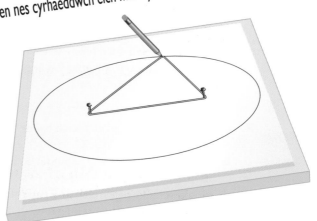

1 Locws pwynt

Ymarfer 15:1

Bydd arnoch angen taflen o bapur a chownteri.

1 **a** Marciwch bwynt yng nghanol eich papur. Labelwch ef yn A.
  b Gosodwch gownter ar y papur 7 cm o A. Gosodwch fwy o gownteri ar eich papur fel bo'r rhain hefyd 7 cm o A.
  c Dylai pob un o'ch cownteri fod ar gromlin. Disgrifiwch y gromlin yma.

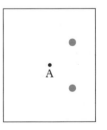

2 **a** Marciwch ddau bwynt ar eich papur. Labelwch rhain yn B ac C.
  b Gosodwch gownter ar y papur fel bo hwn yr un pellter o B ag o C. Gosodwch fwy o gownteri ar y papur fel eu bod i gyd yr un pellter o B ag o C.
  c Dylai pob un o'ch cownteri fod ar linell syth. Disgrifiwch leoliad y llinell yma.

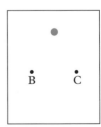

3 **a** Tynnwch linell 7 cm o hyd yng nghanol eich papur.

b Gosodwch gownter ar y papur fel ei fod 5 cm o'r llinell.
Gosodwch fwy o gownteri ar y papur fel eu bod i gyd 5 cm o'r llinell.

c Disgrifiwch lle gall eich cownteri fod.
Dylai hyn gynnwys rhai rhannau syth a rhai rhannau crwm.

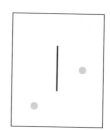

Locws

Gellir defnyddio rheol i roi lleoliad gwrthrych.
Y **locws** yw holl leoliadau posibl y gwrthrych sy'n bodloni'r rheol.
Gellir disgrifio'r locws un ai mewn geiriau neu â llun.

Enghraifft

Disgrifiwch locws gwrthrych sydd bob amser 2 cm o bwynt D.

Cylch yw'r locws. Mae'r canol yn D ac mae'r radiws yn 2 cm.

---

4 **a** Mewn geiriau, disgrifiwch locws gwrthrych sydd bob amser 4 cm o bwynt R.

b Gwnewch fraslun o locws y gwrthrych.

5 **a** Copïwch y llinell yma ar bapur.

A ——————————————— B

b Gwnewch fraslun o locws pwynt sydd bob amser 8 cm o'r llinell AB.

6 Disgrifiwch locws blaen y bys mawr wrth iddo symud o amgylch wyneb y cloc.

7 Disgrifiwch locws blaen y saeth wrth iddo symud ar hyd graddfa'r amedr yma.

Enghraifft

Mae tŷ John 2 km o'r ysgol a 3 km o'r draffordd. Ym mhle gallai tŷ John fod?

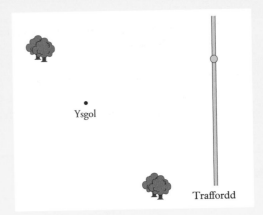

Mae tŷ John 2 km o'r ysgol.
Mae ei dŷ ar gylch, a chanol y cylch yw'r ysgol.
Mae'r radiws yn 2 km.

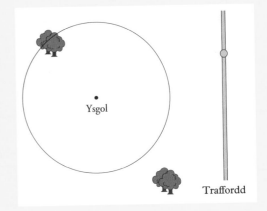

Mae'r tŷ 3 km o'r draffordd.
Mae'r tŷ ar linell 3 km o'r draffordd.
Mae'r llinell yma yn baralel i'r draffordd.

Mae'n rhaid fod tŷ John yn un o'r pwyntiau lle mae'r cylch a'r llinell yn croesi.
Mae'r rhain yn cael eu marcio â chroes.

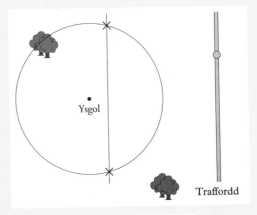

Graddfa: 1 cm i 1 km

Ymarfer 15:2

Defnyddiwch bapur dargopïo i gopïo'r mapiau yma.
Mae graddfa pob map yn 1 cm i 1 km.

1 Mae tŷ Catrin 3 km o'r ysgol a 4 km o'r
draffordd.
  a Copïwch y diagram.
  b Darganfyddwch ddau leoliad posibl
    tŷ Catrin.

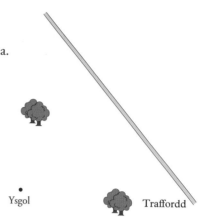

2 Mae Brian yn byw 1 km o'r draffordd a
2 km o ymyl y goedwig.
  a Copïwch y diagram.
  b Darganfyddwch leoliad tŷ Brian.

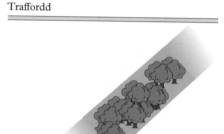

3 Mae Pedr yn byw 4 km o'r ysgol a 3 km
o'r ysbyty.
  a Copïwch y diagram.
  b Darganfyddwch ddau leoliad
    posibl tŷ Pedr.

4 Mae Sam yn byw 2 km o'r ysgol a 5 km o'r ysbyty.
  a Gwnewch gopi arall o'r map yng nghwestiwn **3**.
  b Marciwch ddau leoliad posibl cartref Sam.

Enghraifft

Mae gafr wedi ei chlymu at fodrwy sydd yn y ddaear.
Mae'r rhaff yn 3 m o hyd.
Lluniwch ddiagram i ddangos yr arwynebedd lle gall yr afr bori.

Y pwynt M yw'r fodrwy.
Mae'r lliw coch yn dangos yr arwynebedd lle gall yr afr bori.
Radiws y cylch yw hyd y rhaff.

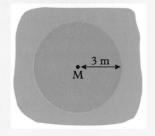

Dylech ddweud bob amser pa ran o'r lliwio yw eich ateb.
Mae allwedd yn ddefnyddiol pan fydd mwy nag un lliw dan sylw.

Ymarfer 15:3

1 Mae'r ceffyl wedi ei glymu yn sownd wrth wal.
Gweler y llun.
Mae hyd y rhaff yn 4 m.
Gwnewch fraslun yn dangos y rhanbarth lle gall y ceffyl grwydro.

2 Mae'r tarw yma wedi ei glymu wrth fodrwy yn y buarth.
Mae'r rhaff yn 5 m o hyd.
Gwnewch fraslun yn dangos y rhanbarth lle gall y tarw grwydro.

Bydd arnoch angen taflen waith 15:1 i wneud gweddill yr ymarfer yma.

3 Mae'r ci gwarchod ar gadwyn 3 m o hyd.
Mae modrwy ynghlwm ym mhen arall y gadwyn.
Mae'r fodrwy yn gallu symud ar hyd y rheilen.
Mae'r rheilen yn 7 m o hyd.
Defnyddiwch liw i ddangos y rhanbarth lle gall y ci grwydro.

4 Mae A a B yn dangos lleoliadau dau drosglwyddydd radio. Mae'r ddau drosglwyddydd yn gallu gwasanaethu pellter o 40 km.

    a Lluniwch locws y rhanbarth a wasanaethir gan drosglwyddydd A.

    b Lluniwch locws y rhanbarth a wasanaethir gan drosglwyddydd B.

    c Defnyddiwch liw ac allwedd i ddangos y rhanbarth a wasanaethir gan y ddau drosglwyddydd.

A •   • B

Graddfa: 1 cm i 10 km

5 Mae'r diagram yn dangos arwyneb llawr ystafell. Mae'r pwyntiau A a B yn dangos lleoliadau synwyryddion larymau. Gall pob synhwyrydd gyrraedd pellter o hyd at 4 m.

    a Lluniwch locws y rhanbarth a gynrychiolir gan synhwyrydd A.

    b Lluniwch locws y rhanbarth a gynrychiolir gan synhwyrydd B.

    c Defnyddiwch liw ac allwedd i ddangos y rhanbarth a gynrychiolir gan y ddau synhwyrydd.

    ch Lluniwch ddiagram newydd yn dangos arwyneb llawr ystafell 7 m wrth 4 m.
Defnyddiwch yr un synwyryddion.
Lliwiwch arwyneb y llawr nad yw'n cael ei gyrraedd gan y naill synhwyrydd na'r llall.

A •⎯⎯⎯⎯⎯⎯⎯⎯⎯⎯⎯⎯⎯
                             • B

Graddfa: 1 cm i 1 m

6 Mae Lowri yn plygio ei pheiriant torri gwair trydan i'r soced ar ochr y tŷ.
Mae gwifren y peiriant torri gwair yn 5 m o hyd.
Lliwiwch y rhan o'r lawnt y gall Lowri ei chyrraedd gyda'r peiriant.

Graddfa: 1 cm i 1 m

Enghraifft Mae Kay eisiau gwneud braslun o locws falf ar ymyl olwyn beic wrth i'r beic symud yn ei flaen.

Mae Kay yn defnyddio darn o bapur a chylch o gerdyn i'w helpu.
Mae hi'n gwneud marc ar ymyl y cylch.

Mae Kay yn rholio'r cylch ar hyd y pren mesur bob yn dipyn.
Bob tro, mae hi'n gwneud marc ar y papur yn ymyl y marc ar y cylch.

Mae Kay yn cysylltu'r marciau.

Y gromlin yw locws pwynt ar olwyn wrth iddi symud yn ei blaen.

Ymarfer 15:4

1 Mae Patrick wedi rhoi marc ar gornel
y bocs yma.
Mae'n darganfod locws y gornel yma
wrth i'r bocs rolio drosodd.

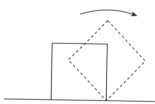

Defnyddiwch bren mesur a darn o
gerdyn petryalog.
Marciwch gornel y cerdyn.
Rholiwch y cerdyn ar hyd y pren mesur. Marciwch y papur wrth i'r bocs rolio
bob yn dipyn.
Defnyddiwch gromlin i gysylltu'ch marciau.

2 **a** Defnyddiwch bren mesur a chylch wedi ei wneud o gerdyn fel un Kay.
Gwnewch fraslun o locws pwynt ar y cylch wrth i'r cylch
symud yn ei flaen.

b Darganfyddwch locws cornel y sgwâr
yma wrth iddo rolio yn ei flaen.

c Ymchwiliwch i'r hyn sy'n digwydd
gyda siapiau rheolaidd eraill.

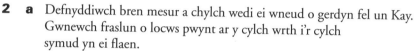

3 Mae Rhun yn rholio darn dwy geiniog o
amgylch ymylon mewnol bocs.
Gwnewch fraslun o locws canol y darn arian
wrth iddo symud o amgylch y bocs.

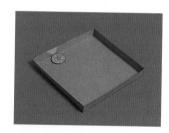

4 Mae Marc yn gosod ei ysgol i bwyso yn
erbyn y tŷ.
Mae'r llawr yn llithrig.
Mae'r ysgol yn llithro i lawr nes bydd yn
gorwedd ar y llawr.
Lluniwch locws canol yr ysgol wrth iddi
lithro i lawr y wal.

Awgrym: Defnyddiwch ymylon darn o bapur
i gynrychioli'r wal a'r llawr.
Defnyddiwch bren mesur i gynrychioli'r ysgol.

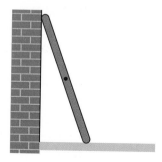

2 **Lluniadau**

Mae'r awyren yma'n hedfan yn union hanner ffordd rhwng dau glogwyn. Mae'n rhaid iddi wneud hyn i gadw ar ei chwrs.

Haneru ongl	Mae **haneru ongl** yn golygu ei rhannu yn union yn ei hanner. Nid oes arnoch angen mesurydd onglau i wneud hyn. Mae defnyddio cwmpas yn fwy manwl gywir.

Ymarfer 15:5

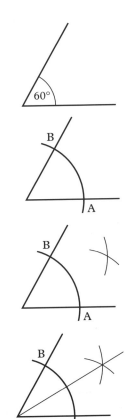

1 **a** Lluniwch ongl o 60°.

  b Agorwch eich cwmpas ychydig bach.
  Mae'n **rhaid** i chi gadw eich cwmpas heb ei newid o hyn ymlaen.

  c Gan osod pwynt y cwmpas yng nghornel yr ongl, lluniwch arc fechan sy'n croesi dwy fraich yr ongl. Labelwch y pwyntiau yma yn A a B.

  ch Gosodwch eich cwmpas ar bwynt A a lluniwch arc arall yng nghanol yr ongl.

  d Nawr gosodwch eich cwmpas ar bwynt B. Lluniwch arc arall yng nghanol yr ongl. Dylai groesi'r un gyntaf.

  dd Yn olaf, lluniwch linell o gornel yr ongl drwy'r pwynt lle mae eich dwy arc chi'n croesi. Mae'r llinell yma'n haneru'r ongl.

  e Mesurwch ddwy ran yr ongl i wirio ei bod yn gywir.

2   **a**   Lluniwch ongl o 45°.

     b   Gan osod pwynt eich cwmpas yng nghornel yr ongl, lluniwch arc sy'n croesi'r ddwy fraich.
        Labelwch y pwyntiau croesi yn A a B.

     c   Lluniwch arcau o bwyntiau A a B.

   ch   Tynnwch y llinell sy'n haneru'r ongl.

     d   Mesurwch ddwy ran yr ongl i wirio ei bod yn gywir.

3   **a**   Lluniwch ongl sgwâr. (90°)

     b   Hanerwch yr ongl.
        Defnyddiwch y cyfarwyddiadau yng nghwestiwn **2** i'ch helpu.

●   4   **a**   Lluniwch ongl o 120°.

     b   Hanerwch yr ongl yma.

Cytbell o ddwy linell

Mae'r holl bwyntiau ar y llinell sy'n haneru ongl yn **gytbell** o ddwy fraich yr ongl.
Mae hyn yn golygu eu bod bob amser yr un mor bell o'r ddwy linell.
Mae'r ddwy linell las o'r un maint. Mae'r ddwy linell goch hefyd o'r un maint.

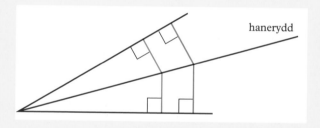

ha
nerydd

---

5   **a**   Lluniwch ddwy linell, AB ac AC, sy'n ffurfio ongl o 48°.

     b   Lluniwch locws y pwyntiau sy'n gytbell o AB ac AC.

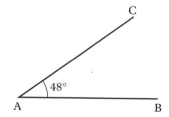

6   **a**   Lluniwch ddwy linell, PQ a PR, sy'n ffurfio ongl o 130°.

     b   Lluniwch locws y pwyntiau sy'n gytbell o PQ a PR.

Ymarfer 15:6

1 **a** Tynnwch linell lorweddol 8 cm o hyd.
Gadewch le gwag uwch ei phen.
Labelwch ddau ben y llinell yn A a B.

b Gosodwch eich cwmpas ar 6 cm.
Lluniwch arc, canol A (arc las).

c Gosodwch eich cwmpas ar 7 cm.
Lluniwch arc, canol B (arc goch).

ch Cysylltwch A a B â'r pwynt lle mae
eich arcau'n croesi.
Labelwch y pwynt yma yn C. Nawr dylai fod gennych driongl.
Bydd arnoch angen y triongl yma ar gyfer cwestiwn **2**.

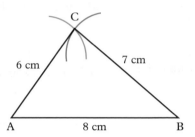

2 **a** Hanerwch yr ongl yn fertig (cornel) A y triongl.

b Hanerwch yr ongl yn fertig B y triongl.

c Hanerwch yr ongl yn fertig C y triongl.
Dylai'r tri hanerydd groesi mewn un pwynt.

3 **a** Lluniwch driongl hafalochrog gydag
ochrau 10 cm.

b Labelwch eich triongl yn PQR.

c Hanerwch dair ongl y triongl.

ch Marciwch y pwynt X yng nghanol PR.

d Gosodwch bwynt eich cwmpas yn y
pwynt lle mae'r haneryddion yn croesi.
Yn ofalus, symudwch bwynt eich pensil
nes bydd yn cyffwrdd pwynt X.

dd Defnyddiwch eich cwmpas i lunio cylch.
Dylai'r cylch yma gyffwrdd tair ochr y triongl.
Gelwir hwn yn **fewngylch**.

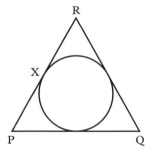

4 Mae wal a ffens yn ffurfio ongl o 50°.
Mae ffermwr eisiau rhoi llwybr yn union rhwng y ddau.

a Lluniwch ddiagram i ddangos lleoliad y llwybr.

b Lliwiwch y rhanbarth sydd yn nes at y wal nag yw at y ffens.

Haneru llinell	Mae **haneru llinell** yn golygu ei thorri yn union yn ei hanner.
Hanerydd perpendicwlar	Gelwir dwy linell sy'n ffurfio ongl sgwâr yn berpendicwlar. Ar y diagram yma, mae CD yn berpendicwlar i AB ac mae CD yn haneru AB. Gelwir CD yn **hanerydd perpendicwlar** AB. Mae CD yn croesi AB yng nghanolbwynt y llinell AB. 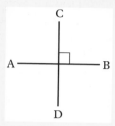

Ymarfer 15:7

1 **a** Tynnwch linell 10 cm o hyd. Labelwch y ddau ben yn A a B.

   b Gosodwch bwynt eich cwmpas ar A. Symudwch eich pensil nes y gallwch ddweud ei bod hi fwy na hanner ffordd ar hyd y llinell.

   c Lluniwch arc o'r rhan uwchben y llinell i'r rhan oddi tani.

  ch Heb newid **radiws eich cwmpas**, gosodwch bwynt eich cwmpas ar B.

   d Lluniwch arc arall o B.

  dd Dylai eich arcau groesi uwchben ac o dan y llinell. Labelwch y pwyntiau yma yn C a D.

   e Cysylltwch C a D. Defnyddiwch bren mesur. Mae llinell CD yn haneru llinell AB yn berpendicwlar. Labelwch y pwynt lle mae CD ac AB yn croesi. Galwch hwn yn X. Mesurwch AX a BX gyda phren mesur i wirio eu bod yn hafal.

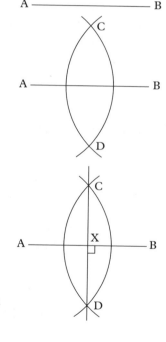

2 **a** Tynnwch linell 8.5 cm o hyd.

   b Labelwch eich llinell yn AB.

   c Lluniwch arcau o A a B.

  ch Labelwch bwyntiau croesi'r arcau yn C a D.

   d Cysylltwch C â D i haneru'r llinell yn berpendicwlar.

  dd Gwiriwch fod CD yn haneru AB, drwy fesur.

3 **a** Tynnwch linell 6.4 cm o hyd.

   b Labelwch y llinell yn AB.

   c Hanerwch y llinell gan ddefnyddio pren mesur a chwmpas.

| Cytbell o ddau bwynt | Mae'r holl bwyntiau ar hanerydd perpendicwlar llinell yn **gytbell o'r ddau bwynt** sydd ar bob pen i'r llinell wreiddiol.
Mae pob pwynt ar CD yr un mor bell o A a B.
Gallwch ddisgrifio CD fel locws y pwyntiau sy'n gytbell o A a B. | 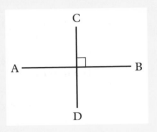 |

4 **a** Lluniwch bwyntiau A a B sy'n 7 cm oddi wrth ei gilydd.
   b Cysylltwch y pwyntiau â llinell syth.
   c Lluniwch locws y pwyntiau sy'n gytbell o A a B.

5 Mae'r diagram yn dangos lleoliad dau fwi ger harbwr. Mae'r ddau fwi 20 m oddi wrth ei gilydd. Mae llongau yn dilyn llwybr sy'n rhedeg yn union rhwng y ddau fwi i sicrhau eu bod yn y dŵr dyfnaf.
   a Gan ddefnyddio graddfa o 1 cm i 2 m, lluniwch leoliad y ddau fwi.
   b Lluniwch y llwybr y dylai llong ei ddilyn rhwng y ddau fwi.

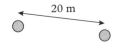

6 Mae'r diagram yn dangos cynllun o barc petryalog.
   Dwy ffynnon yw A a B.
   a Gan ddefnyddio graddfa o 1 cm i 50 m, lluniwch gynllun wrth raddfa o'r parc.
   b Tynnwch linell ar eich diagram i'ch helpu i ddangos pa ran o'r parc sydd agosaf at ffynnon A.

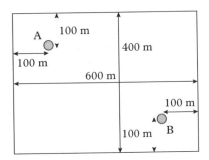

7 **a** Gwnewch gopi bras o'r map trysor yma.
       Nid oes raid iddo fod yn union.
   b Mae'r trysor wedi ei gladdu mewn pwynt sy'n gytbell o A a B.
       Mae hefyd yn gytbell o C a D.
       Darganfyddwch y trysor!

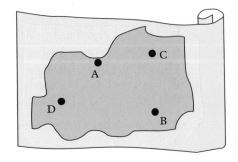

Ymarfer 15:8

1 a Lluniwch driongl ag ochrau 10 cm, 8 cm a 7 cm.
Dechreuwch trwy dynnu llinell lorweddol 10 cm o hyd.

b Labelwch eich triongl yn PQR.

c Lluniwch haneryddion perpendicwlar tair ochr eich triongl.

ch Gosodwch bwynt eich cwmpas yn y pwynt lle mae'r haneryddion yn croesi.
Yn ofalus, symudwch bwynt eich pensil nes y bydd yn cyffwrdd pwynt P.

d Defnyddiwch eich cwmpas i lunio cylch.
Dylai'r cylch yma gyffwrdd y tri phwynt P, Q ac R.
Gelwir hwn yn **amgylch**.

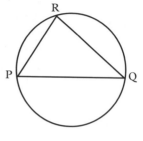

2 a Lluniwch driongl ag ochrau 9 cm, 7 cm ac 8 cm.
Dechreuwch trwy dynnu llinell lorweddol 9 cm o hyd.
Labelwch eich triongl yn PQR.

b Lluniwch haneryddion perpendicwlar tair ochr y triongl.
Labelwch y pwynt lle mae'r haneryddion yn croesi yn X.

c Lluniwch amgylch y triongl.

3 a Lluniwch betryal 12 cm wrth 8 cm.

b Lluniwch y croesliniau.

c Lluniwch hanerydd perpendicwlar bob croeslin.

ch Lliwiwch y patrwm rydych chi wedi ei wneud.

4 a Lluniwch gylch, radiws 6 cm.

b Marciwch 4 pwynt, W, X, Y a Z o amgylch cylchyn y cylch.

c Lluniwch y llinellau WY ac XZ.

ch Lluniwch haneryddion perpendicwlar WY ac XZ.
Dylai pwynt croesi'r haneryddion yma fod yng nghanol y cylch.

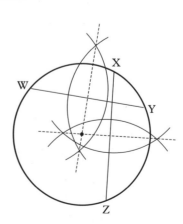

Dylech wybod hefyd
sut i lunio perpendicwlar o
bwynt i linell.

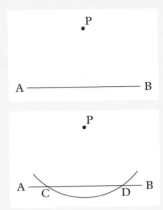

Rydych chi eisiau llunio'r
perpendicwlar o P i AB.

Rhowch bwynt eich cwmpas ar
P a sicrhewch fod eich cwmpas yn
ddigon agored i allu llunio arc sy'n
croesi AB mewn dau bwynt.
Labelwch y ddau bwynt yma yn
C a D.

Nawr rhowch eich cwmpas ar C ac
yna D a lluniwch ddwy arc gyda'r un
radiws sy'n croesi o dan y llinell.
Galwch y pwynt yma'n Q.

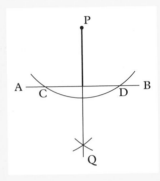

Nawr cysylltwch P â Q.
Bydd y llinell PQ yn berpendicwlar
i AB.
Y rhan uwchben y llinell yw'r llinell
sydd ei hangen arnoch.

Mae angen i chi wybod hefyd
sut i lunio perpendicwlar o bwynt
ar linell.

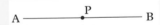

Rydych chi eisiau llunio'r
perpendicwlar o P gyda'r un radiws.

Gosodwch bwynt y cwmpas ar P a
lluniwch arcau o boptu P.
Galwch y pwyntiau lle mae'r arcau
yma'n cyfarfod y llinell yn C a D.

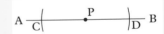

Nawr lluniwch hanerydd
perpendicwlar CD.
Bydd y llinell yma'n mynd drwy P.
Dyma'r perpendicwlar o P sydd ei angen
arnoch. Efallai mai rhan o'r llinell o P,
uwchben AB neu o dan AB, yn unig
fydd yn rhaid i chi ei thynnu.

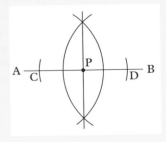

Ymarfer 15:9

1 a Copïwch y diagram.
   Nid oes raid iddo fod yn union.
   b Lluniwch y perpendicwlar o
   P i AB.

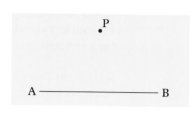

2 a Copïwch y diagram yma.
   Nid oes raid iddo fod yn union.
   b Lluniwch y perpendicwlar o
   X i YZ.

3 Mae Adam yn cyfeiriannu.
   Mae'n gweld ffordd ac mae o eisiau ei
   chyrraedd cyn gynted ag sydd bosibl.
   Lluniwch ddiagram i ddangos hyn.
   Marciwch bwynt i Adam. Labelwch y
   pwynt yn A.
   Tynnwch linell i gynrychioli'r ffordd.
   Lluniwch y llwybr ddylai Adam ei
   gymryd.

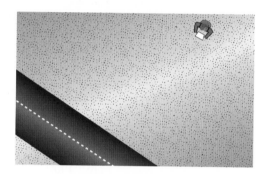

4 a Copïwch y diagram.
   Nid oes raid iddo fod yn union.
   b Lluniwch y perpendicwlar o K.

5 Mae Lea yn chwarae gyda phêl dennis.
   Mae hi wedi ei gollwng ar lawr.
   Lluniwch locws y bêl wrth iddi adlamu
   i fyny.
   Bydd angen i chi dynnu llinell lorweddol i
   gynrychioli'r cwrt a labelu'r pwynt lle
   mae'r bêl yn cychwyn ar y llawr yn B.

1 Disgrifiwch locws bob un o'r rhain:
   a handlen drws wrth i'r drws agor,
   b troed rhywun sy'n rhedeg,
   c cadair ar y reid ffair yma.

2 Mae dau lwybr yn yr ardal a ddangosir yn y diagram.

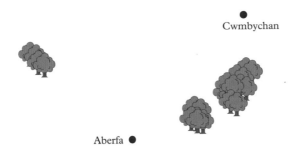

Treglyn ●

Cwmbychan ●

Aberfa ●

Graddfa: 1 cm i 1 km

   a Copïwch y diagram.
   b Mae un llwybr bob amser yr un pellter o Dreglyn a Chwmbychan.
     Gwnewch fraslun o'r llwybr yma ar eich diagram.
   c Mae llwybr arall bob amser 1 km o'r ffordd sydd rhwng Treglyn ac Aberfa.
     Mae'r llwybr yma ar yr un ochr o'r ffordd â Chwmbychan.
     Gwnewch fraslun o'r llwybr yma ar eich diagram.
   ch Ar eich diagram marciwch y pwynt lle mae'r ddau lwybr yn croesi.

3 Mae'r ci yma wedi ei glymu wrth fodrwy sy'n sownd yn y wal.
Mae hyd y gadwyn yn 3 m.
Gwnewch fraslun yn dangos y rhanbarth lle gall y ci grwydro.

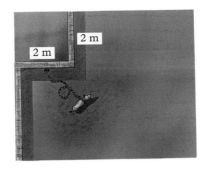

4 a Lluniwch ongl o 70°.
   b Gyda phwynt eich cwmpas ar y gornel, lluniwch arc sy'n croesi
       dwy fraich yr ongl.
       Labelwch y pwyntiau croesi yn A a B.
   c Lluniwch arcau o bwyntiau A a B.
  ch Tynnwch y llinell sy'n haneru'r ongl.
   d Mesurwch ddwy ran yr ongl i wirio fod hyn yn gywir.

5 a Tynnwch ddwy linell AB ac AC sy'n ffurfio ongl o 64°.
   b Lluniwch locws y pwyntiau sy'n gytbell o AB ac AC.

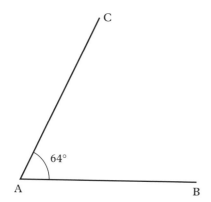

6 a Lluniwch y triongl yma'n fanwl gywir.
   b Hanerwch yr ongl yn fertig A.
   c Hanerwch yr ongl yn fertig B.
  ch Hanerwch yr ongl yn fertig C.
       Dylai'r tri hanerydd groesi mewn
       un pwynt.

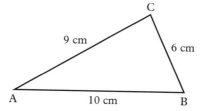

7 a Tynnwch linell sy'n 5 cm o hyd.
   b Labelwch y ddau ben yn A a B.
   c Lluniwch locws y pwyntiau sy'n gytbell o A a B.

1   Mae Asha yn rholio'r darn arian lleiaf o amgylch y darn arian mwyaf.
Gwnewch fraslun o locws:
   a   canol y darn arian lleiaf,
   b   pwynt ar ymyl y darn arian lleiaf.

2   Mae Huw yn rhwyfo ar draws afon sy'n 30 m o led.
Mae'r cerrynt i lawr yr afon yn gryf.
Gyda phob rhwyfiad cyfan mae Huw yn symud 2 m ar draws ac 1 m i lawr yr afon.
   a   Tynnwch linell ar eich papur i gynrychioli glan yr afon.
   b   Marciwch fan cychwyn Huw.
   c   Marciwch ei leoliad ar ôl un rhwyfiad.
   ch Gwnewch hyn ar gyfer tri rhwyfiad arall.
   d   Pa mor bell fydd Huw wedi symud i lawr yr afon erbyn iddo gyrraedd y lan gyferbyn?

Llif yr afon

Cychwyn

Graddfa: 1 cm i 2 m

3   Mae baner fechan betryal yn mesur 10 cm wrth 5 cm.
Mae hi wedi ei chynllunio drwy haneru pob ongl a mynd â'r hanerydd yn ei flaen hyd at ymyl y petryal.
Gwnewch luniad manwl gywir o'r faner a'i lliwio fel y mynnwch.

4   Mae'r diagram yn dangos ystafell fawr a lleoliad tri monitor teledu.
   a   Gwnewch gopi bras o'r diagram.
   b   Lliwiwch yn ysgafn yr arwyneb sydd yn nes at fonitor A nag at fonitor B.
   c   Lliwiwch yr arwyneb sy'n nes at fonitor A nag at fonitor C.
   ch Dangoswch yr arwyneb sy'n nes at fonitor A nag at un o'r ddau fonitor arall.

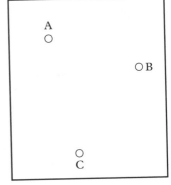

● **Locws**

Gellir defnyddio rheol i roi lleoliad gwrthrych.
Y **locws** yw holl leoliadau posibl y gwrthrych sy'n bodloni'r rheol.
Gellir disgrifio'r locws un ai mewn geiriau neu â llun.

Enghraifft

Disgrifiwch locws gwrthrych sydd bob amser 2 cm o bwynt D.

Cylch yw'r locws. Mae'r canol yn D ac mae'r radiws yn 2 cm.

● **Cytbell o ddwy linell**

Mae'r holl bwyntiau ar y llinell sy'n haneru ongl yn **gytbell** o ddwy fraich yr ongl.
Mae hyn yn golygu eu bod bob amser yr un mor bell o'r ddwy linell.
Mae'r ddwy linell las o'r un maint. Mae'r ddwy linell goch hefyd o'r un maint.

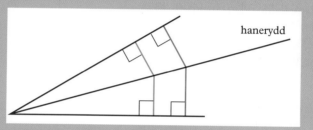

● **Haneru llinell**

Mae **haneru llinell** yn golygu ei thorri yn union yn ei hanner.

Hanerydd perpendicwlar

Gelwir dwy linell sydd yn ffurfio ongl sgwâr yn berpendicwlar.
Ar y diagram yma, mae CD yn berpendicwlar i AB ac mae CD yn haneru AB.
Gelwir CD yn **hanerydd perpendicwlar** AB.

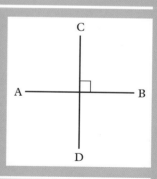

● **Cytbell o ddau bwynt**

Mae'r holl bwyntiau ar hanerydd perpendicwlar llinell yn **gytbell o'r ddau bwynt** sydd ar bob pen i'r llinell wreiddiol.

Mae pob pwynt ar CD yr un mor bell o A a B.

Gallwch ddisgrifio CD fel locws y pwyntiau sy'n gytbell o A a B.

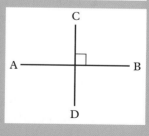

1 Mae tŷ Pat 4 km o'r ysgol a 3 km o'r draffordd.

  a Copïwch y diagram.

  b Darganfyddwch ddau leoliad posibl tŷ Pat.

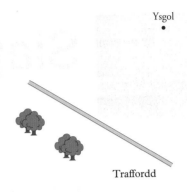

Ysgol

Traffordd

Graddfa: 1 cm i 1 km

2 Mae Don yn dyfrhau ei lawnt.
Mae ganddo ddau chwistrellydd, A a B.
Mae'r ddau yn chwistrellu arwynebau
hyd at 4 m i ffwrdd. Mae'r diagram yn
dangos lawnt Don a'r chwistrellwyr.

  a Gwnewch fraslun o lawnt Don.

  b Dangoswch ranbarth y lawnt sy'n
cael ei dyfrio gan y ddau chwistrellydd.

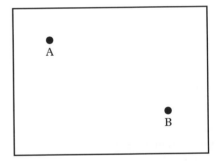

Graddfa: 1 cm i 2 m

3 Mae Janine eisiau gosod llwybr ar draws y cae yma.
Mae hi eisiau i'r llwybr groesi'r cae a bod yr un
pellter o ddwy ochr y cae.

  a Gwnewch gopi o'r diagram gan ddefnyddio
ongl o 70° rhwng y ddwy ochr.

  b Defnyddiwch luniad i ddangos ym
mhle dylai'r llwybr fod.

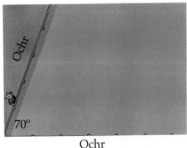

4 **a** Lluniwch bwyntiau P ac S sydd 8 cm oddi wrth ei gilydd.

  b Cysylltwch y pwyntiau gan ddefnyddio llinell syth.

  c Lluniwch locws y pwyntiau sy'n gytbell o P ac S.

16 Siapiau

Gallwch wneud stribedyn Möbius gyda darn o gerdyn neu bapur.

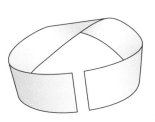

Gwnewch hanner troad (180°) cyn gludio'r ddau ben gyda'i gilydd.

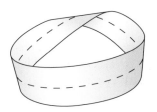

Beth sy'n digwydd os ydych yn tynnu llinell i lawr canol y stribed ac yn torri ar ei hyd?

1 Cymesuredd

Mae'r adeilad yma'n cynnwys
dau dŷ.
Mae un tŷ yn adlewyrchiad
o'r llall.

Mae wal fertigol ym man
cyswllt y ddau dŷ.
Y wal hon yw plân cymesuredd
y tai.

◄◄ **AILCHWARAE** ►

Llinell cymesuredd	Mae **llinell cymesuredd** yn rhannu siâp yn ddwy ran gyfartal neu 'hafal'. Mae pob rhan yn adlewyrchiad o'r llall.

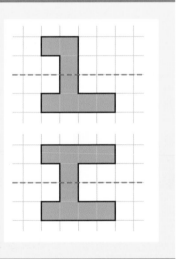

Enghraifft Edrychwch ar y patrwm yma o sgwariau wedi eu lliwio.
Mae'n rhaid i Louise gwblhau'r patrwm fel bo'r llinell doredig yn llinell cymesuredd.

Mae Louise wedi lliwio dau sgwâr arall.
Nawr mae'r patrwm wedi ei orffen.

Ymarfer 16:1

1 Copïwch y siapiau yma ar bapur sgwariau.
Lliwiwch sgwâr arall ym mhob siâp fel bo'r llinell doredig
yn llinell cymesuredd.

a

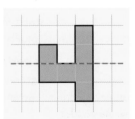

b

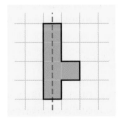

2 Copïwch y siapiau yma ar bapur sgwariau.
Lliwiwch ddau sgwâr arall ym mhob siâp fel bo'r llinell
doredig yn llinell cymesuredd.

a

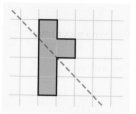

b

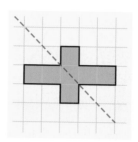

Cymesuredd cylchdro	Mae gan siâp **gymesuredd cylchdro** os yw'n dod i ffitio arno'i hun fwy nag unwaith wrth iddo wneud troad cyfan.
Trefn cymesuredd cylchdro	**Trefn** y **cymesuredd cylchdro** yw'r nifer o weithiau mae siâp yn dod i ffitio arno'i hun. Mae'n rhaid i hyn ddigwydd 2 waith o leiaf.

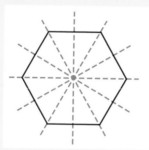
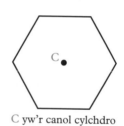

C yw'r canol cylchdro

Mae gan hecsagon rheolaidd 6 echelin cymesuredd.
Mae ganddo gymesuredd cylchdro trefn 6.

Ar gyfer pob un o'r polygonau rheolaidd yng nghwestiynau **3**, **4** a **5**:
a Lluniwch fraslun.
b Lluniwch echelinau cymesuredd ar eich braslun.
c Marciwch y canol cymesuredd ar eich braslun.
ch Ysgrifennwch drefn y cymesuredd cylchdro.

3 Triongl hafalochrog   **4** Sgwâr   **5** Pentagon rheolaidd

6 **a** Ysgrifennwch nifer echelinau cymesuredd octagon rheolaidd.
  b Ysgrifennwch drefn cymesuredd cylchdro octagon rheolaidd.

7 Copïwch y brasluniau yma o bolygonau rheolaidd.

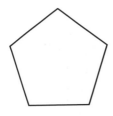 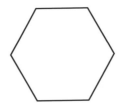

a Ychwanegwch linell at y pentagon rheolaidd fel bo ganddo union un echelin cymesuredd.

b Ychwanegwch linell at yr hecsagon rheolaidd fel bo ganddo gymesuredd cylchdro trefn 2 o amgylch ei ganol.

Enghraifft   Cwblhewch y siâp yma er mwyn iddo fod yn gymesur o amgylch y drych.

Mae'r siâp gorffenedig yn edrych fel hyn.

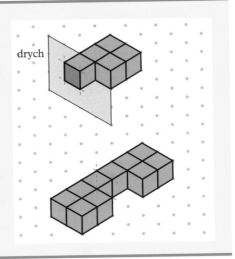

Ymarfer 16:2

1 Gwnewch bob un o'r siapiau yma gyda chiwbiau.
Cwblhewch bob siâp er mwyn iddo fod yn gymesur o amgylch y drych.
Lluniwch y siâp gorffenedig ar bapur isomedrig dotiau.

a

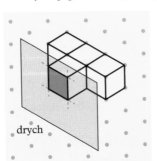

b

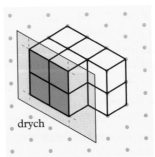

324

c
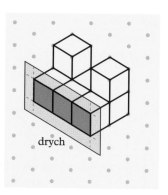
drych

ch
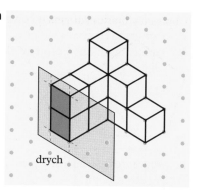
drych

Plân	Arwyneb fflat yw **plân**.
Plân cymesuredd	Mae **plân cymesuredd** yn rhannu *solid* yn ddwy ran hafal. Mae'r naill ran yn adlewyrchiad o'r llall.

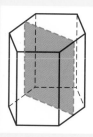 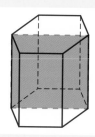 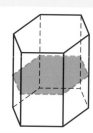

Mae'r brasluniau yn dangos tri phlân cymesuredd gwahanol prism hecsagonol.

---

2 Mae sylfaen y prism yn hecsagon rheolaidd.

  a Sawl plân cymesuredd fertigol sydd gan y prism?

  b Sawl plân cymesuredd llorweddol sydd ganddo?

  c Sawl plân cymesuredd sydd gan y prism i gyd?

  ch Ysgrifennwch drefn cymesuredd cylchdro'r prism o amgylch y llinell goch.

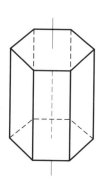

3 Mae sylfaen pob un o'r prismau yma yn bolygon rheolaidd.
  a Ysgrifennwch gyfanswm planau cymesuredd pob prism.
  b Ysgrifennwch drefn cymesuredd cylchdro pob prism o amgylch
  y llinell goch.

(1)
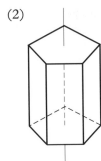

(2)
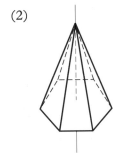

(3)
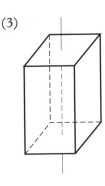

4 Mae gan bob un o'r pyramidiau yma sylfaen ar ffurf polygon rheolaidd.
  a Ysgrifennwch nifer y planau cymesuredd ar gyfer pob pyramid.
  b Ysgrifennwch drefn cymesuredd cylchdro pob pyramid o amgylch
  y llinell goch.

(1)
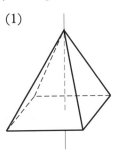

(2)
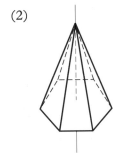

(3)
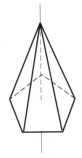

5 **a** Ysgrifennwch nifer planau cymesuredd pob un o'r gwrthrychau yma.
  b Rhestrwch y gwrthrychau sy'n cynnwys cymesuredd cylchdro.

2 Rhwydi solidau

Mae gan Catrin far o siocled. Mae'r bocs sy'n dal y siocled ar ffurf prism trionglog.
Mae Catrin eisiau gweld sut cafodd y bocs ei wneud. Mae hi wedi agor y cerdyn yn fflat.

◄◄AILCHWARAE►

Rhwyd

Patrwm o siapiau ar ddarn o bapur neu gerdyn yw **rhwyd**.
Mae'r siapiau wedi eu trefnu fel ei bod hi'n bosibl plygu'r rhwyd i ffurfio solid gwag. Sylwer nad oes gan rwyd fflapiau.

Mae gan giwboid chwech o wynebau ond nid ydynt i gyd o'r un maint.

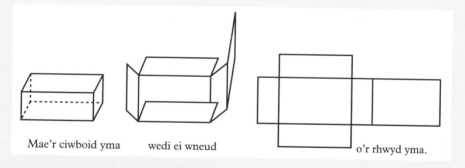

Mae'r ciwboid yma   wedi ei wneud   o'r rhwyd yma.

Ymarfer 16:3

1 Pa rai o'r patrymau yma sy'n rhwydi ciwbiau?

a   b   c

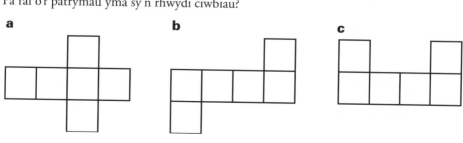

2 Edrychwch ar y patrwm yma o sgwariau.
Mae'n rhwyd y gellir ei phlygu i wneud ciwboid.
Mae pob sgwâr yn cynrychioli 1 cm².

a (1) Beth yw hyd y ciwboid mewn centimetrau?

(2) Beth yw lled y ciwboid
mewn centimetrau?

(3) Beth yw uchder y ciwboid
mewn centimetrau?

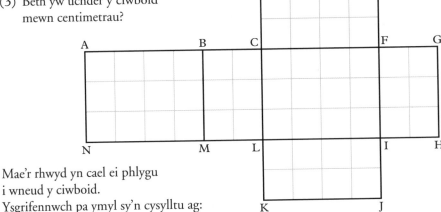

Mae'r rhwyd yn cael ei phlygu
i wneud y ciwboid.

b Ysgrifennwch pa ymyl sy'n cysylltu ag:
(1) ymyl DC   (2) ymyl DE

c Pa ddau bwynt arall sy'n cyfarfod yn J?

Er mwyn gwneud solid mae angen i chi ychwanegu fflapiau at y rhwyd.

Mae gan hanner ymylon y rhwydi yma fflapiau. Mae'r fflapiau ar bob yn ail ymyl.

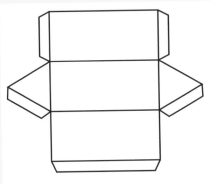

Rhwyd prism trionglog
gyda fflapiau

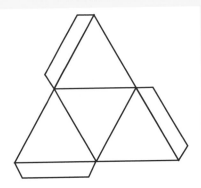

Rhwyd tetrahedron
(pyramid sylfaen trionglog
gyda fflapiau)

3 **a** Gwnewch gopi o rwyd y ciwboid yng nghwestiwn **2**.
      Defnyddiwch bapur sgwariau.

   b Ychwanegwch fflapiau at eich rhwyd.
      Rhowch nhw ar bob yn ail ymyl.
      Gwnewch y fflapiau fymryn yn llai nag 1 cm o led.
      Os yw'r fflapiau yn rhy gul byddant yn anodd eu gludio.

   c Torrwch y rhwyd â siswrn a phlygwch hi i wneud ciwboid.
      Gwiriwch fod y fflapiau ar yr ymylon cywir.

   ch Gwiriwch eich atebion i gwestiwn **2**.

4 **a** Defnyddiwch bapur i lunio rhwyd manwl gywir o bob un o'r solidau yma.
      Defnyddiwch gwmpas i lunio'r trionglau yn fanwl gywir.

   b Ychwanegwch fflapiau at bob un o'ch rhwydi. Rhowch nhw ar bob yn ail ymyl.

   c Torrwch bob rhwyd â siswrn a'i phlygu i wneud solid.
      Gwiriwch fod y fflapiau ar yr ymylon cywir.

(1)

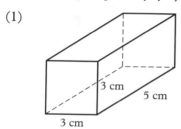

(2)

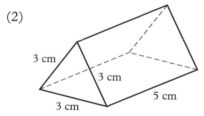

(3)

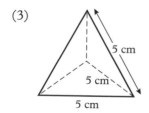

(4)

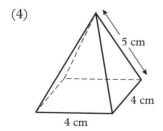

5 Dyma fraslun o rwyd prism.
Mae'r siâp sydd ar bob pen i'r prism yn bolygon rheolaidd.
  a Ysgrifennwch enw'r polygon.
  b Sawl wyneb petryalog sydd gan y prism?
  c Faint o wynebau sydd gan y polygon i gyd?

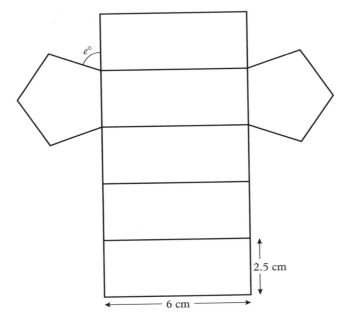

2.5 cm

6 cm

6 Mae'r ongl sydd wedi ei marcio'n *e* ar
y rhwyd yng nghwestiwn **5** yn ongl
allanol i'r polygon.
  a Beth yw cyfanswm onglau allanol
    polygon?
  b Sawl ongl allanol sydd yn y
    polygon yma?
  c Cyfrifwch beth yw maint ongl *e*.

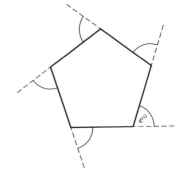

7 **a** Gwnewch gopi manwl gywir o'r rhwyd yng nghwestiwn **5** ar bapur.
    Defnyddiwch yr onglau allanol i'ch helpu i lunio'r polygonau.
  b Ychwanegwch fflapiau at eich rhwyd.
    Rhowch nhw ar bob yn ail ymyl.
  c Torrwch y rhwyd â siswrn a'i phlygu i wneud solid.

8 Mae'r polygonau ar bob pen i'r prismau wedi eu lliwio'n goch.
Mae'r wynebau ar ochrau'r prismau yn felyn.
Mae gan bob solid ddau wyneb coch.
Ysgrifennwch sawl wyneb melyn sydd gan bob solid.

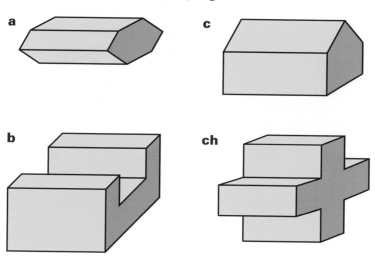

a

c

b

ch

9 Dewiswch un o'r siapiau yng nghwestiwn **8** a gwnewch fraslun o'i rwyd.

10 Edrychwch ar y rhwyd yma.
Rhwyd pa un o'r ciwbiau
ydyw?

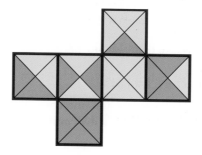

A   B   C   CH   D

3 Gwneud dosbarthwr siapiau

Edrychwch ar y teganau plant yma. Dosbarthwyr siapiau ydynt.

Maen nhw'n cael eu defnyddio i wella sgiliau ysgogol a chydsymudiad plant.

Maen nhw hefyd yn helpu i ddysgu i blant am siâp a lliw.

Mae hi'n bwysig iawn mai dim ond trwy ei dwll ei hun y bydd pob siâp yn ffitio. Os bydd yn ffitio drwy dwll arall, ni fydd y plentyn yn dysgu pa siâp fydd yn cyd-fynd â pha dwll.

Mae'r rhan fwyaf o ddosbarthwyr siapiau yn cynnwys o leiaf chwe siâp.

Yn aml mae'r tyllau yn bolygonau rheolaidd neu'n siapiau cymesur.

Mae hyn yn hwyluso pethau i'r plentyn gan y bydd y siâp yn ffitio drwy'r twll cywir mewn mwy nag un ffordd.

Mae'r rhan fwyaf o'r siapiau yn brismau.
Mae eu trawstoriad yr un fath o un pen i'r llall.

Gwneud dosbarthwr siapiau

Defnyddiwch gerdyn i wneud dosbarthwr siapiau.
Defnyddiwch waith y bennod yma i'ch helpu.

Bydd angen i chi gynllunio'ch prosiect yn fanwl cyn cychwyn.
Dyma rai o'r pethau y dylech eu hystyried.

- Sawl siâp fydd yna?

- Pa mor fawr fydd pob siâp?

- Pa siapiau fyddwch chi'n eu dewis?

- Allwch chi lunio rhwydi eich siapiau?

- Sut ydych chi'n mynd i sicrhau mai dim ond drwy un twll yn unig y bydd pob
  siâp yn ffitio? Gallwch wneud un siâp yn fwy fel na fydd yn ffitio drwy dwll
  bychan. Yna gall un o'r siapiau bach ffitio drwy'r twll rydych chi wedi ei wneud ar
  gyfer y siâp mawr!

- A yw pob un o'r siapiau yn mynd i fod yn gymesur?

- Nid oes raid i chi wneud bocs postio cyfan.
  Gallwch wneud y caead yn unig sy'n cynnwys y tyllau.
  Os byddwch yn penderfynu gwneud bocs, sicrhewch ei fod yn ddigon mawr i
  gynnwys yr holl siapiau.

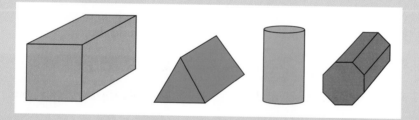

1 Mae gan y polygon rheolaidd yma 10 ochr.
   a Sawl llinell cymesuredd sydd gan
     y polygon?
   b Beth yw trefn cymesuredd cylchdro'r
     polygon?

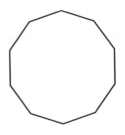

2 Copïwch bob un o'r diagramau yma.
  Ewch ati i'w cwblhau:
   a fel bo'r llinell doredig yn llinell cymesuredd,
   b fel bo C yn ganol cymesuredd
     cylchdro siâp â chymesuredd cylchdro,
     trefn 3.

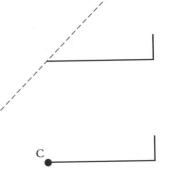

3 Ysgrifennwch nifer y planau cymesuredd sydd ym mhob un o'r gwrthrychau yma.
  Rhestrwch y gwrthrychau sy'n cynnwys cymesuredd cylchdro.

   a
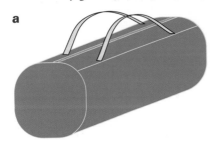

   c

   b

   ch

4   Mae Siân wedi dechrau llunio rhwyd ar
    gyfer y ciwboid yma.

    a (1) Sawl wyneb sydd gan
           y ciwboid?
       (2) Sawl wyneb mae Siân wedi
           ei lunio ar ei rhwyd?
       (3) Sawl wyneb sydd ar goll yn
           rhwyd Siân?

    b Copïwch rwyd anorffenedig Siân ar bapur.
       Gadewch le i lunio'r wynebau sydd ar goll.

    c Cwblhewch y rhwyd.
       Ychwanegwch fflapiau at bob yn ail ymyl.

    ch Torrwch y rhwyd â siswrn a'i phlygu i ffurfio'r ciwboid.

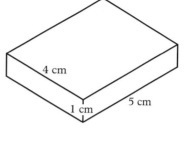

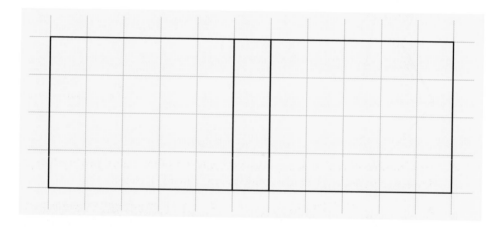

5   Mae Delyth wedi llunio'r rhwyd ciwb yma.
    Mae Delyth yn plygu'r rhwyd.
    a Bydd y fflap ar ymyl LK yn glynu at ymyl JK.
       Ysgrifennwch lythrennau'r ymyl y bydd ymyl
       AB yn glynu ati.
    b Pa ddwy lythyren arall fydd yn cyfarfod
       pwynt E?
    c Gwnewch gopi o rwyd Delyth.
       Gwnewch ochrau pob sgwâr yn 2 cm o hyd.
       Torrwch y rhwyd â siswrn a'i phlygu.
       Defnyddiwch eich rhwyd i wirio eich atebion i
       rannau a a b.

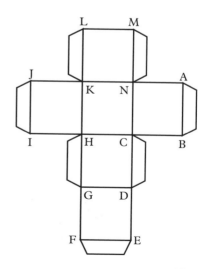

1   Gwnewch **ddau** gopi o'r diagram ar
    bapur sgwariau. Lliwiwch un sgwâr
    ychwanegol ar bob copi:
    a fel bo gan eich siâp newydd un
        llinell cymesuredd yn unig ond
        dim cymesuredd cylchdro,
    b fel nad oes gan eich siâp newydd yr un linell
        cymesuredd ond cymesuredd cylchdro, trefn 2.

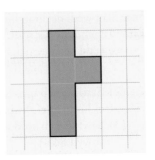

2   Mae dau byramid sylfaen sgwâr unfath yn cael eu glynu at ei gilydd i wneud yr
    octahedron yma.
    Ysgrifennwch beth yw nifer planau cymesuredd yr octahedron.

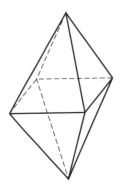

3   Ysgrifennwch enwau'r solidau y gellir eu gwneud â'r rhwydi yma.

    a

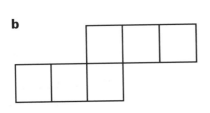

    c

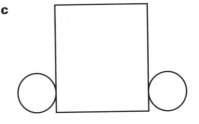

    b

    ch

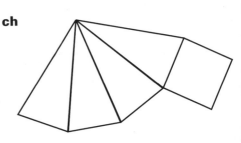

- **Llinell cymesuredd**

  Mae **llinell cymesuredd** yn rhannu siâp yn ddwy ran gyfartal neu 'hafal'.
  Mae pob rhan yn adlewyrchiad o'r llall.
  Gelwir llinell cymesuredd hefyd yn **echelin** cymesuredd.

- **Cymesuredd cylchdro**

  Mae gan siâp **gymesuredd cylchdro** os yw'n dod i ffitio arno'i hun fwy nag unwaith wrth iddo wneud troad cyfan.

- **Trefn cymesuredd cylchdro**

  Trefn cymesuredd cylchdro yw'r nifer o weithiau mae siâp yn dod i ffitio arno'i hun. Mae'n rhaid i hyn ddigwydd 2 waith o leiaf.

- **Plân cymesuredd**

  Mae **plân cymesuredd** yn rhannu *solid* yn ddwy ran hafal.
  Mae'r naill ran yn adlewyrchiad o'r llall.

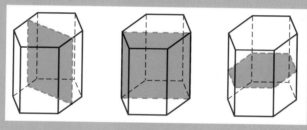

  Mae'r brasluniau yn dangos tri phlân cymesuredd gwahanol prism hecsagonol.

- **Rhwyd**

  Patrwm o siapiau ar ddarn o bapur neu gerdyn yw **rhwyd**.
  Mae'r siapiau wedi eu trefnu fel ei bod hi'n bosibl plygu'r rhwyd i ffurfio solid gwag.

  Mae gan hanner ymylon y rhwydi yma fflapiau. Mae'r fflapiau ar bob yn ail ymyl.

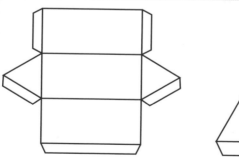

Rhwyd prism trionglog
gyda fflapiau

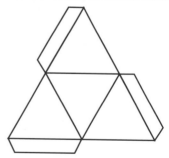

Rhwyd tetrahedron
(pyramid sylfaen trionglog
gyda fflapiau)

1   **a** Gwnewch fraslun o'r rhombws yma.
    b Lluniwch echelinau cymesuredd y
        rhombws ar eich braslun.
    c Ysgrifennwch drefn cymesuredd
        cylchdro'r rhombws.
    ch Marciwch ganol cylchdro'r rhombws
        a'i labelu'n C.

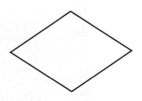

2   Trawstoriad y prism yma yw'r rhombws
    yng nghwestiwn **1**.
    a Ysgrifennwch nifer planau cymesuredd
        fertigol y prism.
    b Ysgrifennwch nifer planau
        cymesuredd llorweddol y prism.
    c Sawl plân cymesuredd
        sydd i gyd?
    ch Ysgrifennwch drefn cymesuredd
        cylchdro'r prism o amgylch y
        llinell goch.

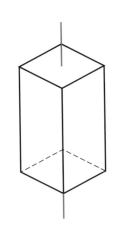

3   Y rheol ar gyfer rhoi dotiau ar
    wynebau dis yw bod wynebau
    cyferbyn yn adio i saith.
    Dyma rwyd dis.
    Sawl dot fyddai'n cael ei roi ar wyneb
    A, B ac C?

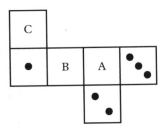

4   Ysgrifennwch enwau'r solidau y gellir eu gwneud gyda'r rhwydi yma.
    a   **b**

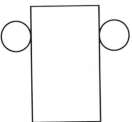

5   Gwnewch fraslun o rwyd y solid yma.

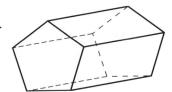

Tasgau

1 Lluosi

Pan fyddwn yn adio llawer o'r un rhif mae'n gynt lluosi.

Enghraifft

$$\begin{array}{r} 31 \\ 31 \\ 31 \\ 31 \\ +\ 31 \\ \hline 155 \end{array}$$

Mae $\begin{array}{r} 31 \\ 31 \\ 31 \\ 31 \\ +\ 31 \\ \hline 155 \end{array}$ yr un fath â $\begin{array}{r} 31 \\ \times\ 5 \\ \hline 155 \end{array}$

I wneud $\begin{array}{r} 31 \\ \times\ 5 \\ \hline \end{array}$ yn gyntaf 5×1 $\begin{array}{r} 31 \\ \times\ 5 \\ \hline 5 \end{array}$

yna 5×3 $\begin{array}{r} 31 \\ \times\ 5 \\ \hline 155 \end{array}$

Cofiwch gadw'ch rhifau mewn colofnau.

Dyma fwy o enghreifftiau:

$$\begin{array}{r} 62 \\ \times\ 4 \\ \hline 248 \end{array} \qquad \begin{array}{r} 51 \\ \times\ 9 \\ \hline 459 \end{array}$$

Ymarfer 1

1 $\begin{array}{r} 33 \\ \times\ 2 \\ \hline \end{array}$ **2** $\begin{array}{r} 132 \\ \times\ 3 \\ \hline \end{array}$

3 31×4 **4** 133×3

Weithiau mae'n rhaid i ni gario.

Enghraifft

$$\begin{array}{r} 26 \\ \times\ 3 \\ \hline 8 \\ \scriptstyle 1 \end{array} \rightarrow \begin{array}{r} 26 \\ \times\ 3 \\ \hline 78 \\ \scriptstyle 1 \end{array}$$

$3 \times 2 = 6$
Yna adiwch yr 1 i gael 7

Ymarfer 2

1 $\begin{array}{r} 45 \\ \times\ 2 \\ \hline \end{array}$ **2** $\begin{array}{r} 35 \\ \times\ 2 \\ \hline \end{array}$

3 54×4 **7** 157×9

4 125×3 **8** 634×9

5 349×2 **9** 555×5

6 428×5 **10** 901×4

Geiriau eraill

Gall y geiriau yma hefyd olygu **lluosi**.

gwaith **lluoswm** **o**

Enghreifftiau

Darganfyddwch 24 **gwaith** 16
Darganfyddwch **luoswm** 24 a 16
Darganfyddwch hanner **o** 24

2 Lluosi â 10

Pan fyddwn yn lluosi â 10, mae'r holl ddigidau yn symud ar draws, **un** golofn i'r chwith.
Mae hyn yn gwneud y rhif yn 10 gwaith mwy.
Gallwn ddefnyddio'r penawdau **M C D U** i'n helpu.
Maen nhw'n golygu **M**iloedd, **C**annoedd, **D**egau ac **U**nedau. Enw arall ar 'unedau' yw 'unau'.

Enghraifft

$23 \times 10 = 230$

C D U

$\begin{array}{ccc} & 2 & 3 \\ 2 & 3 & 0 \end{array}$

Dyma fwy o enghreifftiau:

M C D U

$46 \times 10 = 460$

$253 \times 10 = 2530$

Ymarfer 3

Lluoswch bob un o'r rhifau yma â 10

1 48 **3** 842 **5** 7000

2 54 **4** 777 **6** 9003

3 Lluosi â 100, 1000, ...

Pan fyddwn yn lluosi â 100, mae'r holl ddigidau yn symud ar draws, **dwy** golofn i'r **chwith**.

Mae hyn yn gwneud y rhif yn 100 gwaith mwy.

Y rheswm am hyn yw bod $100 = 10 \times 10$

Mae hyn yn golygu fod lluosi â 100 fel lluosi â 10 ddwy waith.

Enghraifft

$74 \times 100 = 7400$

M C D U

7 4
×100 ×100
7 4 0 0

Pan fyddwn yn lluosi â 1000 mae'r holl rifau yn symud ar draws, tair colofn i'r chwith.

Y rheswm am hyn yw bod $1000 = 10 \times 10 \times 10$. Mae hyn yn golygu fod lluosi â 1000 fel lluosi â 10 dair gwaith.

Enghraifft

$74 \times 1000 = 74\,000$

DM M C D U

Ymarfer 4

Ysgrifennwch yr atebion i'r rhain.

1 27×100 **7** 4153×100

2 91×100 **8** 900×1000

3 74×1000 **9** 4004×1000

4 291×100 **10** $924 \times 10\,000$

5 4270×100 **11** $301 \times 10\,000$

6 840×1000 **12** $737 \times 100\,000$

4 Lluosi â 20, 30, ...

Mae lluosi â 20 yr un fath â lluosi â 2 ac yna â 10. Y rheswm am hyn yw bod $20 = 2 \times 10$

Enghraifft

Er mwyn gwneud 18×20:
yn gyntaf gwnewch

$$\begin{array}{r} 18 \\ \times\ \ 2 \\ \hline 36 \\ \hline {\scriptstyle 1} \end{array}$$

Yna gwnewch $36 \times 10 = 360$

Felly $18 \times 20 = 360$

Yn yr un ffordd mae lluosi â 30 yr un fath â lluosi â 3 ac yna lluosi â 10.

341

Enghraifft

Er mwyn gwneud 26×30:

yn gyntaf gwnewch

$$\begin{array}{r} 26 \\ \times\ \underline{3} \\ 78 \\ {\scriptstyle 1} \end{array}$$

Yna gwnewch $\quad 78 \times 10 = 780$

Felly $\qquad\quad 26 \times 30 = 780$

Ymarfer 5

Cyfrifwch y canlynol.

1	39×20	**7**	92×40
2	42×20	**8**	25×50
3	26×30	**9**	71×50
4	23×30	**10**	304×20
5	65×30	**11**	291×30
6	34×40	**12**	525×70

5 Lluosi degolion â 10

Gallwn luosi degolion â 10 yn yr un ffordd.

Enghreifftiau

1 41.5×10

C	D	U	.	$\frac{1}{10}$

$41.5 \times 10 = 415$

2 56.87×10

C	D	U	.	$\frac{1}{10}$	$\frac{1}{100}$

$56.87 \times 10 = 568.7$

Ymarfer 6

Lluoswch y degolion yma â 10

1	7.4	**4**	72.34
2	32.5	**5**	20.8
3	18.91	**6**	0.4

6 Lluosi degolion â 100

Pan fyddwn yn lluosi â 100, mae'r holl ddigidau yn symud ar draws, **dwy** golofn i'r **chwith**.

Enghreifftiau

1 27.65×100

M	C	D	U	.	$\frac{1}{10}$	$\frac{1}{100}$

$27.65 \times 100 = 2765$

2 96.5×100

M	C	D	U	.	$\frac{1}{10}$

$96.5 \times 100 = 9650$

Ymarfer 7

Lluoswch y degolion yma â 100

1	65.86	**4**	721.8
2	22.94	**5**	70.39
3	16.4	**6**	4.01

7 Lluosi hir

Pan fyddwn eisiau lluosi dau rif eithaf mawr mae'n rhaid i ni weithio mewn camau.
Dyma ddau ddull. Dim ond un o'r rhain sydd yn rhaid i chi ei wybod.

Dull 1

Enghraifft
146×24

Yn gyntaf gwnewch 146×4

$$\begin{array}{r} 146 \\ \times \quad 4 \\ \hline 584 \\ \hline {\scriptstyle 1 \ 2} \end{array}$$

Yna gwnewch 146×20

$$\begin{array}{r} 146 \\ \times \quad 2 \\ \hline 292 \\ \hline {\scriptstyle 1} \end{array}$$

$292 \times 10 = 2920$

Nawr adiwch y ddau ateb.

$$\begin{array}{r} 584 \\ + \ 2920 \\ \hline 3504 \end{array}$$

Fel arfer mae'r gwaith yn edrych fel hyn:

$$\begin{array}{r} 146 \\ \times \quad 24 \\ \hline 584 \\ 2920 \\ \hline 3504 \end{array}$$

Dyma enghraifft arall.

$$\begin{array}{r} 223 \\ \times \quad 36 \\ \hline 1338 \\ 6690 \\ \hline 8028 \\ \hline {\scriptstyle 1 \ 1} \end{array}$$
$\leftarrow (223 \times 6)$
$\leftarrow (223 \times 30)$

Dull 2

Enghraifft
125×23

Yn gyntaf gosodwch y rhifau drwy ddefnyddio bocsys fel yma:

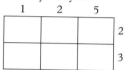

Nawr tynnwch y croesliniau fel yma:

Llenwch fel sgwâr tablau yna adiwch ar hyd y croesliniau fel yma:

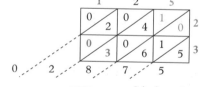

$1 \times 3 = 3$

0
3

Sylwch ar y 0 yn y bocs sydd gyferbyn pan fo'r ateb yn rhif un digid.

Felly'r ateb yw $125 \times 23 = \mathbf{2875}$

Dyma enghraifft arall.
Pan fydd y groeslin yn adio i roi mwy na 10, rydym yn cario i'r groeslin nesaf.

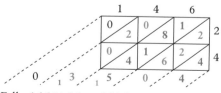

Felly $146 \times 24 = \mathbf{3504}$

Ymarfer 8

Defnyddiwch y dull sydd orau gennych i wneud y symiau yma.

1 27×25

2 76×24

3 123×53

4 404×26

5 382×25

6 271×54

7 391×45

8 317×84

9 545×22

10 821×65

11 754×71

12 989×89

8 Rhannu

Enghraifft

$68 \div 2$

$2\overline{)68}$

Yn gyntaf gwnewch $6 \div 2 = 3$.
Rhowch y 3 uwchben y 6:

$$2\overline{)6\,8}^{\;\;3}$$

Nawr, gwnewch $8 \div 2 = 4$.
Rhowch y 4 uwchben yr 8:

$$2\overline{)6\,8}^{\;\;34}$$

Felly $68 \div 2 = 34$

Dyma enghraifft arall: $84 \div 4$

$$4\overline{)8\,4}^{\;\;21}$$

Felly $84 \div 4 = 21$

Ymarfer 9

Gwnewch y symiau yma.

1 $2\overline{)66}$

2 $3\overline{)39}$

3 $8\overline{)88}$

4 $66 \div 3$

5 $82 \div 2$

6 $484 \div 4$

Weithiau bydd rhaid i ni 'gario'. Mae hyn yn digwydd pan na fydd rhif yn rhannu'n union.

Enghraifft

$72 \div 4$

$4\overline{)72}$

Yn gyntaf, gwnewch $7 \div 4$.
Mae hyn yn rhoi 1 a 3 ar ôl.
Rhowch yr 1 uwchben y 7 a chariwch y 3 fel yma:

$$4\overline{)7^{3}2}^{\;\;1}$$

Nawr gwnewch $32 \div 4$. Mae hyn yn rhoi 8. Rhowch yr 8 uwchben y $^{3}2$ fel yma:

$$4\overline{)7^{3}2}^{\;\;18}$$

Felly $72 \div 4 = 18$

Dyma enghraifft arall: $75 \div 5$

$$5\overline{)7^{2}5}^{\;\;15}$$

Felly $75 \div 5 = 15$

Ymarfer 10

Gwnewch y symiau yma.

1 $2\overline{)54}$ 7 $90 \div 6$

2 $3\overline{)51}$ 8 $144 \div 8$

3 $64 \div 4$ 9 $432 \div 4$

4 $52 \div 4$ 10 $284 \div 2$

5 $91 \div 7$ 11 $531 \div 3$

6 $68 \div 4$ 12 $378 \div 7$

Weithiau bydd yna weddill ar y diwedd.

Enghraifft

$58 \div 4$

$4\overline{)5^18}$ 1 4   gweddill 2

Rydym yn cario'r 2 drwy roi'r pwynt degol ac ychwanegu seroau.

$4\overline{)5^18.0}$ 1 4

Nawr gallwn orffen y sym.

$4\overline{)5^18.^20}$ 1 4.5

Felly $58 \div 4 = 14.5$

Ymarfer 11

Gwnewch y symiau yma.

1 $63 \div 6$ 5 $442 \div 5$

2 $178 \div 4$ 6 $604 \div 5$

3 $157 \div 4$ 7 $357 \div 8$

4 $242 \div 8$ 8 $964 \div 8$

9 Rhannu hir

Weithiau mae angen gwneud symiau rhannu hir. Fel arfer mae hyn yn digwydd pan fyddwn yn rhannu â rhif mwy na 10.

Enghraifft

$468 \div 12$

$12\overline{)468}$

Nid yw 12 yn mynd i mewn i 4 felly yn gyntaf gwnewch $46 \div 12$

Bydd angen i ni ddarganfod sawl gwaith mae 12 yn mynd i mewn i 46

$12 \times 2 = 24$
$12 \times 3 = 36$ ←
$12 \times 4 = 48$

Mae 12 yn mynd i mewn 3 gwaith. Rhowch y 3 uwchben y 6

$12\overline{)468}$ 3

Gwnewch 3×12 a rhowch yr ateb dan y 46

3
$12\overline{)468}$
36

Nawr tynnwch y 36 o'r 46

3
$12\overline{)468}$
36
10

Y 10 yw'r 'cario'. Nid ydym yn ei osod gyda'r 8. Yn lle hyn rydym yn dod â'r 8 i lawr at y 10

3
$12\overline{)468}$
36↓
108

345

Nawr gwnewch $108 \div 12$

$$12 \times 8 = 96$$
$$12 \times 9 = 108 \leftarrow$$

Mae 12 yn mynd i mewn 9 gwaith yn union. Rhowch y 9 ar ôl y 3

$$
\begin{array}{r}
39 \\
12\overline{)468} \\
36 \\
\hline
108
\end{array}
$$

Gwnewch 9×12 a rhowch yr ateb dan y 108

Pan fyddwch yn tynnu y tro yma fydd yna ddim gweddill.

Rydych chi wedi gorffen!

$$
\begin{array}{r}
39 \\
12\overline{)468} \\
36 \\
\hline
108 \\
108 \\
\hline
-
\end{array}
$$

Felly $468 \div 12 = 39$

Weithiau bydd yna weddill ar y diwedd.

Enghraifft

$383 \div 14$

$$
\begin{array}{r}
27 \\
14\overline{)383} \\
28 \\
\hline
103 \\
98 \\
\hline
5
\end{array}
$$

Gallwn fynd yn ein blaenau a rhannu'r 5 â'r 14 i gael degolyn.

Mae'n haws ei adael fel ffracsiwn.

$5 \div 14$ yw'r ffracsiwn $\frac{5}{14}$

Felly $383 \div 14 = 27\frac{5}{14}$

Ymarfer 13

Gwnewch y canlynol.

1 $698 \div 12$	**7** $212 \div 14$
2 $664 \div 13$	**8** $517 \div 17$
3 $818 \div 16$	**9** $209 \div 13$
4 $925 \div 22$	**10** $310 \div 18$
5 $550 \div 24$	**11** $2834 \div 14$
6 $872 \div 32$	**12** $8721 \div 15$

Ymarfer 12

Gwnewch y canlynol.

1 $540 \div 12$	**7** $805 \div 23$
2 $806 \div 13$	**8** $754 \div 26$
3 $938 \div 14$	**9** $928 \div 32$
4 $690 \div 15$	**10** $648 \div 27$
5 $600 \div 12$	**11** $1056 \div 16$
6 $540 \div 18$	**12** $1656 \div 18$

10 Rhannu â 10

Pan fyddwn yn rhannu â 10 mae'r holl ddigidau yn symud ar draws, **un** golofn i'r **dde**. Mae hyn yn gwneud y rhif yn llai.

Enghraifft

230 ÷ 10 = 23

C D U

2 3 0
 ÷10 ÷10
 2 3

Dyma fwy o enghreifftiau.

M C D U

5 8 0   580 ÷ 10 = 58
 ÷10 ÷10
 5 8

2 4 6 0   2460 ÷ 10 = 246
 ÷10 ÷10 ÷10
 2 4 6

Ymarfer 14

Rhannwch bob un o'r rhifau yma â 10

1 820
2 60
3 4820
4 930
5 8160
6 9400
7 7000
8 500 000

11 Rhannu â 100, 1000, ...

Pan fyddwn yn rhannu â 100, mae'r holl ddigidau yn symud ar draws, **dwy** golofn i'r **dde**. Y rheswm am hyn yw bod 100 = 10 × 10 Felly mae rhannu â 100 yr un fath â rhannu â 10 ddwy waith.

Enghraifft

7400 ÷ 100 = 74

M C D U

7 4 0 0
 ÷100 ÷100
 7 4

Pan fyddwn yn rhannu â 1000, mae'r holl rifau yn symud ar draws, **tair** colofn i'r **dde.**

Enghraifft

74 000 ÷ 1000 = 74

DM M C D U

7 4 0 0 0
 ÷1000 ÷1000
 7 4

Ymarfer 15

Gwnewch y symiau yma.

1 5400 ÷ 100
2 7100 ÷ 100
3 8200 ÷ 100
4 64 000 ÷ 1000
5 84 000 ÷ 100
6 84 000 ÷ 1000
7 400 000 ÷ 1000
8 400 000 ÷ 10 000

12 Rhannu â 20, 30, ...

Pan fyddwn yn rhannu â 20, mae hyn yr un fath â rhannu â 2 yna â 10. Y rheswm am hyn yw bod 20 = 2 × 10

Enghraifft

Er mwyn gwneud 360 ÷ 20

yn gyntaf gwnewch   180
              2)3¹60

Yna gwnewch   180 ÷ 10 = 18

Felly   360 ÷ 20 = 18

Yn yr un ffordd mae rhannu â 30 yr un fath â rhannu â 3 yna rhannu â 10

Enghraifft

Er mwyn gwneud 780 ÷ 30

yn gyntaf gwnewch

$$3 \overline{)7^{1}8\,0}$$
$$\quad\quad 2\,6\,0$$

Yna gwnewch   260 ÷ 10 = 26

Felly   780 ÷ 30 = 26

Ymarfer 16

Gwnewch y symiau yma.

1 820 ÷ 20   **5** 7520 ÷ 20

2 480 ÷ 30   **6** 4620 ÷ 30

3 3720 ÷ 40   **7** 1980 ÷ 90

4 5250 ÷ 50   **8** 24 480 ÷ 80

13 Rhannu degolion â 10

Gallwn rannu degolion â 10 yn yr un ffordd.

Enghreifftiau

1 47.1 ÷ 10

47.1 ÷ 10 = 4.71

2 2.9 ÷ 10

2.9 ÷ 10 = 0.29

Ymarfer 17

Rhannwch bob un o'r degolion yma â 10

1 32.7   **3** 3.4   **5** 3.01

2 96.4   **4** 8.79   **6** 10.3

14 Rhannu degolion â 100

Pan fyddwn yn rhannu â 100, mae'r holl ddigidau yn symud **dwy** golofn i'r **dde**.

Enghreifftiau

1 257.1 ÷ 100

257.1 ÷ 100
= 2.571

2 52.3 ÷ 100

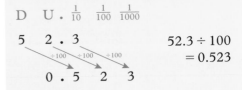

52.3 ÷ 100
= 0.523

Ymarfer 18

Rhannwch y degolion yma â 100

1 182.5   **3** 23.4   **5** 10.2

2 479.1   **4** 17.6   **6** 31.02

Geiriau eraill

Gall y gair yma hefyd olygu **rhannu**.

cyniferydd

Enghraifft

Darganfyddwch **gyniferydd** 240 a 12 } Yr ystyr yw 240 ÷ 12

15 Lluosi a rhannu â 0.1, 0.01, …

Mae lluosi â 0.1 yr un fath â rhannu â 10.
Mae lluosi â 0.01 yr un fath â rhannu â 100 ac yn y blaen.

Mae rhannu â 0.1 yr un fath â lluosi â 10.
Mae rhannu â 0.01 yr un fath â lluosi â 100 ac yn y blaen.

Ymarfer 19

Gwnewch y symiau yma.

1 28×0.1 **9** 81.4×0.01
2 65×0.1 **10** 9.6×0.01
3 3.9×0.1 **11** 3.17×0.001
4 2.3×0.1 **12** 6.9×0.001
5 $29 \div 0.1$ **13** $89.4 \div 0.01$
6 $74 \div 0.1$ **14** $34.8 \div 0.01$
7 $263 \div 0.1$ **15** $8 \div 0.001$
8 $7.8 \div 0.1$ **16** $1.32 \div 0.001$

16 Adio ffracsiynau

Er mwyn adio ffracsiynau, mae'n **rhaid** i'r rhifau ar y gwaelod (enwaduron) fod yr un fath.

Enghreifftiau

$\frac{2}{7} + \frac{3}{7} = \frac{5}{7}$

dau seithfed + tri seithfed = pum seithfed

$\frac{3}{5} + \frac{3}{5} = \frac{6}{5} = 1\frac{1}{5}$

tri phumed + tri phumed = chwe phumed = Un ac un pumed

Ymarfer 20

Gwnewch y symiau yma.

1 $\frac{3}{9} + \frac{4}{9}$ **3** $\frac{9}{12} + \frac{2}{12}$ **5** $\frac{6}{8} + \frac{7}{8}$
2 $\frac{6}{12} + \frac{5}{12}$ **4** $\frac{4}{5} + \frac{4}{5}$ **6** $\frac{9}{11} + \frac{8}{11}$

Weithiau mae'r ddau rif gwaelod yn wahanol. Cyn i ni fedru adio'r ffracsiynau mae'n **rhaid** i ni drefnu fod y ddau yr un fath.

Enghraifft

$\frac{2}{3} + \frac{1}{6}$

Rhaid i ni ddarganfod rhif mae 3 a 6 yn rhannu'n union i mewn iddo.

Rhifau mae 3 yn rhannu'n union i mewn iddynt:
3 ⑥ 9 12 …
Rhifau mae 6 yn rhannu'n union i mewn iddynt:
⑥ 12 18 …

Y rhif cyntaf sy'n ymddangos yn y ddwy restr yw 6. Gelwir y 6 yn gyfenwadur (enwadur cyffredin) yr enwaduron 3 a 6.

Nawr, ysgrifennwch y ffracsiynau gan roi 6 yn y gwaelod.

$\frac{2}{3} = \frac{?}{6}$ felly $\frac{2}{3} = \frac{4}{6}$ felly $\frac{2}{3} = \frac{4}{6}$.

Gallwn weld hyn mewn diagram.

Nid oes angen newid yr $\frac{1}{6}$.

Felly $\frac{2}{3} + \frac{1}{6} = \frac{4}{6} + \frac{1}{6} = \frac{5}{6}$

Dyma enghraifft arall

$\frac{2}{3} + \frac{1}{4}$

Rhifau mae 3 yn rhannu'n union i mewn iddynt:
3 6 9 ⑫ 15 …
Rhifau mae 4 yn rhannu'n union i mewn iddynt:
4 8 ⑫ 16 …

Rhaid i ni newid y ddau ffracsiwn yn rhannau o ddeuddeg (deuddegfedau). 12 yw'r cyfenwadur.

$$\frac{2}{3} = \frac{?}{12} \qquad \frac{2}{3} = \frac{8}{12}$$

$$\frac{1}{4} = \frac{?}{12} \qquad \frac{1}{4} = \frac{3}{12}$$

Felly $\frac{2}{3} + \frac{1}{4} = \frac{8}{12} + \frac{3}{12} = \frac{11}{12}$

Ymarfer 21

Gwnewch y symiau yma.

1 $\frac{1}{4} + \frac{1}{8}$ **5** $\frac{5}{9} + \frac{1}{18}$ **9** $\frac{2}{5} + \frac{1}{6}$

2 $\frac{1}{5} + \frac{1}{15}$ **6** $\frac{1}{3} + \frac{1}{6}$ **10** $\frac{1}{7} + \frac{4}{8}$

3 $\frac{2}{7} + \frac{3}{14}$ **7** $\frac{1}{3} + \frac{1}{4}$ **11** $\frac{1}{8} + \frac{3}{5}$

4 $\frac{5}{9} + \frac{1}{3}$ **8** $\frac{2}{7} + \frac{1}{3}$ **12** $\frac{1}{2} + \frac{1}{3} + \frac{1}{4}$

17   Tynnu ffracsiynau

Mae hyn yn debyg iawn i adio ffracsiynau.

Enghraifft

$\frac{3}{5} - \frac{2}{5} = \frac{1}{5}$

Mae'n rhaid i'r ddau rif gwaelod fod yr un fath unwaith eto.

Enghraifft

$\frac{3}{8} - \frac{1}{4}$

Rhifau mae 8 yn rhannu'n union i mewn iddynt:
(8) 16 24 ...

Rhifau mae 4 yn rhannu'n union i mewn iddynt:
4 (8) 12 16 ...

$$\frac{1}{4} = \frac{?}{8} \qquad \frac{1}{4} = \frac{2}{8}$$

Nid oes angen newid y $\frac{3}{8}$.

Felly $\frac{3}{8} - \frac{1}{4} = \frac{3}{8} - \frac{2}{8} = \frac{1}{8}$

Ymarfer 22

Gwnewch y symiau yma.

1 $\frac{5}{8} - \frac{2}{8}$ **5** $\frac{6}{8} - \frac{1}{4}$ **9** $\frac{7}{8} - \frac{2}{3}$

2 $\frac{3}{5} - \frac{2}{5}$ **6** $\frac{11}{12} - \frac{1}{3}$ **10** $\frac{3}{4} - \frac{1}{3}$

3 $\frac{6}{11} - \frac{2}{11}$ **7** $\frac{1}{4} - \frac{1}{6}$ **11** $\frac{5}{8} - \frac{2}{6}$

4 $\frac{2}{5} - \frac{1}{10}$ **8** $\frac{2}{4} - \frac{1}{3}$ **12** $\frac{10}{11} - \frac{6}{8}$

18   Symleiddio ffracsiynau

Enw arall ar hyn yw **canslo**.

Rydym yn chwilio am rif sy'n rhannu'n union i mewn i'r rhif top a'r rhif gwaelod.

Enghreifftiau

1   Symleiddiwch $\frac{6}{15}$

Mae 3 yn rhannu'n union i mewn i 6 a 15

$$\frac{6}{15} = \frac{2}{5}$$

Gallwn rannu â mwy nag un rhif.

2   Symleiddiwch $\frac{18}{24}$

$$\frac{18}{24} = \frac{9}{12} = \frac{3}{4}$$

Ymarfer 23

Symleiddiwch y canlynol.

1 $\frac{2}{6}$ **5** $\frac{8}{12}$ **9** $\frac{25}{35}$

2 $\frac{4}{12}$ **6** $\frac{30}{50}$ **10** $\frac{8}{40}$

3 $\frac{5}{15}$ **7** $\frac{24}{36}$ **11** $\frac{30}{60}$

4 $\frac{6}{9}$ **8** $\frac{18}{27}$ **12** $\frac{38}{80}$

19 Trawsnewid unedau

Unedau hyd metrig cyffredin

10 milimetr (mm) = 1 centimetr (cm)
100 centimetr = 1 metr (m)
1000 metr = 1 cilometr (km)

Enghreifftiau

1 Trawsnewidiwch 6.9 cm yn mm.
6.9 cm = 6.9 × 10 mm
= 69 mm

2 Trawsnewidiwch 5.34 m yn cm.
5.34 m = 5.34 × 100 cm
= 534 cm

3 Trawsnewidiwch 7.3 km yn m.
7.3 km = 7.3 × 1000 m
= 7300 m

Unedau màs metrig cyffredin

Mae gan unedau mesur màs enwau tebyg i unedau mesur hyd.

1000 miligram (mg) = 1 gram (g)
1000 gram = 1 cilogram (kg)
1000 kg = 1 dunnell fetrig (t)

Enghreifftiau

1 Trawsnewidiwch 2.5 kg yn g.
2.5 kg = 2.5 × 1000 g
= 2500 g

2 Trawsnewidiwch 5000 g yn kg.
5000 g = 5000 ÷ 1000 kg
= 5 kg

Ymarfer 24

1 Trawsnewidiwch yr hydoedd yma yn mm.
a 3.4 cm   c 131 cm
b 12.8 cm   ch 113.7 cm

2 Trawsnewidiwch yr hydoedd yma yn cm.
a 4.1 m   c 12.1 m
b 2.8 m   ch 324 m

3 Trawsnewidiwch yr hydoedd yma yn m.
a 8.8 km   c 15 km
b 9.7 km   ch 100 km

Ymarfer 25

Trawsnewidiwch yr unedau ym mhob un o'r canlynol.
Meddyliwch yn ofalus beth sydd angen i chi ei wneud, lluosi ynteu rannu.

1 a 3 kg yn g   ch 3000 g yn kg
  b 7 kg yn g   d 6000 g yn kg
  c 21 kg yn g   dd 800 g yn kg

2 a 3.5 kg yn g   ch 6500 g yn kg
  b 7.2 kg yn g   d 3200 g yn kg
  c 3.84 kg yn g   dd 2800 g yn kg

3 a 5 g yn mg   ch 3000 kg yn t
  b 8000 mg yn g   d 4 t yn kg
  c 1640 mg yn g   dd 2.5 t yn kg

PENNOD 1

1   **a** $s^2 = 4^2 + 5^2$
        $s^2 = 41$
        $s = \sqrt{41}$
        $s = 6.4$ cm yn gywir i 1 lle degol

    b $18^2 = 14^2 + n^2$
     $n^2 + 196 = 324$
        $n^2 = 128$
         $n = 11.3$ cm yn gywir i 1 lle degol

    c $56^2 = y^2 + 45^2$
    $y^2 + 2025 = 3136$
        $y^2 = 1111$
         $y = 33.3$ mm yn gywir i 1 lle degol

    ch

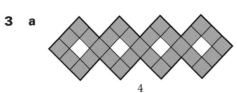

                    $20^2 = a^2 + 16^2$
              $a^2 + 256 = 400$
                 $a^2 = 144$
                  $a = 12$ mm
                 $q = 2 \times 12 = 24$ mm

2 $8.5^2 = 72.25$ (Dyma'r ochr hwyaf)
    $4^2 + 7.5^2 = 16 + 56.25 = 72.25$
    Mae gan y triongl ongl sgwâr.

3 $3.5^2 = u^2 + 1.2^2$
    $u^2 + 1.2^2 = 3.5^2$
         $u^2 = 12.25 - 1.44$
          $u = 3.3$ yn gywir i 1 lle degol

PENNOD 2

1   **a** $c = b + s$
    b $c = £1.50 + £0.70 = £2.20$

2   **a** $C = 2 \times n + 70 = 2n + 70$
    b $C = 2 \times 54 + 70 = £178$

3   **a**

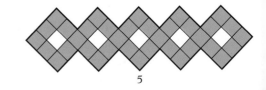

4   5

b

Rhif y patrwm	1	2	3	4	5
Nifer y teils	8	15	22	29	36

Nifer y teils = 7 × rhif y patrwm + 1.

c

Rhif y patrwm	1	2	3	4	5
	7 + 1	14 + 1	21 + 1	28 + 1	35 + 1
Nifer y teils	8	15	22	29	36

ch $t = 7n + 1$
d $t = 7 \times 20 + 1 = 141$

4 **a** Mae'r dilyniant yn mynd i fyny fesul 4 gan gychwyn yn 6.
$t = 4n + 2$
b Mae'r dilyniant yn mynd i fyny fesul 7 gan gychwyn yn 1.
$t = 7n - 6$

PENNOD 3

1 **a** Cylchedd = $\pi \times$ diamedr
$C = \pi \times 18$
$C = 56.5$ cm i 1 lle degol.

b Diamedr = 2 × radiws
$d = 2 \times 4.1$
$d = 8.2$ cm
Cylchedd = $\pi \times$ diamedr
$C = \pi \times 8.2$
$C = 25.8$ cm i 1 lle degol.

2 Cylchedd = $\pi \times$ diamedr
Diamedr = cylchedd ÷ π
$$d = \frac{82}{\pi}$$
$d = 26.1$ cm i 1 lle degol.

3 **a** Arwynebedd = $\pi \times$ radiws × radiws
$A = \pi \times 2.9 \times 2.9$
$A = 26.4$ cm^2 i 1 lle degol

b Radiws = diamedr ÷ 2
$r = 30 \div 2$
$r = 15$ cm

Arwynebedd = $\pi \times$ radiws × radiws
$A = \pi \times 15 \times 15$
$A = 706.9$ cm^2 i 1 lle degol.

4 **a** Mae'r siâp yma yn chwarter cylch.

Arwynebedd cylch cyfan
  $= \pi \times$ radiws $\times$ radiws
  $= \pi \times 7 \times 7$

Arwynebedd y siâp yma
  $= \pi \times 7 \times 7 \div 4$
  $= 38.5$ cm^2 i 1 lle degol.

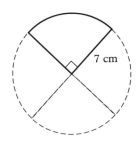

7 cm

b Arwynebedd y siâp
  $=$ Arwynebedd A $+$ Arwynebedd B

Arwynebedd A $= 12 \times 6$
  $= 72$ cm^2

Mae B yn hanner cylch. Mae'r radiws yn 6 cm.

Arwynebedd B $= \pi \times 6 \times 6 \div 2$
  $= 56.5$ cm^2 i 1 lle degol.

Arwynebedd y siâp
  $= 72 + 56.5$
  $= 128.5$ cm^2 i 1 lle degol.

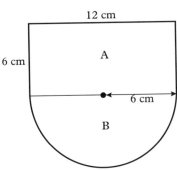

12 cm

6 cm

A

6 cm

B

PENNOD 4

1 **a** Swm cymedrig

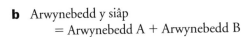

$$= \frac{3.20 + 3.70 + 2.40 + 2.40 + 3.50 + 2.80 + 2.40 + 2.60 + 2.40 + 2.40 + 3.40 + 2.90}{12}$$

$$= \frac{34.10}{12}$$

$= £2.84$ i'r geiniog agosaf (2 le degol)

b Rhowch y gwerthoedd mewn trefn:

2.40 2.40 2.40 2.40 2.40 $\boxed{2.60}$ $\boxed{2.80}$ 2.90 3.20 3.40 3.50 3.70

$$\text{Canolrif} = \frac{2.60 + 2.80}{2} = £2.70$$

c Modd $= £2.40$
ch Amrediad $= £3.70 - £2.40 = £1.30$

2 a

Glawiad (mm)	Marciau rhifo	Nifer y dyddiau
0–5	JHT JHT	10
5–10	JHT III	8
10–15	JHT I	6
15–20	JHT	5
20–25	I	1
	Cyfanswm	30

b

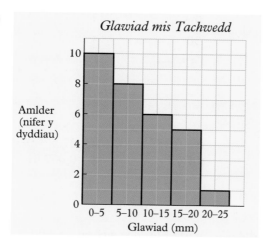

Glawiad mis Tachwedd

Amlder (nifer y dyddiau) / Glawiad (mm)

c 30 (10 + 8 + 5 + 4 + 3 = 30)

ch Ebrill yw'r mis gwlypaf. Yn y siart bar ar gyfer Ebrill mae'r barrau yn uwch ar y dde, h.y. mae mwy o ddyddiau gyda glawiad uwch nag ym mis Tachwedd, lle mae'r barrau uchel ar y chwith yn cynrychioli glawiad isel.

d Tachwedd:

Glawiad (canolbwynt)	Nifer y dyddiau	Glaw	
2.5	10	25	(10 × 2.5)
7.5	8	60	(8 × 7.5)
12.5	6	75	(6 × 12.5)
17.5	5	87.5	(5 × 17.5)
22.5	1	22.5	(1 × 22.5)
	Cyfanswm 30	Cyfanswm 270	

$$\text{Amcangyfrif glawiad cymedrig} = \frac{270}{30}$$

$$= 9\,\text{mm}$$

Ebrill:

Glawiad (canolbwynt)	Nifer y dyddiau	Cyfanswm Glawiad
2.5	3	7.5
7.5	4	30
12.5	5	62.5
17.5	8	140
22.5	10	225
	Cyfanswm 30	Cyfanswm 465

$$\text{Amcangyfrif glawiad cymedrig} = \frac{465}{30}$$

$$= 15.5 \text{ mm}$$

PENNOD 5

1 **a** 24 **c** 35.6 **d** 0.38 **e** 27.5
    b 350 **ch** 39.473 **dd** 75 **f** 0.007 01

2 **a** 5.65 m **b** 0.378 kg

3 **a** Pedr
    b Pan fyddwch yn lluosi â rhif sy'n llai nag 1 bydd yr ateb yn llai na'r hyn oedd gennych ar y dechrau.

4 **a** $3.67 \times 10^3 = 3670$
    b $6.293 \times 10^6 = 6\ 293\ 000$

5 **a** 164.7 **b** 732 000

6 Mae'r derfan isaf yn 15.65
    Mae'r derfan uchaf yn 15.75

7 **a** Hyd: mae'r derfan isaf yn 129.5
                  mae'r derfan uchaf yn 130.5
       Lled: mae'r derfan isaf yn 51.5
                  mae'r derfan uchaf yn 52.5
    b Perimedr lleiaf = 129.5 + 51.5 + 129.5 + 51.5
                  = 362 cm
       Perimedr mwyaf = 130.5 + 52.5 + 130.5 + 52.5
                  = 366 cm
    c Arwynebedd lleiaf = $129.5 \times 51.5 = 6669.25$ cm^2
       Arwynebedd mwyaf = $130.5 \times 52.5 = 6851.25$ cm^2

8 **a** $80 \times 40 = 3200$ cm^2 **b** $78.5 \times 44.5 = 3493.25$ cm^2

1 Cyfaint $= 42 \times 5 = 210$ cm³

2

Arwynebedd y trawstoriad $= 16 + 9 + 8 = 33$ cm²
Cyfaint $= 33 \times 10 = 330$ cm³

3 Arwynebedd y trawstoriad $= \dfrac{9 + 15}{2} \times 8 = 12 \times 8 = 96$ cm²

Cyfaint $= 96 \times 20 = 1920$ cm³

4 Arwynebedd y trawstoriad $= 3.14 \times 12 \times 12 = 452.16$ cm²
Cyfaint $= 452.16 \times 30 = 13\,564.8$ cm³

5 Uchder $= 1287 \div 33 = 39$ cm

6 **a** Arwynebedd y gwaelod crwn $= 3.14 \times 13 \times 13 = 530.66$ cm²
   b 5 litr $= 5000$ ml $= 5000$ cm³
Cyfaint $=$ arwynebedd y croestoriad $\times$ dyfnder
$5000 = 530.66 \times$ dyfnder
dyfnder $= 5000 \div 530.66$
dyfnder $= 9.4$ cm i 1 lle degol.

7 Arwynebedd y trawstoriad $=$ arwynebedd y cylch $\div$ 2
$= (3.14 \times 4 \times 4) \div 2$
$= 25.12$ m²
Cyfaint y pridd a symudwyd $= 25.12 \times 250$
$= 6280$ m³.

8 Hyfryd: Mae 25 ml yn costio £2.10 $\div$ 6 $=$ £0.35
Gwych a Glân: 25 ml yn costio £1.80 $\div$ 5 $=$ £0.36
Mae Hyfryd yn rhatach ac felly dyma'r fargen orau.

1 $100 - 46 = 54\%$

2 $\frac{35}{250} \times 100 = 35 \div 250 \times 100 = 14\%$

3 **a** $\frac{4}{5} \times 100 = 4 \div 5 \times 100 = 80\%$
   b $0.39 \times 100 = 39\%$

4 **a** $16\% = 16 \div 100 = 0.16$
   b $\frac{16}{100} = \frac{4}{25}$

5 5% o £240 $= \frac{5}{100} \times 240 = £12$
   Mae ei gyflog newydd yn £240 + £12 = £252

6 $5 + 3 + 1 = 9$ rhan (mae angen 9 rhan)
   Mae un rhan yn £360 ÷ 9   = £40
   Mae'r wobr gyntaf yn £40 × 5   = £200
   Mae'r ail wobr yn £40 × 3   = £120
   Mae'r drydedd wobr yn £40 × 1   = £40
   Gwiriwch: £200 + £120 + £40   = £360

7 Mae un car yn costio £2.61 ÷ 3 = £0.87
   Mae 7 car yn costio £0.87 × 7 = £6.09

8 **a** Dwysedd $= 67.7 \div 5$ g/cm³
          $= 13.54$ g/cm³
   b Màs 12 cm³ o arian byw $= 13.54 \times 12 = 162.48$ g

9 Amser, A $= \dfrac{P}{B} = 2320 \div 580 = 4$ awr

10 Pellter P = B × A = 300 000 × 6 km
            = 1 800 000 km.

PENNOD 8

1 **a** $4e$ **b** f^3 **c** $6g$ **ch** q^3 **d** h^5 **dd** $2k$

2 **a** $7f + 4g$ **c** $9u + 2v$ **d** $7x + y$
    b $11r$ **ch** $g + 2$ **dd** $3r + 6$

3 **a** $12a$ **b** $10r^2$ **c** $3cd$ **ch** $3y \times 3y = 9y^2$

4 **a** $6r - 15$ **b** $t^2 + 4t$ **c** $2ed - 5d$ **ch** $6rs + 12r^2$

5 **a** $7(f + 3) + 2(5f - 4) = 7f + 21 + 10f - 8$
$$= 17f + 13$$
b $4(p + 2q) + 3(p - 2q) = 4p + 8q + 3p - 6q$
$$= 7p + 2q$$

6 **a**
$$x + 5 = 17$$
$$x + 5 - 5 = 17 - 5$$
$$x = 12$$

b
$$5x = 35$$
$$\frac{5x}{5} = \frac{35}{5}$$
$$x = 7$$

c
$$\frac{x}{3} = 11$$
$$3 \times \frac{x}{3} = 3 \times 11$$
$$x = 33$$

ch
$$x - 5 = 22$$
$$x - 5 + 5 = 22 + 5$$
$$x = 27$$

7 **a**
$$3x + 15 = 8x$$
$$3x - 3x + 15 = 8x - 3x$$
$$15 = 5x$$
$$\frac{15}{5} = \frac{5x}{5}$$
$$3 = x$$

neu $x = 3$

b
$$5x - 7 = 18$$
$$5x - 7 + 7 = 18 + 7$$
$$5x = 25$$
$$\frac{5x}{5} = \frac{25}{5}$$
$$x = 5$$

8 **a**
$$6x - 3 = 4x + 5$$
$$6x - 4x - 3 = 4x - 4x + 5$$
$$2x - 3 = 5$$
$$2x - 3 + 3 = 5 + 3$$
$$2x = 8$$
$$\frac{x}{2} = \frac{8}{2}$$
$$x = 4$$

b
$$4x + 6 = 21 - x$$
$$4x + x + 6 = 21 - x + x$$
$$5x + 6 = 21$$
$$5x + 6 - 6 = 21 - 6$$
$$5x = 15$$
$$\frac{5x}{5} = \frac{15}{5}$$
$$x = 3$$

9 **a**
$$5(x + 4) = 35$$
$$5x + 20 = 35$$
$$5x + 20 - 20 = 35 - 20$$
$$5x = 15$$
$$\frac{5x}{5} = \frac{15}{5}$$
$$x = 3$$

b
$$3(x - 2) = 18$$
$$3x - 6 = 18$$
$$3x - 6 + 6 = 18 + 6$$
$$3x = 24$$
$$\frac{3x}{3} = \frac{24}{3}$$
$$x = 8$$

1   a

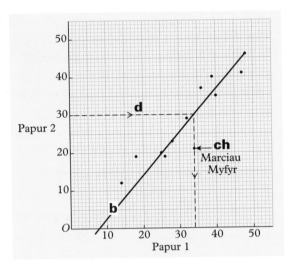

c   Papur 1, gan fod y marciau'n uwch.

ch 21 (gweler y marc ar y graff)

d   34 (gweler llinell doredig ar y graff)

2   a $\frac{1}{4}$

b   Mae'r rhan sy'n cynrychioli Ewrop ychydig yn llai na 50%.
Amcangyfrif o'r canran yw 40%.
(Gallwch roi unrhyw ateb yn yr amrediad 35% i 45%.)

c   Dewisodd $\frac{1}{4}$ y dosbarth America.

$\frac{1}{4}$ o 28 = $\frac{1}{4}$ × 28 = 7 disgybl

ch Cyfanswm y disgyblion = 30
Mae pob disgybl yn cael 360° ÷ 30 = 12°

I ble mae fy nosbarth i eisiau
mynd ar eu gwyliau

Dewis o wyliau	Nifer y disgyblion	Ongl
Ewrop	10	120°
Awstralia	6	72°
America	8	96°
Affrica	2	24°
Asia	4	48°

3   Nid yw lled y barrau yr un fath felly mae tymor y Gwanwyn yn ymddangos yn llawer
mwy na 3 gwaith tymor yr Hydref.

1 Mae 6 o fwclis i gyd.

  a (1) Tebygolrwydd o gael mwclen goch $= \frac{2}{6}$ gan fod 2 o fwclis coch.

     (2) Tebygolrwydd o gael mwclen werdd $= \frac{3}{6}$ gan fod 3 o fwclis gwyrdd.

     (3) Tebygolrwydd o gael mwclen ddu $= \frac{1}{6}$ gan fod 1 fwclen ddu.

  b Mae ar Morfudd angen nifer cyfartal o bob lliw, felly adiwch 1 fwclen goch a 2 fwclen ddu.

2 **a** Anghywir. Efallai bod mwy o ddisgyblion yn cymryd un iaith nag sy'n cymryd y llall.

  b Cywir

3 $1 - 0.8 = 0.2$

4 **a** (1) $\frac{31}{100}$ (2) 0.31   (3) 31%

  b Cyw iâr a sglodion oherwydd hwn yw'r amlder uchaf.

5 **a**

		Dis				
	1	2	3	4	5	6
Troellwr Gwyn	Gn, 1	Gn, 2	Gn, 3	Gn, 4	Gn, 5	Gn, 6
Glas	G, 1	G, 2	G, 3	G, 4	G, 5	B, 6
Coch	C, 1	C, 2	C, 3	C, 4	C, 5	C, 6
Gwyrdd	Gr, 1	Gr, 2	Gr, 3	Gr, 4	Gr, 5	Gr, 6

  b Mae 24 o ganlyniadau posibl i gyd.

     (1) Tebygolrwydd o gael coch a 6 $= \frac{1}{24}$

     (2) Tebygolrwydd o gael gwyrdd ac 1 $= \frac{1}{24}$

1 **a**

Gwerth x	Gwerth x^2	Gwerth $x^2 + x$	
6	36	42	rhy fach
6.5	42.25	48.75	rhy fawr
6.3	39.69	45.99	rhy fach
6.4	40.96	47.36	rhy fawr
			Mae x rhwng 6.3 a 6.4
6.35	40.3225	46.6725	rhy fawr
			Mae x rhwng 6.3 a 6.35

    $x = 6.3$ yn gywir i 1 lle degol.

  b $x = 3.3$ yn gywir i 1 lle degol.

2

Gwerth x	Gwerth $x + 5$	Gwerth $x(x + 5)$	
3	8	24	rhy fach
4	9	36	rhy fawr
3.8	8.8	33.44	rhy fach
3.9	8.9	34.71	rhy fawr
3.85	8.85	34.0725	rhy fawr
3.84	8.84	33.9456	rhy fach

Mae x rhwng 3.84 a 3.85

3   **a**   4.35 yw'r rhif mwyaf synhwyrol i roi cynnig arno nesaf.
Mae hanner ffordd rhwng 4.3 a 4.4.
$4.35 \times 4.35 = 18.9225$ rhy fach.
$4.36 \times 4.36 = 19.0096$ rhy fawr.
Mae 4.355 hanner ffordd rhwng 4.35 a 4.36
$4.355 \times 4.355 = 18.966$ rhy fach
$4.356 \times 4.356 = 18.974$ rhy fach.
Gallwch roi cynnig ar rifau eraill.
Yr ateb yw 4.359 yn gywir i 3 lle degol.

    b $x^2 + 4 = 23$
Tynnwch 4 o'r ddwy ochr $x^2 + 4 - 4 = 23 - 4$
$$x^2 = 19$$
felly $x = \sqrt{19}$

Defnyddiwch yr ateb a gawsoch yn rhan **a** ar gyfer x.

4   **a** $-7, -6, -5, -4, -3$ **c** $-6, -5, -4, -3, -2$
    b $-6, -7, -8, -9, -10$ **ch** 7, 6, 5, 4, 3

5   **a** $-2, -1, 0, 1, 2, 3, 4, 5$ **c**   0, 1, 2, 3, 4
    b $-3, -2, -1, 0, 1$

6   **a**

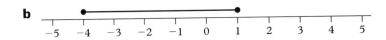

    b

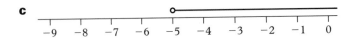

    c

    ch

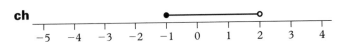

7 **a**
$$x + 1 > 7$$
$$x + 1 - 1 > 7 - 1$$
$$x > 6$$

ch
$$4x < 16$$
$$\frac{4x}{4} < \frac{16}{4}$$
$$x < 4$$

b
$$\frac{x}{7} > 4$$
$$7 \times \frac{x}{7} > 7 \times 4$$
$$x > 28$$

d
$$2x + 5 \leqslant 17$$
$$2x + 5 - 5 \leqslant 17 - 5$$
$$2x \leqslant 12$$
$$\frac{2x}{2} < \frac{12}{2}$$
$$x \leqslant 6$$

c
$$3x < 21$$
$$\frac{3x}{3} < \frac{21}{3}$$
$$x < 7$$

dd
$$4x - 12 \geqslant 20$$
$$4x - 12 + 12 \geqslant 20 + 12$$
$$4x \geqslant 32$$
$$\frac{4x}{4} \geqslant \frac{32}{4}$$
$$x \geqslant 8$$

PENNOD 12

1 **a** $\dfrac{(3.4 + 5.5)}{3.7} = 2.405\ 405\ 4$
$$= 2.41 \text{ i 3 ffig. yst.}$$

b $\dfrac{5.6}{(1.4 \times 8)} = 0.5$

c $\dfrac{(67 - 14.6)}{(4.3 + 5.9)} = 5.137\ 254\ 9$
$$= 5.14 \text{ i 3 ffig. yst.}$$

ch $4\sqrt{(4.5^2 + 6^2)} = 30$

2 $p = \dfrac{q^2 + r^2}{q - r}$

$$= \dfrac{(14.8^2 + 12.3^2)}{(14.8 - 12.3)}$$

$$= 148.132$$

3 **a** 9.7   **c** 3.12   **d** 0.4
   b 0.65   **ch** 8.7   **dd** 6.3

4 **a** 2.1   **c** 6.0   **d** 0.5
   b 0.24   **ch** 0.33   **dd** 0.08

5 **a** 8.019, 8.109, 8.19   **b** 1.002, 1.02, 1.2

6 a
$$\begin{array}{r} 7.62 \\ \times \quad 5 \\ \hline 38.10 \\ \tiny{3\ 1} \end{array}$$

b
$$\begin{array}{r} 34.8 \\ \times \quad 6 \\ \hline 208.8 \\ \tiny{2\ 4} \end{array}$$

7 a
$$\begin{array}{r} 6.74 \\ \times 36 \\ \hline 40.44 \\ \tiny{4\ 2} \\ 202.20 \\ \tiny{2\ 1} \\ \hline 242.64 \end{array}$$
6.74×6
6.74×30

b
$$\begin{array}{r} 74.8 \\ \times 27 \\ \hline 523.6 \\ \tiny{3\ 5} \\ 1496.0 \\ \tiny{1} \\ \hline 2019.6 \\ \tiny{1\ 1} \end{array}$$
74.8×7
74.8×20

8 a
$$\begin{array}{r} 0.\ 5\ 7 \\ 8\overline{)4.{}^{4}5{}^{5}6} \end{array}$$

b
$$\begin{array}{r} 1.0\ 8\ 4\ 2 \\ 7\overline{)7.5{}^{5}9{}^{3}0{}^{2}0} \end{array}$$
1.084 yn gywir i 3 lle degol

9 a
$$\begin{array}{r} 3.7 \\ 16\overline{)59.2} \\ 48\downarrow \\ \hline 11\ 2 \\ 11\ 2 \\ \hline - \end{array}$$

b
$$\begin{array}{r} 3.4 \\ 26\overline{)88.4} \\ 78\downarrow \\ \hline 10\ 4 \\ 10\ 4 \\ \hline - \end{array}$$

PENNOD 13

1
$a + 60 = 180 \qquad a = 120°$
$40 + b = 360 \qquad b = 320°$
$c + 90 + 40 = 180 \qquad c = 180 - 130 = 50°$
$d = 125° \qquad$ (onglau croesfertig)
$e = 55° \qquad$ (onglau croesfertig)
$f + 110 + 125 + 55 = 360° \qquad f = 360 - 290 = 70°$

2 a $360 \div 6 = 60°$ **c** $360 \div 10 = 36°$
  b $360 \div 9 = 40°$ **ch** $360 \div 7 = 52°$

3

Nifer yr ochrau	Enw'r polygon	Ongl allanol	Ongl fewnol
3	triongl hafalochrog	120°	60°
5	pentagon rheolaidd	72°	108°
8	octagon rheolaidd	45°	135°
12	dodecagon rheolaidd	30°	150°

4 Er mwyn darganfod nifer y trionglau, rhannwch â 180°
$1620 \div 180 = 9$.
Mae'r polygon wedi ei dorri yn 9 triongl. Mae ganddo 11 o ochrau.

5 **a**
b
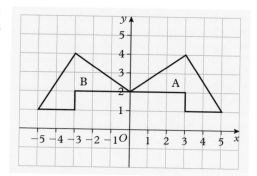

6
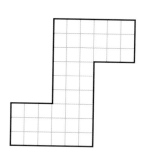

1 **a** $y = 5x - 2$ Y rhif mwyaf cyn yr x yw 5.
  b $y = 2x + 5$ Y rhif lleiaf cyn yr x yw 2.
  c $y = 2x + 5$ Y rhif ar ôl yr x yw 5.

2 $y = 2x - 4$ $(3, 2)$ $2 \times 3 - 4 = 2$
  $y = x - 4$ $(9, 5)$ $9 - 4 = 5$
  $y = 3x - 2$ $(3, 7)$ $3 \times 3 - 2 = 7$

3 **a** $y = 2x$ Mae'r llinell yn baralel i $y = 2x + 6$ felly mae'n rhaid bod $y = 2x$.
        Mae'n mynd drwy'r tarddbwynt felly $y = 2x$ yw'r hafaliad.
  b $y = \frac{1}{2}x - 1$ Mae'r llinell yn baralel i $y = \frac{1}{2}x + 5$ felly mae'n rhaid bod $y = \frac{1}{2}x$.
        Mae'n mynd drwy -1 felly mae ei hafaliad yn $y = \frac{1}{2}x - 1$.

4 2 afal + 1 ellygen = 20c $2a + g = 20$
  1 afal + 2 ellygen = 22c $a + 2g = 22$
  Mae angen i chi dynnu'r llinellau ar gyfer
  $2a + g = 20$ ac $a + 2g = 22$
  Pan yw $a = 0$ $p = 20$ Pan yw $a = 0$ $2g = 22$
  Pan yw $g = 0$ $2a = 20$ $g = 11$
          $a = 10$ Pan yw $g = 0$ $a = 22$
  Felly mae $(10, 0)$ ac $(0, 20)$ Felly mae $(22, 0)$ ac $(0, 11)$
  ar y llinell.   ar y llinell.

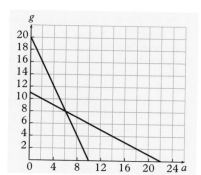

Mae'r llinell yn croesi yn $(6,8)$
felly mae afal yn costio 6c a gellygen
yn costio 8c.

5 a (1) $\qquad 2x + y = 11$
(2) $\qquad\qquad 5x - y = 17$
Adio (1) a (2) $\quad \overline{7x \qquad = 28}$
$\qquad\qquad\qquad\qquad x = 4$
Rhowch $x = 4$ yn (1) $\; 8 + y = 11$
$\qquad\qquad\qquad\qquad\qquad y = 3$

Felly $x = 4, y = 3$
Gwiriwch yn (2) $\quad 5 \times 4 - 3 = 20 - 3 = 17$ ✓

b (1) $\qquad\qquad 7x + y = 44$
(2) $\qquad\qquad 3x + y = 20$
Tynnwch (2) o (1) $\quad \overline{4x \qquad = 24}$
$\qquad\qquad\qquad\qquad x = 6$
Rhowch $x = 6$ yn (1) $\quad 42 + y = 44$
$\qquad\qquad\qquad\qquad\qquad y = 2$

Felly $x = 6, y = 2$
Gwiriwch yn (2) $\quad 3 \times 6 + 2 = 18 + 2 = 20$ ✓

PENNOD 15

1

Graddfa: 1 cm i 1 km
Mae ✕ yn dangos dau
leoliad posibl.

2

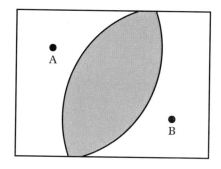

Graddfa: 1 cm i 2 m

Mae'r arwynebedd sydd wedi ei dywyllu yn cael ei ddyfrhau gan y ddau chwistrellydd.

3

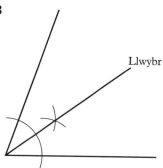

Llwybr

4

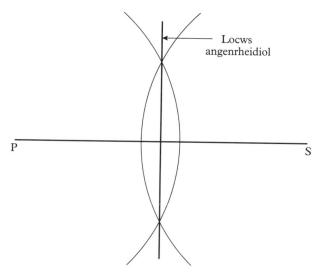

Locws
angenrheidiol

P   S

1 **a, b, ch**
   c 2

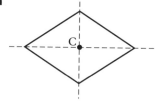

5

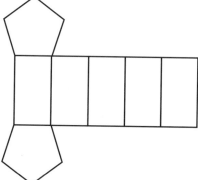

2 **a** 2   **c** 3
   b 1   **ch** 2

3 Mae gan A 6 dot, mae gan B 4 dot, mae gan C 5 dot.

4 **a** Pyramid pentagonol   **b** Silindr

Ymarfer 1

1	66	**3**	124
2	396	**4**	399

Ymarfer 2

1	90	**6**	2140
2	70	**7**	1413
3	216	**8**	5706
4	375	**9**	2775
5	698	**10**	3604

Ymarfer 3

1	480	**3**	8420	**5**	70 000
2	540	**4**	7770	**6**	90 030

Ymarfer 4

1	2700	**7**	415 300
2	9100	**8**	900 000
3	74 000	**9**	4 004 000
4	29 100	**10**	9 240 000
5	427 000	**11**	3 010 000
6	840 000	**12**	73 700 000

Ymarfer 5

1	780	**5**	1950	**9**	3550
2	840	**6**	1360	**10**	6080
3	780	**7**	3680	**11**	8730
4	690	**8**	1250	**12**	36 750

Ymarfer 6

1	74	**3**	189.1	**5**	208
2	325	**4**	723.4	**6**	4

Ymarfer 7

1	6586	**3**	1640	**5**	7039
2	2294	**4**	72 180	**6**	401

Ymarfer 8

1	675	**5**	9550	**9**	11 990
2	1824	**6**	14 634	**10**	53 365
3	6519	**7**	17 595	**11**	53 534
4	10 504	**8**	26 628	**12**	88 021

Ymarfer 9

1	33	**3**	11	**5**	41
2	13	**4**	22	**6**	121

Ymarfer 10

1	27	**5**	13	**9**	108
2	17	**6**	17	**10**	142
3	16	**7**	15	**11**	177
4	13	**8**	18	**12**	54

Ymarfer 11

1	10.5	**5**	88.4
2	44.5	**6**	120.8
3	39.25	**7**	44.625
4	30.25	**8**	120.5

Ymarfer 12

1 45 **5** 50 **9** 29
2 62 **6** 30 **10** 24
3 67 **7** 35 **11** 66
4 46 **8** 29 **12** 92

Ymarfer 13

1 $58\frac{1}{6}$ **7** $15\frac{1}{7}$
2 $51\frac{1}{13}$ **8** $30\frac{7}{17}$
3 $51\frac{1}{8}$ **9** $16\frac{1}{13}$
4 $42\frac{1}{22}$ **10** $17\frac{2}{9}$
5 $22\frac{11}{12}$ **11** $202\frac{3}{7}$
6 $27\frac{1}{4}$ **12** $581\frac{2}{5}$

Ymarfer 14

1 82 **5** 816
2 6 **6** 940
3 482 **7** 700
4 93 **8** 50 000

Ymarfer 15

1 54 **5** 840
2 71 **6** 84
3 82 **7** 400
4 64 **8** 40

Ymarfer 16

1 41 **5** 376
2 16 **6** 154
3 93 **7** 22
4 105 **8** 306

Ymarfer 17

1 3.27 **4** 0.879
2 9.64 **5** 0.301
3 0.34 **6** 1.03

Ymarfer 18

1 1.825 **4** 0.176
2 4.791 **5** 0.102
3 0.234 **6** 0.3102

Ymarfer 19

1 2.8 **9** 0.814
2 6.5 **10** 0.096
3 0.39 **11** 0.00317
4 0.23 **12** 0.0069
5 290 **13** 8940
6 740 **14** 3480
7 2630 **15** 8000
8 78 **16** 1320

Ymarfer 20

1 $\frac{7}{9}$ **4** $\frac{8}{5} = 1\frac{3}{5}$
2 $\frac{11}{12}$ **5** $\frac{13}{8} = 1\frac{5}{8}$
3 $\frac{11}{12}$ **6** $\frac{17}{11} = 1\frac{6}{11}$

Ymarfer 21

1 $\frac{3}{8}$ **5** $\frac{11}{18}$ **9** $\frac{17}{30}$
2 $\frac{4}{15}$ **6** $\frac{1}{2}$ **10** $\frac{9}{14}$
3 $\frac{1}{2}$ **7** $\frac{7}{12}$ **11** $\frac{29}{40}$
4 $\frac{8}{9}$ **8** $\frac{13}{21}$ **12** $1\frac{1}{12}$

Ymarfer 22

1 $\frac{3}{8}$

2 $\frac{1}{5}$

3 $\frac{4}{11}$

4 $\frac{3}{10}$

5 $\frac{1}{2}$

6 $\frac{7}{12}$

7 $\frac{1}{12}$

8 $\frac{1}{6}$

9 $\frac{5}{24}$

10 $\frac{5}{12}$

11 $\frac{7}{24}$

12 $\frac{7}{44}$

Ymarfer 23

1 $\frac{1}{3}$

2 $\frac{1}{3}$

3 $\frac{1}{3}$

4 $\frac{2}{3}$

5 $\frac{2}{3}$

6 $\frac{3}{5}$

7 $\frac{2}{3}$

8 $\frac{2}{3}$

9 $\frac{5}{7}$

10 $\frac{1}{5}$

11 $\frac{1}{2}$

12 $\frac{19}{40}$

Ymarfer 24

1 **a** 34 mm   **c** 1310 mm
 b 128 mm   **ch** 1137 mm

2 **a** 410 cm   **c** 1210 cm
 b 280 cm   **ch** 32 400 cm

3 **a** 8800 m   **c** 15 000 m
 b 9700 m   **ch** 100 000 m

Ymarfer 25

1 **a** 3000 g   **ch** 3 kg
 b 7000 g   **d** 6 kg
 c 21 000 g **dd** 0.8 kg

2 **a** 3500 g   **ch** 6.5 kg
 b 7200 g   **d** 3.2 kg
 c 3840 g   **dd** 2.8 kg

3 **a** 5000 mg **ch** 3 t
 b 8 g   **d** 4000 kg
 c 1.64 g   **dd** 2500 kg